#시험대비
#핵심정복

7일 끝
중간고사
기말고사

Chunjae
Makes
Chunjae

▼

[7일 끝] 고등 수학 Ⅱ

저자　　　 최용준, 해법수학연구회
편집개발　 김혜림, 오혜진, 이영욱, 남원남
제작　　　 황성진, 조규영

발행일　　 2021년 7월 1일 초판 2021년 7월 1일 1쇄
발행인　　 (주)천재교육
주소　　　 서울시 금천구 가산로9길 54
신고번호　 제2001-000018호
고객센터　 1577-0902
교재 내용문의　 (02)3282-8854

7일 끝으로 끝내자!

7

고등 수학Ⅱ

BOOK 1
중간고사대비

이 책의 구성과 활용

밀차별 시험 공부

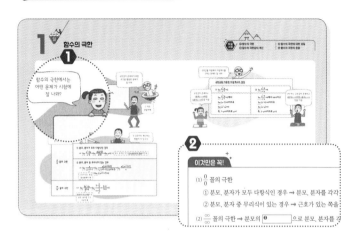

내용 한눈에 보기

본격적인 학습 전, 만화를 통해 시험에 잘 나오는 내용을 가볍게 짚고 넘어갈 수 있습니다.

❶ 만화로 핵심 내용 짚어 보기
❷ 시험에 잘 나오는 내용 중 꼭 알아야 할 내용 점검하기

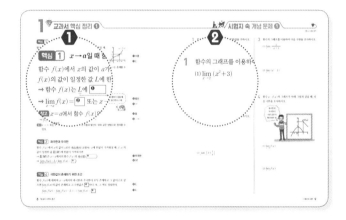

교과서 핵심 정리 + 시험지 속 개념 문제

시험 전 꼭 알아야 할 교과서 핵심 내용과 개념 문제를 통해 핵심 개념을 잘 이해하였는지 확인할 수 있습니다.

❶ 빈칸 문제를 채우며 핵심 내용 체크하기
❷ 시험에 잘 나오는 개념 문제 풀기

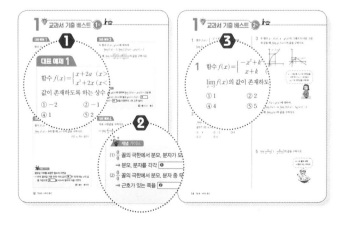

교과서 기출 베스트

기출문제를 분석하여 엄선한 빈출 유형의 문제를 집중적으로 풀며 효과적으로 기본 실력을 다질 수 있습니다.

❶ 빈출 유형을 통해 출제 빈도가 높은 문제 유형 익히기
❷ 개념 가이드를 보며 문제 해결의 힌트 확인하기
❸ 빈출 유형을 반복하여 익히기

시험 공부 마무리 테스트

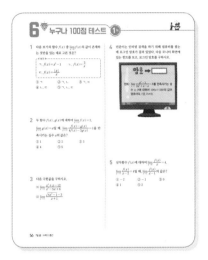

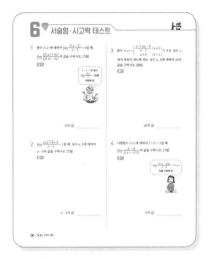

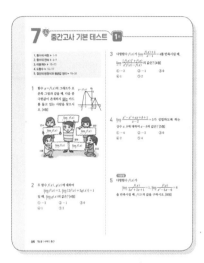

누구나 100점 테스트

아주 쉬운 예상 문제로 100점에 도전하여 내신 자신감을 키울 수 있습니다.

서술형·사고력 테스트

다양한 유형의 서술형 문제를 풀며 사고력과 서술형 문제에 대한 적응력을 높일 수 있습니다.

중간/기말고사 기본 테스트

실제 시험과 비슷한 예상 문제를 풀며 실전에 대비할 수 있습니다.

시험 직전까지 챙겨야 할 부록

💎 핵심 정리 총집합 카드

핵심 개념만을 모아 카드 형식으로 수록하였습니다. 휴대하여 이동할 때나 시험 직전에 활용할 수 있습니다.

이 책의 차례

함수의 극한

함수의 극한에서는 어떤 문제가 시험에 잘 나와?

극한값이 존재하기 위한 조건을 활용한 문제가 잘 나와.

$$\lim_{x \to a^-} f(x) = \lim_{x \to a^+} f(x) = L \Leftrightarrow \lim_{x \to a} f(x) = L$$

$x=a$에서의 $f(x)$의 좌극한

$x=a$에서의 $f(x)$의 우극한

그 역도 성립하네.

좌극한과 우극한이 모두 존재하고 그 값이 같아야 극한값이 존재하는구나.

함수의 극한값을 계산하는 문제도 잘 나와.

각 경우마다 계산하는 방법이 다 있구나.

$\dfrac{0}{0}$ 꼴의 극한

① 분모, 분자가 모두 다항식인 경우

$$\to \lim_{x \to 2} \frac{x^2-2x}{x-2} = \lim_{x \to 2} \frac{x(x-2)}{x-2} = \lim_{x \to 2} x = 2$$

분모, 분자를 각각 인수분해하여 약분하면 돼.

② 분모, 분자 중 무리식이 있는 경우

$$\to \lim_{x \to 0} \frac{x}{\sqrt{x+1}-1} = \lim_{x \to 0} \frac{x(\sqrt{x+1}+1)}{(\sqrt{x+1}-1)(\sqrt{x+1}+1)} = \lim_{x \to 0} \frac{x(\sqrt{x+1}+1)}{x}$$

$$= \lim_{x \to 0} (\sqrt{x+1}+1) = 2$$

근호가 있는 쪽을 유리화해야 해!

$\dfrac{\infty}{\infty}$ 꼴의 극한

$$\to \lim_{x \to \infty} \frac{3x^2-2x}{x^2+3} = \lim_{x \to \infty} \frac{3-\dfrac{2}{x}}{1+\dfrac{3}{x^2}} = \frac{3-0}{1+0} = 3$$

분모의 최고차항으로 분모, 분자를 각각 나눠야 해.

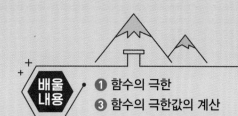
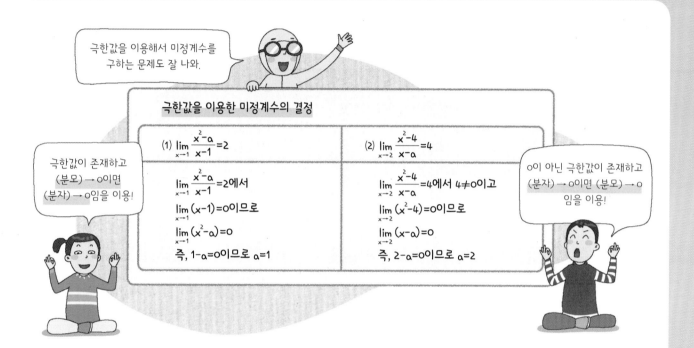

극한값을 이용해서 미정계수를 구하는 문제도 잘 나와.

극한값이 존재하고 (분모) → 0이면 (분자) → 0임을 이용!

0이 아닌 극한값이 존재하고 (분자) → 0이면 (분모) → 0임을 이용!

극한값을 이용한 미정계수의 결정

(1) $\lim_{x \to 1} \dfrac{x^2-a}{x-1}=2$

$\lim_{x \to 1} \dfrac{x^2-a}{x-1}=2$에서

$\lim_{x \to 1}(x-1)=0$이므로

$\lim_{x \to 1}(x^2-a)=0$

즉, $1-a=0$이므로 $a=1$

(2) $\lim_{x \to 2} \dfrac{x^2-4}{x-a}=4$

$\lim_{x \to 2} \dfrac{x^2-4}{x-a}=4$에서 $4 \neq 0$이고

$\lim_{x \to 2}(x^2-4)=0$이므로

$\lim_{x \to 2}(x-a)=0$

즉, $2-a=0$이므로 $a=2$

이것만은 꼭!

(1) $\dfrac{0}{0}$ 꼴의 극한

 ① 분모, 분자가 모두 다항식인 경우 ➡ 분모, 분자를 각각 인수분해하여 ❶〔　　　〕한다.

 ② 분모, 분자 중 무리식이 있는 경우 ➡ 근호가 있는 쪽을 ❷〔　　　〕한다.

(2) $\dfrac{\infty}{\infty}$ 꼴의 극한 ➡ 분모의 ❸〔　　　〕으로 분모, 분자를 각각 나눈다.

(3) $\lim_{x \to a} \dfrac{f(x)}{g(x)}$의 값이 존재하고, $x \to a$일 때 (분모) → 0이면 (분자) → ❹〔　〕이다.

 $\lim_{x \to a} \dfrac{f(x)}{g(x)}$의 값이 0이 아닌 실수이고, $x \to a$일 때 (분자) → 0이면 (분모) → ❺〔　〕이다.

답 ❶ 약분 ❷ 유리화 ❸ 최고차항 ❹ 0 ❺ 0

교과서 핵심 정리 ❶

핵심 1 $x \to a$일 때 함수의 수렴

함수 $f(x)$에서 x의 값이 a가 아니면서 a에 한없이 가까워질 때, $f(x)$의 값이 일정한 값 L에 한없이 가까워지면

→ 함수 $f(x)$는 L에 ❶ □ ────→ $x=a$에서의 함수 $f(x)$의 극한값 (또는 극한)

→ $\lim\limits_{x \to a} f(x) =$ ❷ □ 또는 $x \to a$일 때 $f(x) \to L$

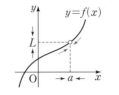

❶ 수렴

❷ L

참고 $x=a$에서 함수 $f(x)$의 함숫값이 정의되지 않은 경우에도 극한값 $\lim\limits_{x \to a} f(x)$는 존재할 수 있다.

핵심 2 $x \to a$일 때 함수의 발산

함수 $f(x)$에서 x의 값이 a가 아니면서 a에 한없이 가까워질 때

(1) $f(x)$의 값이 한없이 커지면

→ 양의 무한대로 ❸ □

→ $\lim\limits_{x \to a} f(x) =$ ❹ □ 또는 $x \to a$일 때 $f(x) \to \infty$

(2) $f(x)$의 값이 음수이면서 그 절댓값이 한없이 커지면

→ ❺ □ 의 무한대로 발산

→ $\lim\limits_{x \to a} f(x) =$ ❻ □ 또는 $x \to a$일 때 $f(x) \to -\infty$

> 함수 $f(x)$가 수렴하지 않을 때, 함수 $f(x)$는 발산한다고 해.

❸ 발산

❹ ∞

❺ 음

❻ $-\infty$

참고 $x \to \infty$ 또는 $x \to -\infty$일 때, 함수 $f(x)$의 수렴과 발산도 위와 같은 방법으로 정의할 수 있다.

핵심 3 좌극한과 우극한

함수 $f(x)$에서 x의 값이 a보다 작으면서(크면서) a에 한없이 가까워질 때, $f(x)$의 값이 일정한 값 $L(M)$에 한없이 가까워지면

→ $L(M)$은 $x=a$에서의 함수 $f(x)$의 좌극한(❼ □)

→ $\lim\limits_{x \to a-} f(x) = L \,(\lim\limits_{x \to a+} f(x) =$ ❽ □ $)$

❼ 우극한

❽ M

핵심 4 극한값이 존재하기 위한 조건

함수 $f(x)$에 대하여 $x=a$에서의 좌극한과 우극한이 모두 존재하고 그 값이 L로 같으면 $\lim\limits_{x \to a} f(x)$의 값이 존재하고 그 극한값은 ❾ □ 이다. 또, 그 역도 성립한다.

$$\lim\limits_{x \to a-} f(x) = \lim\limits_{x \to a+} f(x) = L \Longleftrightarrow \lim\limits_{x \to a} f(x) = \text{❿} \square$$

❾ L

❿ L

1 함수의 그래프를 이용하여 다음 극한값을 구하시오.

(1) $\lim_{x \to 2} (x^2 + 3)$

(2) $\lim_{x \to -2} \dfrac{x^2 - 4}{x + 2}$

2 함수의 그래프를 이용하여 다음 극한값을 구하시오.

(1) $\lim_{x \to \infty} \dfrac{1}{x - 2}$

(2) $\lim_{x \to -\infty} \left(3 + \dfrac{1}{x} \right)$

3 함수의 그래프를 이용하여 다음 극한을 조사하시오.

(1) $\lim_{x \to -1} \dfrac{1}{|x + 1|}$

(2) $\lim_{x \to \infty} (x^2 - 1)$

4 함수 $y = f(x)$의 그래프가 아래 그림과 같을 때, 다음 극한을 조사하시오.

좌극한과 우극한이 서로 같은지 확인하면 돼.

(1) $\lim_{x \to 0} f(x)$

(2) $\lim_{x \to 1} f(x)$

핵심 5 함수의 극한에 대한 성질

두 함수 $f(x)$, $g(x)$에 대하여 $\lim\limits_{x \to a} f(x) = L$, $\lim\limits_{x \to a} g(x) = M$($L$, M은 실수)일 때

(1) $\lim\limits_{x \to a} cf(x) = c \lim\limits_{x \to a} f(x) = cL$ (단, c는 상수)

(2) $\lim\limits_{x \to a} \{f(x) \pm g(x)\} = \lim\limits_{x \to a} f(x) \pm \lim\limits_{x \to a} g(x) = L \pm M$ (복호동순)

(3) $\lim\limits_{x \to a} f(x)g(x) = \lim\limits_{x \to a} f(x) \times \lim\limits_{x \to a} g(x) = \boxed{❶}$

❶ LM

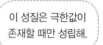

이 성질은 극한값이 존재할 때만 성립해.

(4) $\lim\limits_{x \to a} \dfrac{f(x)}{g(x)} = \dfrac{\lim\limits_{x \to a} f(x)}{\lim\limits_{x \to a} g(x)} = \boxed{❷}$ (단, $M \neq 0$)

❷ $\dfrac{L}{M}$

핵심 6 함수의 극한값의 계산

(1) $\dfrac{0}{0}$ 꼴의 극한 ← 여기서 0은 숫자 0이 아니라 0에 한없이 가까워지는 것을 의미한다.

① 분모, 분자가 모두 다항식인 경우: 분모, 분자를 각각 인수분해하여 약분한다.

② 분모, 분자 중 무리식이 있는 경우: 근호가 있는 쪽을 $\boxed{❸}$ 한다.

❸ 유리화

(2) $\dfrac{\infty}{\infty}$ 꼴의 극한: 분모의 최고차항으로 분모, 분자를 각각 나눈다.

예 (1) $\lim\limits_{x \to 2} \dfrac{x^3 - 4x}{x - 2} = \lim\limits_{x \to 2} \dfrac{x(x+2)(x-2)}{x-2} = \lim\limits_{x \to 2} x(x+2) = 2(2+2) = \boxed{❹}$

❹ 8

(2) $\lim\limits_{x \to \infty} \dfrac{3x^2 + 1}{2x^2 + 3x - 1} = \lim\limits_{x \to \infty} \dfrac{3 + \dfrac{1}{x^2}}{2 + \dfrac{3}{x} - \dfrac{1}{x^2}} = \dfrac{3 + 0}{2 + 0 - 0} = \boxed{❺}$

❺ $\dfrac{3}{2}$

핵심 7 극한값을 이용한 미정계수의 결정

두 함수 $f(x)$, $g(x)$에 대하여

(1) $\lim\limits_{x \to a} \dfrac{f(x)}{g(x)} = L$ (L은 실수)일 때, $\lim\limits_{x \to a} g(x) = 0$이면 $\lim\limits_{x \to a} f(x) = \boxed{❻}$

❻ 0

(2) $\lim\limits_{x \to a} \dfrac{f(x)}{g(x)} = L$ ($L \neq 0$인 실수)일 때, $\lim\limits_{x \to a} f(x) = 0$이면 $\lim\limits_{x \to a} g(x) = \boxed{❼}$

❼ 0

핵심 8 함수의 극한의 대소 관계

두 함수 $f(x)$, $g(x)$에 대하여 $\lim\limits_{x \to a} f(x) = L$, $\lim\limits_{x \to a} g(x) = M$($L$, M은 실수)일 때, a에 가까운 모든 실수 x에 대하여

(1) $f(x) \leq g(x)$이면 $L \leq \boxed{❽}$

❽ M

(2) 함수 $h(x)$에 대하여 $f(x) \leq h(x) \leq g(x)$이고 $L = M$이면 $\lim\limits_{x \to a} h(x) = L$

참고 두 함수 $f(x)$, $g(x)$에 대하여 $f(x) < g(x)$이지만 $\lim\limits_{x \to a} f(x) = \lim\limits_{x \to a} g(x)$인 경우도 있다.

정답과 해설 2쪽

5 다음 극한값을 구하시오.

(1) $\lim_{x \to -1} (2x^2 - 3x)$

(2) $\lim_{x \to 2} \dfrac{x}{x-3}$

6 다음 극한값을 구하시오.

(1) $\lim_{x \to 2} \dfrac{x^2 - 3x + 2}{x^2 - x - 2}$

(2) $\lim_{x \to 9} \dfrac{\sqrt{x} - 3}{x - 9}$

7 다음 극한값을 구하시오.

(1) $\lim_{x \to \infty} \dfrac{2x - 1}{x + 1}$

(2) $\lim_{x \to \infty} \dfrac{x^2 + 3x - 5}{3x^2 - 2}$

8 다음 극한을 조사하시오.

(1) $\lim_{x \to \infty} (x^4 - x^2 - 1)$

$\infty - \infty$ 꼴의 극한
(1) 다항식인 경우
　→ 최고차항으로 묶는다.
(2) 무리식이 있는 경우
　→ 유리화

(2) $\lim_{x \to \infty} (\sqrt{x-1} - \sqrt{x+1})$

9 다음 등식이 성립하도록 하는 상수 a의 값을 구하시오.

(1) $\lim_{x \to 1} \dfrac{ax^2 + x + 2}{x - 1} = -5$

(2) $\lim_{x \to 3} \dfrac{x - 3}{2x^2 - 4x + a} = \dfrac{1}{8}$

10 함수 $f(x)$가 모든 양의 실수 x에 대하여

$$\dfrac{2x^2 + 1}{x^2} < f(x) < \dfrac{2x^2 + 3x + 1}{x^2}$$

을 만족시킬 때, $\lim_{x \to \infty} f(x)$의 값을 구하시오.

대표 예제 1

함수 $f(x)=\begin{cases} x+2a & (x>1) \\ x^2+2x & (x<1) \end{cases}$ 에 대하여 $\lim\limits_{x \to 1} f(x)$의 값이 존재하도록 하는 상수 a의 값은?

① -2 ② -1 ③ 0
④ 1 ⑤ 2

함숫값이 정의되지 않아도 극한값은 존재할 수 있어.

개념 가이드

좌극한과 우극한을 각각 구하였을 때
(1) 두 값이 같으면 ➡ 극한값이 ❶ 한다.
(2) 두 값이 다르거나 수렴하지 않으면
  ➡ ❷ 이 존재하지 않는다.

답 ❶ 존재 ❷ 극한값

대표 예제 2

함수 $f(x)=\dfrac{x^2+2x-3}{|x-1|}$에 대하여 $\lim\limits_{x \to 1-} f(x)=a$,
$\lim\limits_{x \to 1+} f(x)=b$라 할 때, $a+b$의 값을 구하시오.

(단, a, b는 실수)

개념 가이드

절댓값 기호를 포함한 함수의 극한값
➡ 먼저 절댓값 기호 안의 식의 값이 ❶ 이 되게 하는 x의 값을 기준으로 ❷ 을 나누어 함수의 식을 구한다.

답 ❶ 0 ❷ 구간

대표 예제 3

두 함수 $f(x)$, $g(x)$에 대하여
$$\lim\limits_{x \to 2} f(x)=3, \lim\limits_{x \to 2} \{2f(x)-g(x)\}=1$$
일 때, $\lim\limits_{x \to 2} \dfrac{3f(x)-g(x)}{-3f(x)+2g(x)}$의 값을 구하시오.

개념 가이드

두 함수 $f(x)$, $g(x)$에 대하여 $\lim\limits_{x \to a} \{f(x)-g(x)\}=L$일 때
➡ $f(x)-g(x)=h(x)$로 놓고 $g(x)=f(x)-$ ❶ ,
  $\lim\limits_{x \to a} h(x)=$ ❷ 임을 이용한다. (단, L은 실수)

답 ❶ $h(x)$ ❷ L

대표 예제 4

다음 극한값을 구하시오.

(1) $\lim\limits_{x \to 2} \dfrac{x^3-8}{x-2}$ (2) $\lim\limits_{x \to 1} \dfrac{x-1}{\sqrt{x^2+3}-2}$

개념 가이드

(1) $\dfrac{0}{0}$ 꼴의 극한에서 분모, 분자가 모두 다항식인 경우
  ➡ 분모, 분자를 각각 ❶ 하여 약분한다.
(2) $\dfrac{0}{0}$ 꼴의 극한에서 분모, 분자 중 무리식이 있는 경우
  ➡ 근호가 있는 쪽을 ❷ 한다.

답 ❶ 인수분해 ❷ 유리화

대표 예제 **5**

다음 극한값을 구하시오.

(1) $\lim\limits_{x \to \infty} \dfrac{\sqrt{x^2+2x}-3}{x-1}$ 　(2) $\lim\limits_{x \to -\infty} \dfrac{x-3}{\sqrt{x^2+2x}-x}$

$x \to -\infty$일 때의 극한값은 $x=-t$로 놓고 $t \to \infty$일 때로 식을 변형해서 구해 봐.

 개념 가이드

$\dfrac{\infty}{\infty}$ 꼴의 극한

→ (i) 분모의 ❶ [　　　　　]으로 분모, 분자를 각각 나눈다.

　(ii) $\lim\limits_{x \to \infty} \dfrac{c}{x^n} = $ ❷ [　] (n은 자연수, c는 상수)임을 이용한다.

답 ❶ 최고차항　❷ 0

대표 예제 **6**

$\lim\limits_{x \to 2} \dfrac{x^2+ax+b}{x^2-4} = 3$을 만족시키는 상수 a, b에 대하여 $a-b$의 값은?

① -28 　② -12 　③ 6
④ 12 　⑤ 28

개념 가이드

미정계수가 포함된 분수 꼴의 함수에서 $x \to a$일 때

(1) (분모) → 0이고 극한값이 존재하면 → ❶ [　] → 0
(2) (분자) → 0이고 0이 아닌 극한값이 존재하면 → ❷ [　] → 0

답 ❶ (분자)　❷ (분모)

대표 예제 **7**

다항함수 $f(x)$가

$$\lim_{x \to \infty} \frac{f(x)}{x^2-x+5} = 3, \quad \lim_{x \to 1} \frac{f(x)}{x-1} = 9$$

를 만족시킬 때, $f(2)$의 값을 구하시오.

개념 가이드

두 다항함수 $f(x)$, $g(x)$에 대하여 $\lim\limits_{x \to \infty} \dfrac{f(x)}{g(x)} = L$이면

→ $f(x)$와 $g(x)$의 ❶ [　] 가 같고, 최고차항의 계수의 비는 ❷ [　] 이다. (단, $L \neq 0$인 실수)

답 ❶ 차수　❷ L

대표 예제 **8**

이차함수 $f(x)$가 모든 양의 실수 x에 대하여

$$3x^2-x-1 < f(x) < 3x^2+2x+1$$

을 만족시킬 때, $\lim\limits_{x \to \infty} \dfrac{f(x)}{x^2}$의 값은?

① 1 　② 2 　③ 3
④ 4 　⑤ 5

개념 가이드

세 함수 $f(x)$, $g(x)$, $h(x)$에 대하여
$f(x) \leq h(x) \leq g(x)$이고 $\lim\limits_{x \to a} f(x) = \lim\limits_{x \to a}$ ❶ [　] $= L$이면

→ $\lim\limits_{x \to a} h(x) = $ ❷ [　] (단, L은 실수)

답 ❶ $g(x)$　❷ L

1 함수 $f(x)=\begin{cases} -x^2+k^2 & (x \geq 3) \\ x+k & (x < 3) \end{cases}$ 에 대하여

$\lim_{x \to 3} f(x)$의 값이 존재하도록 하는 양수 k의 값은?

① 1   ② 2   ③ 3

④ 4   ⑤ 5

2 함수 $f(x)=\begin{cases} x^2-x & (x \geq 0) \\ 1 & (-1 \leq x < 0) \\ -x+3 & (x < -1) \end{cases}$ 에 대하여

$\lim_{x \to -1-} f(x)=a$, $\lim_{x \to 0+} f(x)=b$라 할 때, $a+b$의 값은? (단, a, b는 실수)

① -4 ② -2 ③ 0

④ 2   ⑤ 4

3 두 함수 $y=f(x)$, $y=g(x)$의 그래프가 다음 그림과 같을 때, $\lim_{x \to 3} g(f(x))$의 값을 구하시오.

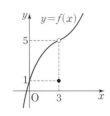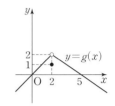

$x \to 3$일 때 $f(x)$의 극한값을 구한 후 $f(x)=t$로 놓고 $g(t)$의 극한값을 구해 봐.

4 두 함수 $f(x)$, $g(x)$에 대하여 .

$$\lim_{x \to 1} f(x)=6, \lim_{x \to 1} \{2f(x)-5g(x)\}=2$$

일 때, $\lim_{x \to 1} g(x)$의 값을 구하시오.

5 $\lim_{x \to 3} \dfrac{3}{x-3}\left(1-\dfrac{6}{x+3}\right)$의 값을 구하시오.

$\infty \times 0$ 꼴의 극한
→ 통분 또는 유리화

6 다음 중 극한값을 잘못 구한 사람을 모두 찾고, 바르게 고치시오.

유찬

$$\lim_{x \to \infty} \frac{4x}{5x^2+1} = \frac{4}{5}$$

세은

$$\lim_{x \to \infty} \frac{8x^2+x}{2x^2-3} = 4$$

수아

$$\lim_{x \to \infty} \frac{4x}{\sqrt{x^2-2}+x} = 2$$

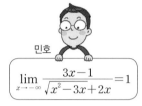

민호

$$\lim_{x \to -\infty} \frac{3x-1}{\sqrt{x^2-3x}+2x} = 1$$

7 $\lim\limits_{x \to 1} \dfrac{x-1}{\sqrt{x+a}+b} = 2$ 일 때, 상수 a, b에 대하여 $a-b$의 값은?

① -2 ② -1 ③ 0

④ 1 ⑤ 2

8 $\lim\limits_{x \to a} \dfrac{x^3-a^3}{x^2-a^2} = \dfrac{3}{2}$ 일 때, $\lim\limits_{x \to a} \dfrac{x^3-ax^2+a^2x-a^3}{x-a}$ 의 값을 구하시오. (단, a는 상수)

9 다항함수 $f(x)$에 대하여 $f(1)=3$, $f(-1)=-3$이고, $\lim\limits_{x \to \infty} \dfrac{f(x)}{x^2-4} = 2$일 때, $f(2)$의 값을 구하시오.

10 함수 $f(x)$가 임의의 양의 실수 x에 대하여

$$2ax^3+x^2-2 < x^3 f(x) < 2ax^3+x^2+4$$

를 만족시키고 $\lim\limits_{x \to \infty} f(x) = 4$일 때, 상수 a의 값은?

① 1 ② 2 ③ 4

④ 6 ⑤ 8

2일 함수의 연속

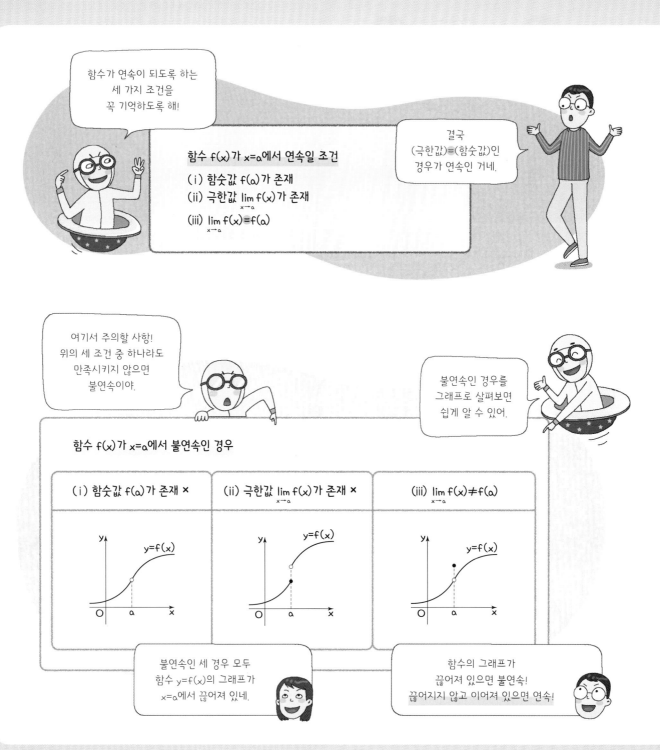

함수가 연속이 되도록 하는
세 가지 조건을
꼭 기억하도록 해!

결국
(극한값)=(함숫값)인
경우가 연속인 거네.

함수 f(x)가 x=a에서 연속일 조건

(i) 함숫값 f(a)가 존재
(ii) 극한값 $\lim_{x \to a} f(x)$가 존재
(iii) $\lim_{x \to a} f(x) = f(a)$

여기서 주의할 사항!
위의 세 조건 중 하나라도
만족시키지 않으면
불연속이야.

불연속인 경우를
그래프로 살펴보면
쉽게 알 수 있어.

함수 f(x)가 x=a에서 불연속인 경우

(i) 함숫값 f(a)가 존재 ×	(ii) 극한값 $\lim_{x \to a} f(x)$가 존재 ×	(iii) $\lim_{x \to a} f(x) \neq f(a)$

불연속인 세 경우 모두
함수 y=f(x)의 그래프가
x=a에서 끊어져 있네.

함수의 그래프가
끊어져 있으면 불연속!
끊어지지 않고 이어져 있으면 연속!

사잇값의 정리를 활용하는 문제가 시험에 종종 나오던데 복잡해 보여.

그래프로 기억하면 좀 더 간단해.

사잇값의 정리의 활용

함수 $f(x)$가 닫힌구간 $[a, b]$에서 연속이고 $f(a)$와 $f(b)$의 부호가 서로 다르면, 즉 $f(a)f(b) < 0$이면

→ $f(c) = 0$인 c가 열린구간 (a, b)에 적어도 하나 존재한다.

→ 방정식 $f(x) = 0$은 열린구간 (a, b)에서 적어도 하나의 실근을 갖는다.

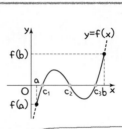

사잇값의 정리
→ 방정식 $f(x) = 0$의 실근이 존재하는 것을 보일 때 사용!

이것만은 꼭!

(1) 함수 $f(x)$가 $x = a$에서 연속일 조건

  (i) 함숫값 $f(a)$가 존재

  (ii) 극한값 $\lim\limits_{x \to a} f(x)$가 존재

  (iii) $\lim\limits_{x \to a} f(x) = $ ❶ ☐

(2) 함수 $f(x)$가 닫힌구간 $[a, b]$에서 연속이고 $f(a)$와 $f(b)$의 부호가 서로 다르면, 즉 $f(a)f(b)$ ❷ ☐ 0이면

  → $f(c) = 0$인 c가 열린구간 (a, b)에 적어도 하나 존재한다.

  → 방정식 $f(x) = $ ❸ ☐ 은 열린구간 (a, b)에서 적어도 하나의 실근을 갖는다.

답 ❶ $f(a)$ ❷ $<$ ❸ 0

2일 교과서 핵심 정리 ①

핵심 1 함수의 연속

함수 $f(x)$가 실수 a에 대하여 다음 세 조건을 모두 만족시킬 때, 함수 $f(x)$는 $x=a$
에서 □❶□ 이라 한다.

(i) 함수 $f(x)$가 $x=a$에서 정의되어 있다.

(ii) 극한값 $\lim\limits_{x\to a} f(x)$가 존재한다.

(iii) $\lim\limits_{x\to a} f(x)=$ □❷□

> (i) 함숫값 정의
> (ii) 극한값 존재
> (iii) (극한값)=(함숫값)

❶ 연속

❷ $f(a)$

핵심 2 함수의 불연속

함수 $f(x)$가 $x=a$에서 연속이 아닐 때, 즉 세 조건 중에서 어느 하나라도 만족시키
지 않으면 함수 $f(x)$는 $x=a$에서 □❸□ 이라 한다.

❸ 불연속

참고 함수 $f(x)$가 $x=a$에서 불연속인 경우

(i)

➡ $f(a)$가 정의되어 있지
않다.

(ii)

➡ $\lim\limits_{x\to a} f(x)$의 값이
존재하지 않는다.

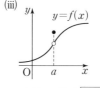

(iii)

➡ $\lim\limits_{x\to a} f(x)$ □❹□ $f(a)$

❹ $\neq$

핵심 3 구간

두 실수 a, $b\,(a<b)$에 대하여

구간	$\{x\,\vert\,a\le x\le b\}$	$\{x\,\vert\,a<x<b\}$	$\{x\,\vert\,a\le x<b\}$	$\{x\,\vert\,a<x\le b\}$
	닫힌구간	열린구간	반닫힌 구간 또는 반열린 구간	
기호	$[a,\,b]$ ←	$(a,\,b)$ ←	$[a,\,b]$ ←	→ □❺□
수직선	●──○ a b	○──○ a b	●──○ a b	○──● a b

❺ $(a,\,b]$

참고 (1) $\{x\,\vert\,x\le a\} \rightarrow (-\infty,\,a]$　　　(2) $\{x\,\vert\,x<a\} \rightarrow (-\infty,\,a)$

(3) $\{x\,\vert\,x\ge a\} \rightarrow [a,\,\infty)$　　　(4) $\{x\,\vert\,x>a\} \rightarrow (a,\,\infty)$

핵심 4 연속함수

함수 $f(x)$가 어떤 구간에 속하는 모든 점에서 연속일 때, 함수 $f(x)$는 그 구간에서
연속 또는 그 구간에서 □❻□ 라 한다.

❻ 연속함수

참고 함수 $f(x)$가

(i) 열린구간 $(a,\,b)$에서 연속이고　　(ii) $\lim\limits_{x\to a+} f(x)=f(a)$, $\lim\limits_{x\to b-} f(x)=f($□❼□$)$

이면 함수 $f(x)$는 닫힌구간 $[a,\,b]$에서 □❽□ 이라 한다.

❼ b

❽ 연속

시험지 속 개념 문제 ❶

정답과 해설 **5**쪽

1 다음 함수가 $x=3$에서 연속인지 불연속인지 조사하시오.

(1) $f(x)=x-3$

(2) $f(x)=|x-3|$

(3) $f(x)=\dfrac{1}{x-3}$

(4) $f(x)=\sqrt{x+6}$

(5) $f(x)=\begin{cases} x-3 & (x \geq 3) \\ x & (x < 3) \end{cases}$

2 다음 집합을 구간의 기호로 나타내시오.

(1) $\{x \,|\, 0 < x \leq 4\}$

(2) $\{x \,|\, x \leq -1\}$

(3) $\{x \,|\, x > 2\}$

 등호가 들어갈 때는 [또는]를 사용하고, 등호가 들어가지 않을 때는 (또는)를 사용해.

3 다음 함수가 연속인 구간을 구하시오.

(1) $f(x)=x^2-x$

(2) $f(x)=\dfrac{x-1}{x+2}$

(3) $f(x)=\sqrt{3x-6}$

(4) $f(x)=|x+3|$

핵심 5 연속함수의 성질

두 함수 $f(x)$, $g(x)$가 $x=a$에서 연속이면 다음 함수도 $x=a$에서 연속이다.

(1) $cf(x)$ (단, c는 상수) (2) $f(x) \pm g(x)$

(3) $f(x)g(x)$ (4) $\dfrac{f(x)}{g(x)}$ (단, $g(a) \neq 0$)

참고 (1) 다항함수 $f(x) \rightarrow$ 모든 실수에서 **❶**　　　　❶ 연속

　　　(2) 두 다항함수 $f(x)$, $g(x)$에 대하여 유리함수 $\dfrac{f(x)}{g(x)} \rightarrow g(x) \neq$ **❷** 인 모든 실수에서 연속　❷ 0

핵심 6 최대·최소 정리

함수 $f(x)$가 닫힌구간 $[a, b]$에서 연속이면 함수 $f(x)$는 이 구간에서 반드시 최댓값과 **❸**　　　　을 갖는다.

❸ 최솟값

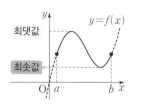

> 닫힌구간, 연속 둘 다 필요해.

참고 (1) 닫힌구간이 아닌 구간에서 정의된 연속함수는 최댓값 또는 최솟값을 갖지 않을 수도 있다.

　　　(2) 함수 $f(x)$가 **❹**　　　　이 아니면 닫힌구간에서도 최댓값 또는 최솟값을 갖지 않을 수 있다.　❹ 연속

핵심 7 사잇값의 정리

(1) 사잇값의 정리

함수 $f(x)$가 닫힌구간 $[a, b]$에서 **❺**　　　이고 $f(a) \neq f(b)$이면 $f(a)$와 $f(b)$ 사이의 임의의 실수 k에 대하여 $f(c)=k$인 c가 열린구간 (a, b)에 적어도 하나 존재한다.

❺ 연속

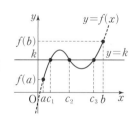

(2) 사잇값의 정리의 활용

$f(a)$와 $f(b)$의 부호가 다르다. ◄

함수 $f(x)$가 닫힌구간 $[a, b]$에서 연속이고 $f(a)f(b)<0$이면 $f(c)=$ **❻** 인 c가 열린구간 (a, b)에 적어도 하나 존재한다.

즉, 방정식 $f(x)=0$은 열린구간 **❼**　　　에서 적어도 하나의 실근을 갖는다.

❻ 0

❼ (a, b)

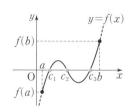

참고 사잇값의 정리는 $f(x)$가 연속함수일 때, 방정식 $f(x)=0$의 실근의 존재 여부를 판단하는 데 이용한다.

시험지 속 개념 문제 ❷

정답과 해설 **5**쪽

4 주어진 닫힌구간에서 다음 함수의 최댓값과 최솟값을 구하시오.

(1) $f(x) = x^2 - 2x + 2$ $[-1, 2]$

(2) $f(x) = \dfrac{2}{x-1}$ $[2, 5]$

(3) $f(x) = \sqrt{2-x}$ $[-2, 2]$

5 열린구간 $(-2, 4)$에서 정의된 함수 $y = f(x)$의 그래프가 오른쪽 그림과 같을 때, $f(x)$에 대한 다음 설명 중 옳은 것에는 ○표, 틀린 것에는 ×표를 하시오.

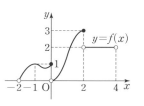

(1) 불연속이 되는 x의 값은 4개이다. ( )

(2) 닫힌구간 $[-1, 2]$에서 최솟값을 갖는다. ( )

(3) $\lim\limits_{x \to 2} f(x)$의 값은 존재한다. ( )

(4) 열린구간 $(0, 3)$에서 최댓값을 갖는다. ( )

6 다음은 민준이가 인터넷 게시판에 올린 질문과 그 답변이다. ㈎, ㈏에 알맞은 것을 구하시오.

> ●●● 정성을 다해 상담해 드리겠습니다.
>
> **제목:** 증명해 주세요.
> **내용:** 함수 $f(x) = 3x^2 - 2$에 대하여 $f(c) = 8$인 c가 열린구간 $(1, 2)$에 적어도 하나 존재함을 보이시오.
> ─────────────
> **Re** 함수 $f(x) = 3x^2 - 2$는 열린구간 $(-\infty, \infty)$에서 ㈎ 이므로 닫힌구간 $[1, 2]$에서 ㈎ 입니다.
> 또, $f(1) \neq$ ㈏ 이고 $f(1) < 8 <$ ㈏ 이므로 사잇값의 정리에 의하여 $f(c) = 8$인 c가 열린구간 $(1, 2)$에 적어도 하나 존재합니다.

7 방정식 $2x^3 - x - 3 = 0$은 열린구간 $(1, 3)$에서 적어도 하나의 실근을 가짐을 보이시오.

대표 예제 1

다음 함수가 $x=2$에서 연속인지 불연속인지 조사하시오.

(1) $f(x)=\dfrac{x^2-4}{x-2}$

(2) $f(x)=\begin{cases} \dfrac{|x-2|}{x-2} & (x\neq 2) \\ 0 & (x=2) \end{cases}$

개념 가이드

함수 $f(x)$가 $x=a$에서 연속 $\Longleftrightarrow \displaystyle\lim_{x\to a}f(x)=$ ❶

답 ❶ $f(a)$

대표 예제 2

열린구간 $(-2,\ 2)$에서 정의된 함수 $y=f(x)$의 그래프가 오른쪽 그림과 같다. 이 구간에서 함수 $f(x)$의 극한값이 존재하지 않는 x의 값의 개수를 a, 함수 $f(x)$가 불연속이 되는 x의 값의 개수를 b라 할 때, $a+b$의 값을 구하시오.

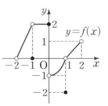

개념 가이드

함수 $y=f(x)$의 그래프가 $x=a$에서 끊어져 있으면
→ $f(x)$는 $x=$ ❶ 에서 ❷

답 ❶ a ❷ 불연속

대표 예제 3

함수 $f(x)=\begin{cases} ax-5 & (x\geq 1) \\ 3x^2+bx & (x<1) \end{cases}$ 가 모든 실수 x에서 연속이 되도록 하는 상수 a, b에 대하여 $a-b$의 값은?

① 2　　　　　② 4　　　　　③ 6

④ 8　　　　　⑤ 10

개념 가이드

함수 $f(x)=\begin{cases} g(x) & (x\geq a) \\ h(x) & (x<a) \end{cases}$ 가 모든 실수 x에서 연속이려면

→ $\displaystyle\lim_{x\to a-}$ ❶ $=\displaystyle\lim_{x\to a+}$ ❷ $=f(a)$ (단, $g(x), h(x)$는 연속함수)

답 ❶ $h(x)$ ❷ $g(x)$

대표 예제 4

함수 $f(x)=\begin{cases} \dfrac{x^2-ax-2}{x-2} & (x\neq 2) \\ b & (x=2) \end{cases}$ 가 $x=2$에서 연속일 때, $a+b$의 값을 구하시오. (단, a, b는 상수)

분수 꼴의 함수에서 $x\to a$일 때 (분모)$\to 0$이고 극한값이 존재하면 (분자)$\to 0$이야.

개념 가이드

함수 $f(x)=\begin{cases} g(x) & (x\neq a) \\ k & (x=a) \end{cases}$ (k는 상수)가 $x=a$에서 ❶ 이면

→ $\displaystyle\lim_{x\to a}g(x)=$ ❷ (단, $g(x)$는 $x\neq a$인 모든 실수 x에서 연속)

답 ❶ 연속 ❷ k

대표 예제 **5**

모든 실수 x에서 연속인 함수 $f(x)$가
$(x-1)f(x)=x^2+3x+a$를 만족시킬 때, $f(1)$의
값을 구하시오. (단, a는 상수)

개념 가이드

연속함수 $g(x)$에 대하여 함수 $f(x)$가 $(x-a)f(x)=g(x)$를
만족시킬 때, $f(x)$가 모든 실수 x에서 $\boxed{❶}$ 이면

$\rightarrow f(a)=\displaystyle\lim_{x \to a}\dfrac{\boxed{❷}}{x-a}$

답 ❶ 연속 ❷ $g(x)$

대표 예제 **7**

닫힌구간 $[-2, 2]$에서 정의
된 함수 $y=f(x)$의 그래프가
오른쪽 그림과 같을 때, 이 구
간에서 함수 $f(x)$의 최댓값과
최솟값을 구하시오.

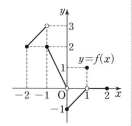

연속이 아니면
최댓값 또는 최솟값을
갖지 않을 수도 있어.

개념 가이드

함수 $f(x)$가 닫힌구간 $[a, b]$에서 $\boxed{❶}$ 이면
$\rightarrow$ 함수 $f(x)$는 이 구간에서 반드시 $\boxed{❷}$ 과 최솟값을 갖
는다.

답 ❶ 연속 ❷ 최댓값

대표 예제 **6**

두 함수 $f(x)=x^2+1$, $g(x)=2x$에 대하여 다음 중
모든 실수 x에서 연속함수라 할 수 없는 것은?

① $2f(x)$ ② $\{g(x)\}^2$ ③ $f(x)+g(x)$

④ $\dfrac{f(x)}{g(x)}$ ⑤ $\dfrac{g(x)}{f(x)}$

개념 가이드

두 함수 $f(x)$, $g(x)$가 $x=a$에서 연속이면
$\rightarrow cf(x)$ (c는 상수), $f(x) \pm g(x)$, $f(x)g(x)$,

$\dfrac{f(x)}{g(x)}$ $(g(a) \neq \boxed{❶})$도 $x=\boxed{❷}$ 에서 연속이다.

답 ❶ 0 ❷ a

대표 예제 **8**

방정식 $2x^3+x-4=0$이 오직 하나의 실근을 가질
때, 다음 중 이 방정식의 실근이 존재하는 구간은?

① $(0, 1)$ ② $(1, 2)$ ③ $(2, 3)$

④ $(3, 4)$ ⑤ $(4, 5)$

개념 가이드

함수 $f(x)$가 닫힌구간 $[a, b]$에서 연속이고 $f(a)f(b)<0$이면
$\rightarrow f(c)=\boxed{❶}$ 인 c가 열린구간 (a, b)에 적어도 하나 존재한다.
$\rightarrow$ 방정식 $f(x)=0$은 열린구간 (a, b)에서 적어도 하나의
$\boxed{❷}$ 을 갖는다.

답 ❶ 0 ❷ 실근

1 함수 $f(x) = \dfrac{x+2}{x-a}$가 $x=1$에서 불연속일 때,

$\lim\limits_{x \to 2} f(x)$의 값은? (단, a는 상수)

① 1   ② 2   ③ 3

④ 4   ⑤ 5

2 열린구간 $(-3, 1)$에서 정의된 함수 $y=f(x)$의 그래프가 오른쪽 그림과 같다. 이 구간에서 함수 $f(x)$가 불연속이 되는 x의 값의 개수를 a, 함수 $f(x)$의 극한값이 존재하지 않는 x의 값의 개수를 b라 할 때, ab의 값은?

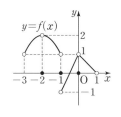

① 1   ② 2   ③ 3

④ 4   ⑤ 6

3 두 함수 $y=f(x)$, $y=g(x)$의 그래프가 다음 그림과 같을 때, 보기 중 옳은 것만을 있는 대로 고른 것은?

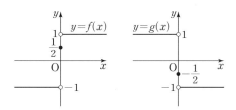

┤ 보기 ├

ㄱ. $\lim\limits_{x \to 0-} f(g(x)) = 1$

ㄴ. 함수 $f(g(x))$는 $x=0$에서 불연속이다.

ㄷ. 함수 $g(f(x))$는 $x=0$에서 연속이다.

① ㄱ   ② ㄷ   ③ ㄱ, ㄴ

④ ㄱ, ㄷ   ⑤ ㄴ, ㄷ

4 함수 $f(x) = \begin{cases} ax+5 & (x \geq 2) \\ x+b & (-1 < x < 2) \\ x^2 + c & (x \leq -1) \end{cases}$가 실수 전체의 집합에서 연속이고 $f(0) = 1$일 때, 상수 a, b, c에 대하여 abc의 값은?

① -2 ② -1 ③ 0

④ 1   ⑤ 2

실수 전체의 집합에서 연속이면 $x=-1$, $x=2$에서도 연속이야.

정답과 해설 **7**쪽

5 함수 $f(x) = \begin{cases} \dfrac{x^3-a}{x-1} & (x \neq 1) \\ b & (x=1) \end{cases}$ 가 $x=1$에서 연속이

되도록 하는 상수 a, b에 대하여 $a+b$의 값은?

① 2 　　　 ② 3 　　　 ③ 4
④ 5 　　　 ⑤ 6

6 모든 실수 x에서 연속인 함수 $f(x)$가
$$(x^2-1)f(x) = x^3 + 2x^2 - x - 2$$
를 만족시킬 때, $f(-1)f(1)$의 값은?

① -3 　　 ② -1 　　 ③ 0
④ 1 　　　 ⑤ 3

7 두 함수 $f(x), g(x)$가 $x=a$에서 연속일 때, 다음 보기의 함수 중 $x=a$에서 항상 연속인 것만을 있는 대로 고르시오.

　　(단, $g(x)$의 치역은 $f(x)$의 정의역에 포함된다.)

┤ 보기 ├
ㄱ. $f(x) + 2g(x)$ 　　 ㄴ. $f(g(x))$
ㄷ. $2f(x)g(x)$ 　　 ㄹ. $f(x) + \dfrac{1}{3g(x)}$

8 닫힌구간 $[-1, 4]$에서 정의된 함수 $y=f(x)$의 그래프가 오른쪽 그림과 같을 때, 다음 중 옳은 말을 한 사람을 모두 찾으시오.

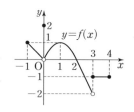

준수: $x=0$에서 극한값이 존재해.

은주: 함수 $f(x)$는 닫힌구간 $[1, 3]$에서 최솟값을 가져.

나래: 불연속이 되는 x의 값은 2개야.

지아: 함수 $f(x)$는 열린구간 $(2, 4)$에서 최댓값을 가져.

9 함수 $f(x)$는 모든 실수 x에서 연속이고
$$f(0) = -1, f(1) = 1, f(2) = 1,$$
$$f(3) = 1, f(4) = -1$$
일 때, 방정식 $f(x)=0$이 열린구간 $(0, 4)$에서 가질 수 있는 실근의 최소 개수는?

① 0 　　　 ② 1 　　　 ③ 2
④ 3 　　　 ⑤ 4

3 일 미분계수

평균변화율이 뭔지 순간변화율이 뭔지 헷갈려.

평균변화율은 두 점을 지나는 직선의 기울기와 같아.

함수 $y=f(x)$에서 x의 값이 a에서 b까지 변할 때의 **평균변화율**

$\rightarrow \dfrac{\Delta y}{\Delta x} = \dfrac{f(b)-f(a)}{b-a} = \dfrac{f(a+\Delta x)-f(a)}{\Delta x}$

함수 $y=f(x)$의 $x=a$에서의 **순간변화율** ← 미분계수

$\rightarrow f'(a) = \lim\limits_{\Delta x \to 0} \dfrac{\Delta y}{\Delta x} = \lim\limits_{\Delta x \to 0} \dfrac{f(a+\Delta x)-f(a)}{\Delta x} = \lim\limits_{x \to a} \dfrac{f(x)-f(a)}{x-a}$

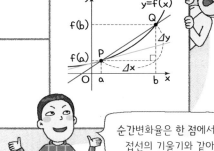

순간변화율은 한 점에서의 접선의 기울기와 같아.

시험에는 미분계수를 이용하여 극한값을 계산하는 문제가 잘 나오니까 꼭 기억해 두도록!

분모의 항이 1개인지 2개인지에 따라 식을 변형하는 것이 핵심이네!

미분계수를 이용한 극한값의 계산

(1) **분모의 항이 1개인 경우**

$\rightarrow \lim\limits_{\blacksquare \to 0} \dfrac{f(a+\blacksquare)-f(a)}{\blacksquare} = f'(a)$와 같이 $\blacksquare$가 모두 같아지도록 변형한다.

(2) **분모의 항이 2개인 경우**

$\rightarrow \lim\limits_{\blacktriangle \to \bullet} \dfrac{f(\blacktriangle)-f(\bullet)}{\blacktriangle-\bullet} = f'(\bullet)$와 같이 $\blacktriangle$는 $\blacktriangle$끼리, $\bullet$는 $\bullet$끼리 각각

같아지도록 변형한다.

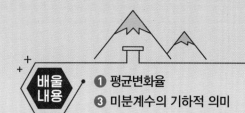

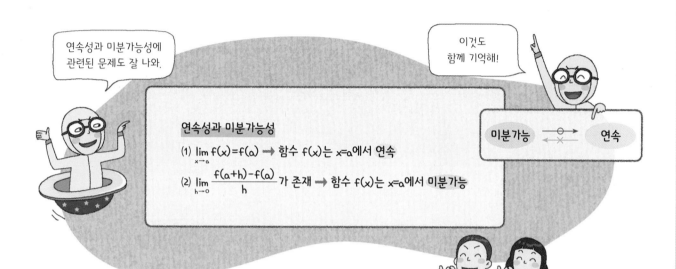

(1) 함수 $f(x)=2x^2$의 $x=1$에서의 미분계수

$$\rightarrow f'(1)=\lim_{\Delta x\to 0}\frac{f(1+\Delta x)-f(1)}{\Delta x}=\lim_{\Delta x\to 0}\frac{2(1+\Delta x)^2-2\times 1^2}{\Delta x}$$

$$=\lim_{\Delta x\to 0}\frac{4\Delta x+2(\Delta x)^2}{\Delta x}=\lim_{\Delta x\to 0}(\boxed{❶})=\boxed{❷}$$

(2) $\lim_{x\to a}f(x)=f(a)$ ➡ 함수 $f(x)$는 $x=a$에서 $\boxed{❸}$

(3) $\lim_{h\to 0}\dfrac{f(a+h)-f(a)}{h}$ 가 존재 ➡ 함수 $f(x)$는 $x=a$에서 $\boxed{❹}$

답 ❶ $4+2\Delta x$ ❷ 4 ❸ 연속 ❹ 미분가능

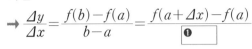

핵심 1 평균변화율

(1) 함수 $y=f(x)$에서 x의 값이 a에서 b까지 변할 때의 평균변화율

$$\rightarrow \frac{\Delta y}{\Delta x}=\frac{f(b)-f(a)}{b-a}=\frac{f(a+\Delta x)-f(a)}{\boxed{❶}}$$

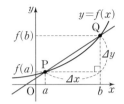

참고 Δx: x의 증분(x의 값의 변화량)

Δy: y의 증분($\boxed{❷}$의 값의 변화량)

❶ Δx

❷ y

(2) 평균변화율은 두 점 $P(a, f(a))$, $Q(b, f(b))$를 지나는 직선 PQ의 $\boxed{❸}$와 같다.

❸ 기울기

예 함수 $f(x)=x^2+1$에서 x의 값이 1에서 $1+\Delta x$까지 변할 때의 평균변화율

$$\rightarrow \frac{\Delta y}{\Delta x}=\frac{f(1+\Delta x)-f(1)}{(1+\Delta x)-1}=\frac{\{(1+\Delta x)^2+1\}-(1^2+1)}{\Delta x}$$

$$=\frac{\boxed{❹}\Delta x+(\Delta x)^2}{\Delta x}=\boxed{❺}$$

❹ 2

❺ $2+\Delta x$

핵심 2 미분계수

(1) 함수 $y=f(x)$의 $x=a$에서의 순간변화율 또는 미분계수

$$\rightarrow f'(a)=\lim_{\Delta x\to 0}\frac{\Delta y}{\Delta x}=\lim_{\Delta x\to 0}\frac{f(a+\Delta x)-f(a)}{\Delta x}$$

$$=\lim_{x\to a}\frac{f(x)-f(a)}{\boxed{❻}}$$

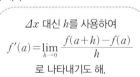

Δx 대신 h를 사용하여

$$f'(a)=\lim_{h\to 0}\frac{f(a+h)-f(a)}{h}$$

로 나타내기도 해.

❻ $x-a$

(2) 함수 $y=f(x)$의 $x=a$에서의 미분계수 $f'(a)$가 존재할 때, $f(x)$는 $x=a$에서 미분가능하다고 한다.

예 함수 $f(x)=x^2+2$의 $x=3$에서의 미분계수

[방법 1]	[방법 2]
$f'(3)=\lim_{\Delta x\to 0}\dfrac{f(3+\Delta x)-f(3)}{\Delta x}$	$f'(3)=\lim_{x\to 3}\dfrac{f(x)-f(3)}{x-3}$
$=\lim_{\Delta x\to 0}\dfrac{\{(3+\Delta x)^2+2\}-(3^2+2)}{\Delta x}$	$=\lim_{x\to 3}\dfrac{(x^2+2)-(3^2+2)}{x-3}$
$=\lim_{\Delta x\to 0}\dfrac{\boxed{❼}\Delta x+(\Delta x)^2}{\Delta x}$	$=\lim_{x\to 3}\dfrac{x^2-9}{x-3}$
$=\lim_{\Delta x\to 0}(6+\Delta x)$	$=\lim_{x\to 3}\dfrac{(x+3)(\boxed{❽})}{x-3}$
$=6$	$=\lim_{x\to 3}(x+3)=\boxed{❾}$

❼ 6

❽ $x-3$

❾ 6

시험지 속 개념 문제 ❶

1 함수 $f(x)=x^2+2x$에서 x의 값이 다음과 같이 변할 때의 평균변화율을 구하시오.

(1) -1에서 4까지 변할 때

(2) 1에서 $1+\varDelta x$까지 변할 때

2 다음 함수의 $x=3$에서의 미분계수를 구하시오.

(1) $f(x)=2x^2+3$

(2) $f(x)=3x^2-x$

3 함수 $f(x)=x^2+2x-1$의 $x=1$에서의 미분계수는?

① 1 　　　② 2 　　　③ 3
④ 4 　　　⑤ 5

4 다음은 탈출구 1, 탈출구 2에 적혀 있는 내용이다. 큰 값을 갖는 탈출구로 빠져나올 수 있을 때, 다음을 구하시오.

(1) 탈출구 1의 값

(2) 탈출구 2의 값

(3) 선택해야 할 탈출구

3일 교과서 핵심 정리 ❷

핵심 3 미분계수의 기하적 의미

함수 $y=f(x)$가 $x=a$에서 미분가능할 때, $x=a$에서의
미분계수 $f'(a)$는 곡선 $y=f(x)$ 위의 점 $\mathrm{P}(a, f(a))$에
서의 접선의 ❶ 와 같다.

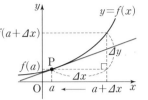

❶ 기울기

예 곡선 $y=x^2+3x$ 위의 점 $(1, 4)$에서의 접선의 기울기

→ $f(x)=x^2+3x$라 하면 구하는 접선의 기울기는 ❷ 이므로

❷ $f'(1)$

$$f'(1)=\lim_{\Delta x \to 0}\frac{f(1+\Delta x)-f(1)}{\Delta x}$$

$$=\lim_{\Delta x \to 0}\frac{\{(1+\Delta x)^2+\boxed{❸}(1+\Delta x)\}-(1^2+3\times 1)}{\Delta x}$$

(미분계수)
= (접선의 기울기)

❸ 3

$$=\lim_{\Delta x \to 0}\frac{5\Delta x+(\Delta x)^2}{\Delta x}=\lim_{\Delta x \to 0}(5+\Delta x)=\boxed{❹}$$

❹ 5

핵심 4 미분가능성과 연속성

함수 $f(x)$가 $x=a$에서 미분가능하면 $f(x)$는 $x=a$에
서 ❺ 이다.
그러나 그 역은 성립하지 않는다.

| 미분가능 ⇌ 연속 |

❺ 연속

예 함수 $f(x)=|x|$의 $x=0$에서의 연속성과 미분가능성

(ⅰ) $f(0)=0$이고 $\lim_{x \to 0}f(x)=\lim_{x \to 0}|x|=0$이므로

$$\lim_{x \to 0}f(x)=f(0)$$

따라서 함수 $f(x)$는 $x=0$에서 ❻ 이다.

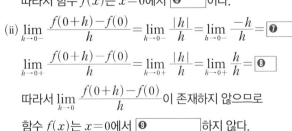

❻ 연속

(ⅱ) $\lim_{h \to 0-}\dfrac{f(0+h)-f(0)}{h}=\lim_{h \to 0-}\dfrac{|h|}{h}=\lim_{h \to 0-}\dfrac{-h}{h}=\boxed{❼}$

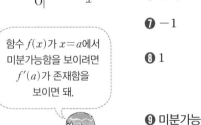

함수 $f(x)$가 $x=a$에서
미분가능함을 보이려면
$f'(a)$가 존재함을
보이면 돼.

❼ -1

$$\lim_{h \to 0+}\frac{f(0+h)-f(0)}{h}=\lim_{h \to 0+}\frac{|h|}{h}=\lim_{h \to 0+}\frac{h}{h}=\boxed{❽}$$

❽ 1

따라서 $\lim_{h \to 0}\dfrac{f(0+h)-f(0)}{h}$이 존재하지 않으므로

함수 $f(x)$는 $x=0$에서 ❾ 하지 않다.

❾ 미분가능

(ⅰ), (ⅱ)에서 함수 $f(x)=|x|$는 $x=0$에서 연속이지만 미분가능하지 않다.

시험지 속 개념 문제 ❷

정답과 해설 **9**쪽

5 다음 곡선 위의 주어진 점에서의 접선의 기울기를 구하시오.

(1) $y = 3x^2 - 1$ $(1, 2)$

(2) $y = x^2 + 2x - 3$ $(0, -3)$

6 곡선 $y = -2x^2 + 1$ 위의 점 $(2, -7)$에서의 접선의 기울기는?

① -8 ② -7 ③ -6
④ -5 ⑤ -4

7 함수 $f(x) = |x - 1|$에 대하여 다음을 조사하시오.

연속성은 함숫값과 극한값을 구해서 같은지 확인하면 돼.

미분가능성은 미분계수가 존재함을 보이면 돼.

(1) $x = 1$에서의 연속성

(2) $x = 1$에서의 미분가능성

8 함수 $f(x) = \begin{cases} x & (x \geq -1) \\ -x & (x < -1) \end{cases}$에 대하여 다음을 조사하시오.

(1) $x = -1$에서의 연속성

(2) $x = -1$에서의 미분가능성

3 일 교과서 기출 베스트 1회

대표 예제 1

함수 $f(x)=x^2-5x$에서 x의 값이 a에서 $a+1$까지 변할 때의 평균변화율이 2일 때, 상수 a의 값은?

① 0　　　　② 1　　　　③ 2

④ 3　　　　⑤ 4

개념 가이드

함수 $y=f(x)$에서 x의 값이 a에서 b까지 변할 때의 평균변화

율 → $\dfrac{\varDelta y}{\varDelta x}=\dfrac{f(b)-f(a)}{\boxed{①}}=\dfrac{f(a+\varDelta x)-f(a)}{\boxed{②}}$

답 ❶ $b-a$ ❷ $\varDelta x$

대표 예제 2

함수 $f(x)=x^2-3x+4$에서 x의 값이 1에서 3까지 변할 때의 평균변화율과 $x=a$에서의 미분계수가 같을 때, 상수 a의 값을 구하시오.

개념 가이드

함수 $y=f(x)$의 $x=a$에서의 미분계수

→ $f'(a)=\displaystyle\lim_{h\to 0}\dfrac{f(a+h)-\boxed{①}}{h}=\lim_{x\to a}\dfrac{f(x)-f(a)}{\boxed{②}}$

답 ❶ $f(a)$ ❷ $x-a$

대표 예제 3

함수 $f(x)=x^2+x$에 대하여 $\displaystyle\lim_{h\to 0}\dfrac{f(1+h)-f(1)}{h}$의 값은?

① -3　　　② -1　　　③ 0

④ 1　　　　⑤ 3

개념 가이드

$\displaystyle\lim_{h\to 0}\dfrac{f(a+h)-f(a)}{\boxed{①}}$ 또는 $\displaystyle\lim_{x\to a}\dfrac{f(x)-f(a)}{x-a}$

→ $x=a$에서의 미분계수 $\boxed{②}$

답 ❶ h ❷ $f'(a)$

대표 예제 4

미분가능한 함수 $f(x)$에 대하여 $f'(1)=3$일 때, $\displaystyle\lim_{h\to 0}\dfrac{f(1+h)-f(1-h)}{h}$의 값은?

① 2　　　　② 3　　　　③ 4

④ 5　　　　⑤ 6

> 분자에 $f(1)$을 더하고 빼 봐.

개념 가이드

미분계수를 이용한 극한값의 계산 – 분모의 항이 1개인 경우

→ $\displaystyle\lim_{\blacksquare\to 0}\dfrac{f(a+\blacksquare)-f(a)}{\blacksquare}=\boxed{①}$ 와 같이 ■가 모두 같아 지도록 변형한다.

답 ❶ $f'(a)$

대표 예제 **5**

미분가능한 함수 $f(x)$에 대하여 $f'(1) = -1$일 때, $\lim\limits_{x \to 1} \dfrac{f(x^2) - f(1)}{x - 1}$의 값은?

① -2 ② -1 ③ 0

④ 1 ⑤ 2

분모, 분자에 각각 $x+1$을 곱해 봐.

🔹 개념 가이드

미분계수를 이용한 극한값의 계산 – 분모의 항이 2개인 경우

→ $\lim\limits_{\blacktriangle \to \bullet} \dfrac{f(\blacktriangle) - f(\bullet)}{\blacktriangle - \bullet} = f'(\bullet)$와 같이 ▲는 ▲끼리, ●는 ● 끼리 각각 같아지도록 ❶[   ]한다.

답 ❶ 변형

대표 예제 **7**

함수 $f(x) = |x^2 - 1|$에 대하여 $x = 1$에서의 연속성 과 미분가능성을 조사하시오.

🔹 개념 가이드

(1) $\lim\limits_{x \to a} f(x) = f(a)$ → 함수 $f(x)$는 $x = a$에서 ❶[   ]

(2) $\lim\limits_{h \to 0} \dfrac{f(a+h) - f(a)}{h}$가 존재

→ 함수 $f(x)$는 $x = a$에서 ❷[   ]

답 ❶ 연속 ❷ 미분가능

대표 예제 **6**

오른쪽 그림은 미분가능한 함수 $y = f(x)$의 그래프이다. 다음 보 기 중 옳은 것을 고르시오.

(단, $0 < a < b$)

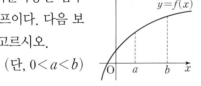

┤ 보기 ├

ㄱ. $f'(a) > f'(b)$ ㄴ. $\dfrac{f(b) - f(a)}{b - a} > f'(a)$

🔹 개념 가이드

함수 $y = f(x)$의 그래프 위의 점 $(a, f(a))$에서의 접선의 기울 기 → $x = $ ❶[ ]에서의 미분계수 ❷[   ]와 같다.

답 ❶ a ❷ $f'(a)$

대표 예제 **8**

함수 $y = f(x)$의 그래프가 오 른쪽 그림과 같을 때, 열린구 간 $(0, 5)$에서 함수 $f(x)$가 불연속인 x의 값의 개수는 a, 미분가능하지 않은 x의 값의 개수는 b이다. 이때, $a + b$의 값은?

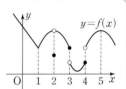

① 5 ② 6 ③ 7

④ 8 ⑤ 9

🔹 개념 가이드

함수 $y = f(x)$의 그래프에서

(1) 불연속인 점 → 연결되어 있지 않고 ❶[   ] 있는 점

(2) 미분가능하지 않은 점 → ❷[   ]인 점, 꺾인 점

답 ❶ 끊어져 ❷ 불연속

1 함수 $f(x)=2x^2+7$에서 x의 값이 -1에서 3까지 변할 때의 평균변화율과 x의 값이 -3에서 a까지 변할 때의 평균변화율이 같을 때, 상수 a의 값은?

(단, $a>-3$)

① 1　　② 2　　③ 3

④ 4　　⑤ 5

2

지금 실내 온도가 몇 도나 되지? 어디 보자. 어느 쪽 숫자를 읽어야 하는 거야? 왼쪽? 오른쪽?

왼쪽은 섭씨온도 C이고, 오른쪽은 화씨온도 F네. 섭씨온도 C와 화씨온도 F 사이에는 $F=\dfrac{9}{5}C+32$ 인 관계가 성립한대.

섭씨온도가 $0\,^\circ\text{C}$에서 $10\,^\circ\text{C}$까지 변할 때, 섭씨온도 C에 대한 화씨온도 F의 평균변화율은?

① $\dfrac{6}{5}$　　② $\dfrac{7}{5}$　　③ $\dfrac{8}{5}$

④ $\dfrac{9}{5}$　　⑤ 2

3 함수 $f(x)=x^2-x+5$에서 x의 값이 1에서 k까지 변할 때의 평균변화율과 $x=3$에서의 미분계수가 같을 때, 상수 k의 값은?

① 4　　② 5　　③ 6

④ 7　　⑤ 8

4 함수 $f(x)=5x^2-x$에 대하여 $\displaystyle\lim_{h\to 0}\dfrac{f(2+h)-f(2)}{h}$의 값은?

① -1　　② 4　　③ 9

④ 14　　⑤ 19

5 미분가능한 함수 $f(x)$에 대하여 $f'(2)=10$일 때, $\displaystyle\lim_{h\to 0}\dfrac{f(2+h)-f(2-2h)}{5h}$의 값은?

① 2　　② 4　　③ 6

④ 8　　⑤ 10

정답과 해설 11쪽

6 미분가능한 함수 $f(x)$에 대하여 $f'(2)=-8$일 때, $\lim\limits_{x\to2}\dfrac{f(x)-f(2)}{x^2-4}$의 값은?

① -4 ② -2 ③ 2

④ 4 ⑤ 8

8 다음 보기 중 $x=0$에서 연속이지만 미분가능하지 않은 함수를 있는 대로 고르시오.

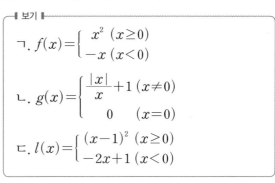

┌ 보기 ┐

ㄱ. $f(x)=\begin{cases} x^2 & (x\geq0) \\ -x & (x<0) \end{cases}$

ㄴ. $g(x)=\begin{cases} \dfrac{|x|}{x}+1 & (x\neq0) \\ 0 & (x=0) \end{cases}$

ㄷ. $l(x)=\begin{cases} (x-1)^2 & (x\geq0) \\ -2x+1 & (x<0) \end{cases}$

7 오른쪽 그림은 두 함수 $y=f(x)$와 $y=x$의 그래프이다. $0<a<b$일 때, 다음 보기 중 옳은 것만을 있는 대로 고른 것은?

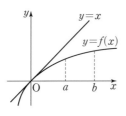

┌ 보기 ┐

ㄱ. $\dfrac{f(b)-f(a)}{b-a}>1$ ㄴ. $\dfrac{f(a)}{a}>\dfrac{f(b)}{b}$

ㄷ. $f'(a)>f'(b)$

① ㄱ   ② ㄴ   ③ ㄷ

④ ㄱ, ㄷ   ⑤ ㄴ, ㄷ

$\dfrac{f(a)}{a}=\dfrac{f(a)-0}{a-0}$ 으로 생각해 봐.

9 함수 $y=f(x)$의 그래프가 오른쪽 그림과 같을 때, 열린 구간 $(-2, 3)$에서 함수 $f(x)$가 불연속인 점은 a개, 미분가능하지 않은 점은 b개이다. 이때, $b-a$의 값은?

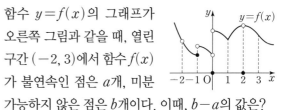

① 0 ② 1 ③ 2

④ 3 ⑤ 4

불연속인 경우 또는 그래프가 꺾이는 경우에는 미분가능하지 않아.

4 일 도함수

도함수는 앞에서 배운 미분계수와의 차이를 생각하면서 기억해 둬.

도함수 → x=a를 대입 → **미분계수**

$f'(x)$ → $f'(a)$

미분가능한 함수 y=f(x)의 도함수

$$f'(x)=\lim_{\Delta x \to 0}\frac{f(x+\Delta x)-f(x)}{\Delta x}=\lim_{h \to 0}\frac{f(x+h)-f(x)}{h}$$

도함수를 구하는 공식도 기억해야 해!

이렇게 구하면 되겠구나.

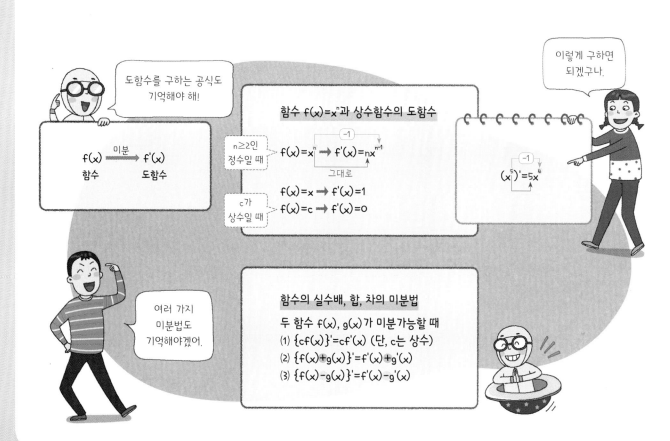

$f(x)$ → 미분 → $f'(x)$
함수   도함수

함수 $f(x)=x^n$과 상수함수의 도함수

n≥2인 정수일 때

$f(x)=x^n$ → $f'(x)=nx^{n-1}$
그대로

$f(x)=x$ → $f'(x)=1$

c가 상수일 때

$f(x)=c$ → $f'(x)=0$

$(x^5)'=5x^4$

여러 가지 미분법도 기억해야겠어.

함수의 실수배, 합, 차의 미분법

두 함수 $f(x)$, $g(x)$가 미분가능할 때

(1) $\{cf(x)\}'=cf'(x)$ (단, c는 상수)

(2) $\{f(x)+g(x)\}'=f'(x)+g'(x)$

(3) $\{f(x)-g(x)\}'=f'(x)-g'(x)$

함수의 곱의 미분법을 이용하는 문제도 시험에 잘 나오던데~

맞아. 각각의 함수를 번갈아 가며 미분한다는 것을 꼭 기억해!

함수의 곱의 미분법

세 함수 $f(x)$, $g(x)$, $h(x)$가 미분가능할 때

(1) $\{f(x)g(x)\}'=f'(x)g(x)+f(x)g'(x)$

(2) $\{f(x)g(x)h(x)\}'=f'(x)g(x)h(x)+f(x)g'(x)h(x)+f(x)g(x)h'(x)$

$\{f(x)g(x)\}'\neq f'(x)g'(x)$

이렇게 구하면 안 돼.

이것만은 꼭!

(1) 미분가능한 함수 $y=f(x)$의 도함수

$\Rightarrow f'(x)=\lim\limits_{h\to 0}\dfrac{f(x+h)-f(x)}{\boxed{❶}}$

(2) 두 함수 $f(x)$, $g(x)$가 미분가능할 때

① $\{f(x)+g(x)\}'=f'(x)\boxed{❷}g'(x)$

② $\{f(x)-g(x)\}'=f'(x)\boxed{❸}g'(x)$

③ $\{f(x)g(x)\}'=f'(x)g(x)+\boxed{❹}g'(x)$

답 ❶ h ❷ $+$ ❸ $-$ ❹ $f(x)$

4일 교과서 핵심 정리 ❶

핵심 1 도함수

미분가능한 함수 $y=f(x)$의 도함수

$\rightarrow f'(x)=\lim_{\Delta x\to 0}\dfrac{f(x+\Delta x)-f(x)}{\Delta x}$

$=\lim_{h\to 0}\dfrac{f(x+h)-\text{❶}}{h}$

$f(x)$ —미분→ $f'(x)$
함수 도함수

❶ $f(x)$

참고 함수 $f(x)$의 $x=a$에서의 미분계수 $f'(a)$는 도함수 $f'(x)$의 $x=$ ❷ 에서의 함숫값이다.

❷ a

예 함수 $f(x)=x^2+2$에 대하여

(1) 도함수 $\rightarrow f'(x)=\lim_{h\to 0}\dfrac{f(x+h)-f(x)}{h}$

$=\lim_{h\to 0}\dfrac{\{(x+h)^2+2\}-(\text{❸})}{h}$

$=\lim_{h\to 0}\dfrac{2xh+h^2}{h}$

$=\lim_{h\to 0}(\text{❹})$

$=2x$

(2) $x=2$에서의 미분계수 $\rightarrow f'(2)=2\times 2=$ ❺

$f'(x)$ —$x=a$를 대입→ $f'(a)$
도함수 미분계수

❸ x^2+2

❹ $2x+h$

❺ 4

핵심 2 함수 $f(x)=x^n$과 상수함수의 도함수

(1) $f(x)=x^n$ ($n\geq 2$인 정수)의 도함수 $\rightarrow f'(x)=$ ❻ x^{n-1}

(2) $f(x)=x$의 도함수 $\rightarrow f'(x)=$ ❼

(3) $f(x)=c$ (c는 상수)의 도함수 $\rightarrow f'(x)=0$

예 (1) $f(x)=x^4 \rightarrow f'(x)=4x^{4-1}=4x^3$

(2) $f(x)=1 \rightarrow f'(x)=$ ❽

$f(x)=x^n \rightarrow f'(x)=nx^{n-1}$ (-1, 그대로)

❻ n

❼ 1

❽ 0

정답과 해설 **12**쪽

1 다음은 도함수의 정의를 이용하여 함수 $f(x)=x^2-1$ 의 도함수를 구하는 과정이다. ㈎, ㈏에 알맞은 것을 구하시오.

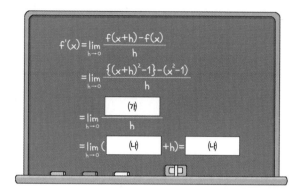

$$f'(x)=\lim_{h\to 0}\frac{f(x+h)-f(x)}{h}$$
$$=\lim_{h\to 0}\frac{\{(x+h)^2-1\}-(x^2-1)}{h}$$
$$=\lim_{h\to 0}\frac{\boxed{㈎}}{h}$$
$$=\lim_{h\to 0}(\boxed{㈏}+h)=\boxed{㈏}$$

2 도함수의 정의를 이용하여 다음 함수의 도함수를 구하고, $x=1$에서의 미분계수를 구하시오.

(1) $f(x)=-2x^2+1$

(2) $f(x)=x^2+5x+7$

3 다음 함수의 도함수를 구하시오.

(1) $f(x)=x$

(2) $f(x)=x^{100}$

(3) $f(x)=2021$

4 함수 $f(x)=x^n$에 대하여 $f'(1)=57$일 때, 양의 정수 n의 값은?

① 55　　　② 56　　　③ 57

④ 58　　　⑤ 59

핵심 3 함수의 실수배, 합, 차의 미분법

두 함수 $f(x)$, $g(x)$가 미분가능할 때

(1) $\{cf(x)\}'=cf'(x)$ (단, c는 상수)

(2) $\{f(x)+g(x)\}'=f'(x)$ ❶ $g'(x)$

(3) $\{f(x)-g(x)\}'=f'(x)$ ❷ $g'(x)$

함수의 합, 차의
미분법은 세 개 이상의
함수에서도 성립해.

❶ $+$

❷ $-$

예 $y=2x^2-x+3$

→ $y'=2(x^2)'-(x)'+(3)'$

$=2\times 2x-1=$ ❸

❸ $4x-1$

핵심 4 함수의 곱의 미분법

세 함수 $f(x)$, $g(x)$, $h(x)$가 미분가능할 때

(1) $\{f(x)g(x)\}'=f'(x)g(x)+$ ❹ $g'(x)$

(2) $\{f(x)g(x)h(x)\}'=f'(x)g(x)h(x)+f(x)g'(x)h(x)+f(x)g(x)$ ❺

❹ $f(x)$

❺ $h'(x)$

예 $y=(x-1)(3x+1)$

→ $y'=(x-1)'(3x+1)+(x-1)(3x+1)'$

$=1\times(3x+1)+(x-1)\times 3$

$=$ ❻

$\{f(x)g(x)\}'\neq f'(x)g'(x)$
임을 명심해.

❻ $6x-2$

핵심 5 함수 $y=\{f(x)\}^n$의 도함수

함수 $f(x)$가 미분가능할 때, 함수 $y=\{f(x)\}^n$ ($n\geq 2$인 정수)의 도함수

→ $y'=$ ❼ $\{f(x)\}^{n-1}f'(x)$

❼ n

예 $y=(3x-1)^4$

→ $y'=\{(3x-1)^4\}'$

$=$ ❽ $(3x-1)^3(3x-1)'$

$=4(3x-1)^3\times 3$

$=$ ❾

❽ 4

❾ $12(3x-1)^3$

5 다음 함수를 미분하시오.

(1) $y = -2x^3 + x^2 - 5$

(2) $y = \dfrac{1}{3}x^6 - \dfrac{1}{4}x^4 + x^2 + 1$

(3) $y = (-2x+4)(x^2-3x)$

(4) $y = (x^2+1)(x^2-2x-4)$

(5) $y = (2x-1)^5$

6 함수 $f(x) = (x-1)(2x-1)(3x-1)$의 도함수가 $f'(x) = ax^2 + bx + c$일 때, $a+b+c$의 값은?

(단, a, b, c는 상수)

① -2 ② -1 ③ 0

④ 1 ⑤ 2

7 다음 문제를 두 사람이 말한 방법으로 각각 푸시오.

> 함수 $f(x) = (x^3+x)(x-1)$에 대하여 $f'(-1)$의 값을 구하시오.

식을 전개한 다음 합, 차의 미분법 공식을 이용하면 될 것 같아.

민석

전개를 해서 구해도 되지만 곱의 미분법 공식을 이용해도 되겠는걸!

희진

대표 예제 **1**

함수 $f(x)=x^3+ax^2-2x+4$에 대하여 $f'(1)=5$일 때, 상수 a의 값은?

① -1　　　② 0　　　③ 1

④ 2　　　⑤ 3

개념 가이드

(1) $y=x^n$ ($n\geq2$인 정수) $\rightarrow y'=\boxed{❶}x^{n-1}$

(2) $y=x \rightarrow y'=1$

(3) $y=c$ (c는 상수) $\rightarrow y'=\boxed{❷}$

(4) $y=cf(x)\pm g(x)$ (c는 상수) $\rightarrow y'=cf'(x)\pm g'(x)$

(복호동순)

답 ❶ n　❷ 0

대표 예제 **3**

함수 $f(x)=x^6+4x^3-1$에 대하여 $\displaystyle\lim_{h\to0}\frac{f(-1+3h)-f(-1)}{2h}$의 값은?

① 5　　　② 6　　　③ 7

④ 8　　　⑤ 9

> 분모가 $3h$가 되도록 식을 변형해 봐.

개념 가이드

$f'(a)=\displaystyle\lim_{h\to0}\frac{f(\boxed{❶})-f(a)}{h}=\lim_{x\to a}\frac{f(\boxed{❷})-f(a)}{x-a}$

임을 이용할 수 있도록 주어진 식을 변형한다.

답 ❶ $a+h$　❷ x

대표 예제 **2**

두 함수 $f(x)=(x+1)(2x^2-1)$, $g(x)=(2x^2-5x+1)^2$에 대하여 함수 $h(x)=f(x)-g(x)$의 $x=1$에서의 미분계수는?

① 4　　　② 5　　　③ 6

④ 7　　　⑤ 8

개념 가이드

(1) $y=f(x)g(x) \rightarrow y'=f'(x)g(x)+f(x)\boxed{❶}$

(2) $y=\{f(x)\}^n$ ($n\geq2$인 정수) $\rightarrow y'=n\{f(x)\}^{n-1}\boxed{❷}$

답 ❶ $g'(x)$　❷ $f'(x)$

대표 예제 **4**

함수 $f(x)=x^3+2ax^2+4bx-3b$에 대하여 $\displaystyle\lim_{x\to1}\frac{f(x)}{x-1}=7$일 때, 상수 a, b의 값을 구하시오.

개념 가이드

미분가능한 함수 $f(x)$에 대하여 $\displaystyle\lim_{x\to a}\frac{f(x)-A}{x-a}=B$이면

(i) $\displaystyle\lim_{x\to a}\{f(x)-A\}=0$, 즉 $f(a)=\boxed{❶}$

(ii) $\displaystyle\lim_{x\to a}\frac{f(x)-f(a)}{x-a}=B$, 즉 $f'(a)=\boxed{❷}$

답 ❶ A　❷ B

대표 예제 **5**

함수 $f(x)=x^2+ax+b$의 그래프 위의 점 $(1, 1)$에서의 접선의 기울기가 5일 때, 상수 a, b에 대하여 ab의 값은?

① -9 ② -6 ③ -4

④ -2 ⑤ -1

개념 가이드

함수 $y=f(x)$의 그래프 위의 점 $(a, f(a))$에서의 접선의 기울기 k가 주어진 경우

(i) 그래프가 점 $(a,$ ⓵ $)$를 지난다.

(ii) $f'(a)=$ ⓶

답 ⓵ $f(a)$ ⓶ k

대표 예제 **7**

미분가능한 함수 $f(x)$가 모든 실수 x, y에 대하여 $f(x+y)=f(x)+f(y)+xy$를 만족시키고 $f'(0)=2$일 때, $f'(x)$를 구하시오.

먼저 주어진 식의 양변에 $x=0, y=0$을 대입해서 $f(0)$의 값을 구해 봐.

개념 가이드

관계식이 주어질 때 도함수 구하기

(i) 주어진 관계식에 적당한 수를 대입하여 ⓵ 의 값 구하기

(ii) 주어진 관계식을 $f'(x)=\lim_{h \to 0} \dfrac{f(\boxed{⓶})-f(x)}{h}$ 에 대입하여 $f'(x)$ 구하기

답 ⓵ $f(0)$ ⓶ $x+h$

대표 예제 **6**

함수 $f(x)=\begin{cases} x^2+1 & (x \geq 1) \\ ax+b & (x<1) \end{cases}$ 가 $x=1$에서 미분가능할 때, 상수 a, b의 값을 구하시오.

개념 가이드

함수 $f(x)=\begin{cases} g(x) & (x \geq a) \\ h(x) & (x<a) \end{cases}$ 가 $x=a$에서 미분가능하면

(i) $x=a$에서 연속 ➡ $g(a)=$ ⓵

(ii) $x=a$에서 미분계수가 존재 ➡ $g'(a)=$ ⓶

답 ⓵ $h(a)$ ⓶ $h'(a)$

대표 예제 **8**

다항식 $x^3-3ax+b$가 $(x+a)^2$으로 나누어떨어질 때, 상수 a, b에 대하여 $a-b$의 값은? (단, $a>0$)

① -3 ② -1 ③ 0

④ 1 ⑤ 3

개념 가이드

다항식 $f(x)$가 $(x-a)^2$으로 나누어떨어지면

➡ $f(x)=(x-a)^2Q(x)$

➡ $f(a)=$ ⓵ , $f'(a)=$ ⓶

답 ⓵ 0 ⓶ 0

1 다음을 읽고, 물음에 답하시오.

> 내 방 창문은 가로 길이가 세로 길이보다 60 cm 길게 되어 있어. 가로 길이가 60 cm인 오른쪽 창문은 여닫을 수 있고, 왼쪽 창문은 고정되어 있지.

(1) 왼쪽 창문의 넓이를 $f(x)$ cm^2, 오른쪽 창문의 넓이를 $g(x)$ cm^{2}라 할 때, $f(x)$, $g(x)$를 각각 x의 식으로 나타내시오.

(2) $x=80$일 때, $\{f(x)+g(x)\}'$의 값을 구하시오.

2 함수 $f(x)=ax^2+bx+c$에 대하여
$$f(-1)=1, f'(1)=4, f'(2)=6$$
일 때, abc의 값은? (단, a, b, c는 상수)

① 1   ② 2   ③ 3

④ 4   ⑤ 5

3 미분가능한 함수 $f(x)$가
$$(x^2+x+1)f(x)=(x^3-1)(x^3+2)$$
를 만족시킬 때, $f'(1)$의 값은?

① 1   ② 2   ③ 3

④ 4   ⑤ 5

4 함수 $f(x)=3x^3+x^2-5x+2$에 대하여
$$\lim_{x \to 1} \frac{\{f(x)\}^2-\{f(1)\}^2}{x-1}$$의 값은?

① 10   ② 12   ③ 14

④ 16   ⑤ 18

5 함수 $f(x)=x^2+ax+b$에 대하여 $f(1)=-2$,
$$\lim_{x \to 1} \frac{f(x)-f(1)}{\sqrt{x}-1}=10$$일 때, $a-b$의 값은?
(단, a, b는 상수)

① 5   ② 6   ③ 7

④ 8   ⑤ 9

6 곡선 $y=(2x-1)^2(5x-a)$ 위의 $x=1$인 점에서의 접선의 기울기가 5일 때, 상수 a의 값은?

① 1   ② 2   ③ 3
④ 4   ⑤ 5

7 함수 $f(x)=\begin{cases} ax^2+bx & (x \geq 2) \\ x^2+2 & (x < 2) \end{cases}$가 모든 실수 x에 대하여 미분가능할 때, ab의 값은? (단, a, b는 상수)

① 1   ② 4   ③ 6
④ 8   ⑤ 9

8 미분가능한 함수 $f(x)$가 모든 실수 x, y에 대하여
$$f(x+y)=f(x)+f(y)-xy$$
를 만족시키고 $f'(0)=3$일 때, $f'(1)$의 값은?

① 1   ② 2   ③ 3
④ 4   ⑤ 5

9 다항식 x^5-5x+a가 $(x-b)^2$으로 나누어떨어질 때, 상수 a, b에 대하여 $a+b$의 값은? (단, $b>0$)

① 1   ② 3   ③ 5
④ 7   ⑤ 9

10 다항식 x^4+ax^2+b를 $(x+1)^2$으로 나누었을 때의 나머지가 $4x-1$일 때, ab의 값은? (단, a, b는 상수)

① 6   ② 7   ③ 8
④ 9   ⑤ 10

> 다항식 $f(x)$를 $(x+a)^2$으로 나누었을 때의 몫을 $Q(x)$, 나머지를 $R(x)$라 하면
> $$f(x)=(x+a)^2Q(x)+R(x)$$

5_일 접선의 방정식과 평균값 정리

접선의 방정식을 미분을 이용해서 구할 수도 있네?

응, 미분계수의 정의를 이용한 거야. 시험에 나오는 접선의 방정식 문제는 세 가지 경우로 나눌 수 있어.

접선의 방정식

곡선 $y=f(x)$ 위의 점 $(a, f(a))$에서의 접선의 방정식

→ $y-f(a)=f'(a)(x-a)$
　　　　　└→ 기울기

우선, 접점의 좌표가 주어진 경우에 접선의 방정식을 구하는 방법이야.

접점의 좌표가 주어질 때는 접선의 기울기를 먼저 구해야 하네.

접선의 방정식 구하기 - 접점의 좌표가 주어진 경우

곡선 $y=f(x)$ 위의 한 점 $(a, f(a))$가 주어질 때
(i) 접선의 기울기 $f'(a)$를 구한다.
(ii) $y-f(a)=f'(a)(x-a)$를 이용하여 접선의 방정식을 구한다.

이건 기울기가 주어진 경우에 접선의 방정식을 구하는 방법이야.

기울기가 주어진 경우에는 접점의 좌표를 먼저 구해야 하는구나.

접선의 방정식 구하기 - 기울기가 주어진 경우

곡선 $y=f(x)$의 접선의 기울기 m이 주어질 때
(i) 접점의 좌표를 $(a, f(a))$로 놓는다.
(ii) $f'(a)=m$임을 이용하여 접점의 좌표를 구한다.
　　　└→ 미분계수 $f'(a)$의 기하적 의미
(iii) $y-f(a)=m(x-a)$를 이용하여 접선의 방정식을 구한다.

마지막!
곡선 밖의 한 점의 좌표가 주어진 경우에
접선의 방정식을 구하는 방법이야.

이 경우도 접점의 좌표를
먼저 구해야 하네.

접선의 방정식 구하기 – 곡선 밖의 한 점의 좌표가 주어진 경우

곡선 $y=f(x)$ 밖의 한 점 (x_1, y_1)이 주어질 때
(i) 접점의 좌표를 $(a, f(a))$로 놓는다.
(ii) 접선의 기울기 $f'(a)$를 구한다. ┌→ 점 (x_1, y_1)이 접선 위에 있다.
(iii) $y-f(a)=f'(a)(x-a)$에 점 (x_1, y_1)의 좌표를 대입하여 a의 값을 구한다.
(iv) a의 값을 $y-f(a)=f'(a)(x-a)$에 대입하여 접선의 방정식을 구한다.

이것만은 꼭!

(1) 곡선 $y=f(x)$ 위의 점 $(a, f(a))$에서의 접선의 방정식
→ $y-f(a)=\boxed{❶}(x-a)$

(2) 접선의 방정식을 구하는 방법
　① 접점의 좌표가 주어진 경우 → 먼저 $\boxed{❷}$를 구한다.
　② 기울기가 주어진 경우 → 먼저 $\boxed{❸}$를 구한다.
　③ 곡선 밖의 한 점이 주어진 경우 → 먼저 $\boxed{❹}$를 구한다.

답 ❶ $f'(a)$　❷ 접선의 기울기　❸ 접점의 좌표　❹ 접점의 좌표

핵심 1 접선의 방정식

함수 $f(x)$가 $x=a$에서 미분가능할 때, 곡선 $y=f(x)$ 위의 점
$P(a, f(a))$에서의 접선의 방정식

→ $y-f(a)=\boxed{\text{❶}}(x-a)$
         └→ 기울기

❶ $f'(a)$

핵심 2 접선의 방정식 구하기 – 접점의 좌표가 주어진 경우

곡선 $y=f(x)$ 위의 한 점 $(a, f(a))$가 주어질 때
(i) 접선의 기울기 $f'(a)$를 구한다.
(ii) $y-\boxed{\text{❷}}=f'(a)(x-a)$를 이용하여 접선의 방정식을 구한다.

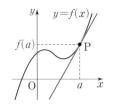
접점의 좌표를 알면 기울기를 구해 봐.

❷ $f(a)$

예 곡선 $y=x^2+4$ 위의 점 $(1, 5)$에서의 접선의 방정식
→ $f(x)=x^2+4$로 놓으면 $f'(x)=\boxed{\text{❸}}$이므로
점 $(1, 5)$에서의 접선의 기울기는 $f'(1)=2$
따라서 구하는 접선의 방정식은
$y-5=2(x-1)$ $\therefore y=\boxed{\text{❹}}$

❸ $2x$

❹ $2x+3$

핵심 3 접선의 방정식 구하기 – 기울기가 주어진 경우

곡선 $y=f(x)$의 접선의 기울기 m이 주어질 때
(i) 접점의 좌표를 $(a, f(a))$로 놓는다.
(ii) $f'(a)=\boxed{\text{❺}}$임을 이용하여 접점의 좌표를 구한다.
        └→ 미분계수 $f'(a)$의 기하적 의미
(iii) $y-f(a)=m(x-a)$를 이용하여 접선의 방정식을 구한다.

기울기를 알면 접점의 좌표를 구해 봐.

❺ m

예 곡선 $y=x^2-3x$에 접하고 기울기가 -1인 직선의 방정식
→ $f(x)=x^2-3x$로 놓으면 $f'(x)=2x-3$
접점의 좌표를 (a, a^2-3a)라 하면 접선의 기울기가 -1이므로
$f'(a)=2a-3=-1$에서 $a=\boxed{\text{❻}}$
따라서 접점의 좌표는 $(1, \boxed{\text{❼}})$이므로 구하는 접선의 방정식은
$y-(\boxed{\text{❽}})=-1\times(x-1)$ $\therefore y=\boxed{\text{❾}}$

❻ 1

❼ -2

❽ -2

❾ $-x-1$

정답과 해설 16쪽

1 다음 곡선 위의 주어진 점에서의 접선의 기울기를 구하시오.

(접선의 기울기)=(미분계수)

(1) $y=x^2-x+2$ $(2, 4)$

(2) $y=x^3-2x^2+x+7$ $(-1, 3)$

2 다음 곡선 위의 주어진 점에서의 접선의 방정식을 구하시오.

(1) $y=-x^2+1$ $(2, -3)$

(2) $y=x^3-2x+3$ $(-1, 4)$

3 곡선 $y=x^2-3x+4$에 접하고 기울기가 1인 직선의 방정식을 구하시오.

4 곡선 $y=-x^3+5x^2$에 접하고 기울기가 3인 직선의 방정식을 모두 구하면? (정답 2개)

① $y=3x-\dfrac{13}{27}$ ② $y=3x+\dfrac{13}{27}$

③ $y=3x-9$ ④ $y=3x+9$

⑤ $y=3x+12$

핵심 4 접선의 방정식 구하기 – 곡선 밖의 한 점의 좌표가 주어진 경우

곡선 $y=f(x)$ 밖의 한 점 (x_1, y_1)이 주어질 때

(i) 접점의 좌표를 $(a, f(a))$로 놓는다.

(ii) 접선의 기울기 **❶**□를 구한다.

　　　→ 점 (x_1, y_1)이 접선 위에 있다.

이 경우도 접점의 좌표를 먼저 구해야 해.

(iii) $y-f(a)=f'(a)(x-a)$에 점 (x_1, y_1)의 좌표를 대입하여

　　□ ❷의 값을 구한다.

(iv) a의 값을 $y-f(a)=f'(a)(x-a)$에 대입하여 접선의 방정식을 구한다.

❶ $f'(a)$

❷ a

핵심 5 롤의 정리

함수 $f(x)$가 닫힌구간 $[a, b]$에서 연속이고 열린구간 (a, b)에서 미분가능할 때, $f(a)=f(b)$이면 $f'(c)=$ **❸**□인 c가 열린구간 (a, b)에 적어도 하나 존재한다.

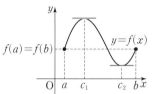

❸ 0

예 함수 $f(x)=-x^2+4$는 닫힌구간 $[-2, 2]$에서 연속이고 열린구간 $(-2, 2)$에서 미분가능하며 $f(-2)=f(2)=0$이다.

따라서 롤의 정리에 의하여 $f'(c)=$ **❹**□인 c가 열린구간 $(-2, 2)$에 적어도 하나 존재한다.

실제로 $f'(c)=-2c=0$에서 $c=$ **❺**□이고, $-2<0<2$이다.

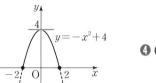

❹ 0

❺ 0

핵심 6 평균값 정리

함수 $f(x)$가 닫힌구간 $[a, b]$에서 연속이고 열린구간 (a, b)에서 미분가능할 때, $\dfrac{f(b)-f(a)}{b-a}=f'(c)$인 **❻**□가 열린구간 (a, b)에 적어도 하나 존재한다.

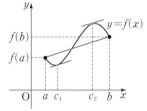

❻ c

예 함수 $f(x)=x^2-2x-3$은 닫힌구간 $[0, 3]$에서 연속이고 열린구간 $(0, 3)$에서 미분가능하므로 평균값 정리에 의하여

$$\frac{f(3)-f(0)}{3-0}=\frac{0-(-3)}{3}=\boxed{❼}=f'(c)$$

인 c가 열린구간 $(0, 3)$에 적어도 하나 존재한다.

실제로 $f'(c)=2c-2=1$에서 $c=$ **❽**□이고, $0<\dfrac{3}{2}<3$이다.

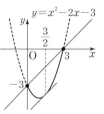

❼ 1

❽ $\dfrac{3}{2}$

5 다음 중 점 $(-1, -1)$에서 곡선 $y=x^2+x$에 그은 접선의 방정식이 적힌 카드를 들고 있는 사람을 모두 찾으시오.

7 함수 $f(x)=x^3-12x-16$에 대하여 닫힌구간 $[-2, 4]$에서 롤의 정리를 만족시키는 상수 c의 값은?

① -1 ② 0 ③ 1
④ 2 ⑤ 3

8 다음 함수에 대하여 주어진 닫힌구간에서 평균값 정리를 만족시키는 상수 c의 값을 구하시오.

(1) $f(x)=3x^2-2x+3$ $[-1, 1]$

6 점 $(0, -1)$에서 곡선 $y=x^3-x+1$에 그은 접선의 방정식을 구하시오.

(2) $f(x)=x^3-2x+1$ $[-2, 2]$

대표 예제 1

곡선 $y=x^3-2x^2+5$ 위의 점 $(-1, 2)$를 지나고 이 점에서의 접선과 수직인 직선의 방정식을 구하시오.

> 두 직선이 서로 수직이면 기울기의 곱은 -1이야.

개념 가이드

곡선 $y=f(x)$ 위의 한 점 $(a, f(a))$에서의 접선의 방정식
(i) 접선의 기울기 $\boxed{0}$ 를 구한다.
(ii) $y-\boxed{2}=f'(a)(x-a)$를 이용한다.

답 ❶ $f'(a)$ ❷ $f(a)$

대표 예제 2

곡선 $y=x^3+2x^2+7x-5$ 위의 점 $(0, -5)$에서의 접선이 이 곡선과 다시 만나는 점의 좌표가 (a, b)일 때, $a-b$의 값은?

① 17   ② 18   ③ 19
④ 20   ⑤ 21

개념 가이드

곡선 $y=f(x)$ 위의 점 $(a, f(a))$에서의 접선 $y=g(x)$가 이 곡선과 다시 만나는 점의 x좌표
→ 방정식 $f(x)=\boxed{0}$의 실근 (단, $x \neq a$)

답 ❶ $g(x)$

대표 예제 3

곡선 $y=x^3+3x^2+3$에 접하고 직선 $x-3y+4=0$에 수직인 직선의 방정식을 $y=mx+n$이라 할 때, 상수 m, n에 대하여 mn의 값은?

① -6 ② -4 ③ -1
④ 1   ⑤ 6

개념 가이드

곡선 $y=f(x)$의 접선의 기울기 m이 주어질 때 접선의 방정식
(i) 접점의 좌표를 $(a, \boxed{0}$)로 놓는다.
(ii) $f'(a)=\boxed{2}$ 임을 이용하여 접점의 좌표를 구한다.
(iii) $y-f(a)=m(x-a)$를 이용한다.

답 ❶ $f(a)$ ❷ m

대표 예제 4

곡선 $y=x^2+ax-1$ 위의 점 $(1, b)$에서의 접선의 방정식이 $y=5x+c$일 때, 상수 a, b, c에 대하여 $a+b+c$의 값은?

① 1   ② 2   ③ 3
④ 4   ⑤ 5

개념 가이드

곡선 $y=f(x)$ 위의 점 (a, b)에서의 접선의 방정식이 $y=mx+n$일 때 → $f(a)=\boxed{0}$, $f'(a)=\boxed{2}$

답 ❶ b ❷ m

대표 예제 **5**

점 $(0, 16)$에서 곡선 $y = x^3$에 그은 접선이 점 $(-1, k)$를 지날 때, k의 값을 구하시오.

개념 가이드

곡선 $y = f(x)$ 밖의 한 점 (x_1, y_1)이 주어질 때 접선의 방정식

(ⅰ) 접점의 좌표를 $(a, f(a))$로 놓는다.

(ⅱ) 접선의 기울기 $f'(a)$를 구한다.

(ⅲ) $y - f(a) = f'(a)(x - a)$에 점 ❶ ⬚ 의 좌표를 대입하여 a의 값을 구한다.

(ⅳ) ❷ ⬚ 의 값을 $y - f(a) = f'(a)(x - a)$에 대입한다.

답 ❶ (x_1, y_1) ❷ a

대표 예제 **6**

두 함수 $f(x) = x^2 + ax$, $g(x) = bx^3 + c$의 그래프가 점 $(1, 5)$에서 공통인 접선을 가질 때, 상수 a, b, c에 대하여 abc의 값은?

① 15 　　② 16 　　③ 18

④ 20 　　⑤ 24

개념 가이드

두 곡선 $y = f(x)$, $y = g(x)$가 $x = t$에서 공통인 접선을 가지면

(1) $x = t$에서 두 곡선이 만난다. → $f(t) = $ ❶ ⬚

(2) $x = t$에서 두 곡선의 접선의 기울기가 같다. → $f'(t) = $ ❷ ⬚

답 ❶ $g(t)$ ❷ $g'(t)$

대표 예제 **7**

함수 $f(x) = (x+3)^2(x-2)$에 대하여 닫힌구간 $[-3, 2]$에서 롤의 정리를 만족시키는 상수 c의 값은?

① 0 　　② $\dfrac{1}{4}$ 　　③ $\dfrac{1}{3}$

④ $\dfrac{1}{2}$ 　　⑤ 1

개념 가이드

함수 $f(x)$가 닫힌구간 $[a, b]$에서 연속이고 열린구간 (a, b)에서 미분가능할 때, $f(a) = $ ❶ ⬚ 이면 $f'(c) = 0$인 ❷ ⬚ 가 열린구간 (a, b)에 적어도 하나 존재한다.

답 ❶ $f(b)$ ❷ c

대표 예제 **8**

함수 $f(x) = \dfrac{1}{3}x^3 - \dfrac{1}{2}x^2 + 3x - 1$의 도함수를 $g(x)$라 할 때, 함수 $g(x)$에 대하여 닫힌구간 $[0, 2]$에서 평균값 정리를 만족시키는 상수 c의 값을 구하시오.

> $g(x)$를 구한 후
> $$\dfrac{g(2) - g(0)}{2 - 0} = g'(c)$$를
> 만족시키는 c의 값을 구해 봐.

개념 가이드

함수 $f(x)$가 닫힌구간 $[a, b]$에서 연속이고 열린구간 ❶ ⬚ 에서 미분가능할 때, $\dfrac{f(b) - f(a)}{b - a} = $ ❷ ⬚ 인 c가 열린구간 (a, b)에 적어도 하나 존재한다.

답 ❶ (a, b) ❷ $f'(c)$

1

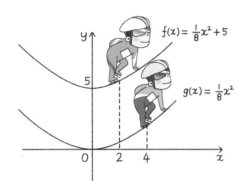

빙상경기장의 코스 일부가 위의 그림과 같이 두 곡선 $f(x)=\dfrac{1}{8}x^2+5$, $g(x)=\dfrac{1}{8}x^2$의 모양이다. 두 선수의 스케이트 날이 각 코스와 접선 방향을 유지하면서 $x=2$, $x=4$의 위치에 있을 때, 스케이트 날이 나타내는 직선의 기울기를 각각 구하시오.

2 곡선 $y=(x^2+1)(3x-1)$ 위의 점 $(1, 4)$에서의 접선의 방정식을 $y=ax+b$라 할 때, 상수 a, b에 대하여 $a-b$의 값은?

① 10   ② 12   ③ 14
④ 16   ⑤ 18

3 곡선 $y=x^3-4x^2+3x-1$ 위의 점 $(1, -1)$을 지나고 이 점에서의 접선과 수직인 직선의 방정식을 $y=ax+b$라 할 때, 상수 a, b에 대하여 $4ab$의 값은?

① -3 ② -2 ③ -1
④ 1   ⑤ 2

4 곡선 $y=x^3-2x+1$ 위의 점 $P(1, 0)$에서의 접선이 이 곡선과 다시 만나는 점을 Q라 할 때, 선분 PQ의 길이를 구하시오.

5 곡선 $y=-x^3$ 위의 점 $(1, -1)$에서의 접선을 l이라 하자. 직선 l에 평행하고, 곡선 $y=-x^3$에 접하는 직선을 m이라 할 때, 직선 m의 방정식을 구하시오.

6 함수 $f(x)=x^3+ax^2+7x-3$의 그래프 위의 점 $(1, f(1))$에서의 접선의 방정식이 $y=4x+b$일 때, 상수 a, b에 대하여 ab의 값은?

① -6 ② -3 ③ -2

④ 3 ⑤ 6

7 점 $(0, -3)$에서 곡선 $y=x^2+1$에 그은 두 접선의 기울기의 합은?

① -4 ② -2 ③ 0

④ 2 ⑤ 4

8 두 곡선 $y=x^2+ax$, $y=x^3+1$이 한 점에서 접할 때, 상수 a의 값은?

① 0 ② 1 ③ 2

④ 3 ⑤ 4

9 함수 $f(x)=\dfrac{1}{2}x^3+x^2-2x-1$에 대하여 닫힌구간 $[-a, a]$에서 롤의 정리를 만족시키는 상수 c의 값이 존재할 때, $3ac$의 값은? (단, $a>0$)

① 1 ② 2 ③ 3

④ 4 ⑤ 5

10 함수 $y=f(x)$의 그래프가 닫힌구간 $[a, b]$에서 오른쪽 그림과 같을 때,

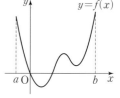

$\dfrac{f(b)-f(a)}{b-a}=f'(c)$를 만족시키는 상수 c의 개수는? (단, $a<c<b$)

① 1 ② 2 ③ 3

④ 4 ⑤ 5

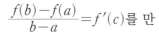

두 점 $(a, f(a))$, $(b, f(b))$를 이은 직선과 기울기가 같은 직선을 찾아봐.

1 다음 보기의 함수 $f(x)$ 중 $\lim_{x \to 0} f(x)$의 값이 존재하는 것만을 있는 대로 고른 것은?

┤보기├

ㄱ. $f(x)=x^2-1$ ㄴ. $f(x)=\dfrac{3}{x}$

ㄷ. $f(x)=\dfrac{|x|}{x}$

① ㄱ ② ㄱ, ㄴ ③ ㄱ, ㄷ
④ ㄴ, ㄷ ⑤ ㄱ, ㄴ, ㄷ

2 두 함수 $f(x)$, $g(x)$에 대하여 $\lim_{x \to \infty} f(x)=2$,
$\lim_{x \to \infty} g(x)=a$일 때, $\lim_{x \to \infty} \dfrac{f(x)-g(x)}{4f(x)-3g(x)}=1$을 만족시키는 실수 a의 값은?

① 1 ② 2 ③ 3
④ 4 ⑤ 5

3 다음 극한값을 구하시오.

(1) $\lim_{x \to 3} \dfrac{x^2+x-12}{x^2-5x+6}$

(2) $\lim_{x \to \infty} \dfrac{\sqrt{4x^2-1}-3}{x+1}$

4 민준이는 인터넷 검색을 하기 위해 컴퓨터를 켰는데 로그인 암호가 걸려 있었다. 다음 모니터 화면에 있는 힌트를 보고, 로그인 암호를 구하시오.

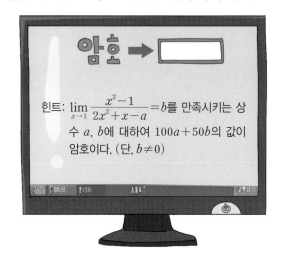

힌트: $\lim_{x \to 1} \dfrac{x^2-1}{2x^2+x-a}=b$를 만족시키는 상수 a, b에 대하여 $100a+50b$의 값이 암호이다. (단, $b \neq 0$)

5 삼차함수 $f(x)$에 대하여 $\lim_{x \to 0} \dfrac{f(x)}{x}=4$,
$\lim_{x \to 2} \dfrac{f(x)}{x-2}=4$일 때, $\lim_{x \to 1} \dfrac{f(x)}{x-1}$의 값은?

① -2 ② -1 ③ 0
④ 1 ⑤ 2

6 열린구간 $(-3, 3)$에서 정의된 함수 $y=f(x)$의 그래프가 다음 그림과 같다.

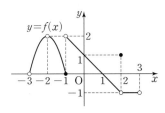

이 구간에서 함수 $f(x)$가 불연속이 되는 모든 x의 값의 합은?

① -3 ② -2 ③ -1

④ 0 ⑤ 1

7 함수 $f(x)=\begin{cases} 4x-a & (x \geq 2) \\ x^2+x+b & (x<2) \end{cases}$가 $x=2$에서 연속이 되도록 하는 상수 a, b에 대하여 $a+b$의 값은?

① -2 ② -1 ③ 0

④ 1 ⑤ 2

8 함수 $f(x)=\begin{cases} \dfrac{x^2-1}{x+1} & (x \neq -1) \\ a & (x=-1) \end{cases}$가 모든 실수 x에서 연속일 때, 상수 a의 값은?

① -2 ② -1 ③ 0

④ 1 ⑤ 2

모든 실수에서 연속이면
$x=-1$에서도 연속!

9 두 함수 $f(x)=x^2+2$, $g(x)=x^2-x$에 대하여 다음 보기 중 모든 실수 x에서 연속함수인 것만을 있는 대로 고르시오.

┤ 보기 ├

ㄱ. $f(x)+g(x)$ ㄴ. $f(x)-g(x)$

ㄷ. $\dfrac{f(x)}{g(x)}$ ㄹ. $\dfrac{g(x)}{f(x)}$

10 다음은 방정식 $x^3+x^2-1=0$이 열린구간 $(0, 1)$에서 적어도 하나의 실근을 가짐을 보인 것이다. ㈎, ㈏, ㈐에 알맞은 것을 구하시오.

$f(x)=x^3+x^2-1$이라 하면 함수 $f(x)$는 닫힌구간 $[0, 1]$에서 ㈎ 이고

$$f(0)<0, \quad f(1) \boxed{㈏} 0$$

이므로 사잇값의 정리에 의하여 $f(c)=$ ㈐ 인 c가 열린구간 $(0, 1)$에 적어도 하나 존재한다.

즉, 방정식 $x^3+x^2-1=0$은 열린구간 $(0, 1)$에서 적어도 하나의 실근을 갖는다.

1 함수 $f(x) = 2x^2 + x - 1$에서 x의 값이 1에서 2까지 변할 때의 평균변화율은?

① 6   ② 7   ③ 8

④ 9   ⑤ 10

3 다음을 읽고, 함수 $f(x) = x^{100} + x^{99}$의 $x = 1$에서의 미분계수 $f'(1)$의 값을 구하시오.

미분계수의 정의로는 못 풀겠는 걸. $y = x^n$의 도함수 공식과 함수의 합, 차의 미분법 공식을 써 볼까?

$$f'(1)$$
$$= \lim_{h \to 0} \frac{f(1+h) - f(1)}{h}$$
$$= \lim_{h \to 0} \frac{\{(1+h)^{100} + (1+h)^{99}\} - (1^{100} + 1^{99})}{h}$$

2 다음 함수 $y = f(x)$의 그래프 중 $x = a$에서 미분가능한 것은?

①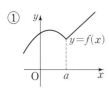

②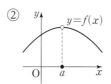

③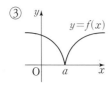

④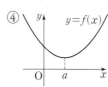

⑤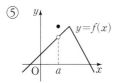

4 함수 $f(x) = (x-2)(x^3 + 3)$에 대하여 $f'(2)$의 값은?

① 3   ② 5   ③ 7

④ 9   ⑤ 11

5 함수 $f(x) = x^8 + x^4 + 1$에 대하여 $\lim_{h \to 0} \frac{f(1+2h) - f(1)}{h}$의 값은?

① 9   ② 12   ③ 24

④ 36   ⑤ 40

정답과 해설 21쪽

6 다항식 $x^4 + ax^3 + b$가 $(x-1)^2$으로 나누어떨어질 때, 상수 a, b에 대하여 $9ab$의 값은?

① -9 　　② -4 　　③ 0

④ 4 　　⑤ 9

7 곡선 $y = x^2 - x$ 위의 점 $(1, a)$에서의 접선의 방정식을 구하시오.

8 곡선 $y = 3x^2 - 2x + 5$에 접하고 직선 $y = 4x - 3$에 평행한 직선의 방정식을 $y = ax + b$라 할 때, 상수 a, b에 대하여 $a - b$의 값은?

① -2 　　② -1 　　③ 0

④ 1 　　⑤ 2

9 점 $(0, 3)$에서 곡선 $y = -x^3 + 1$에 그은 접선의 방정식을 $y = ax + b$라 할 때, 상수 a, b에 대하여 ab의 값은?

① -6 　　② -7 　　③ -8

④ -9 　　⑤ -10

10 함수 $f(x) = (x+1)^2(x+4)$에 대하여 닫힌구간 $[-4, -1]$에서 롤의 정리를 만족시키는 상수 c의 값은?

① $-\dfrac{7}{2}$ 　　② -3 　　③ $-\dfrac{5}{2}$

④ -2 　　⑤ $-\dfrac{3}{2}$

$f(-4) = f(-1)$임을 확인한 후 $f'(c) = 0$인 c의 값을 구해 봐.

6일 서술형·사고력 테스트

1 함수 $f(x)$에 대하여 $\lim_{x \to 2} \dfrac{f(x-2)}{x-2} = 3$일 때,

$\lim_{x \to 0} \dfrac{2f(x)+5x^2}{5f(x)-2x^2}$의 값을 구하시오. [7점]

풀이

$x-2=t$로 놓고
$\lim_{t \to 0} \dfrac{f(t)}{t} = 3$임을
이용해 봐.

식의 값: _____

2 $\lim_{x \to 1} \dfrac{a\sqrt{x+8}+b}{x-1} = 1$일 때, 상수 a, b에 대하여 $a-b$의 값을 구하시오. [7점]

풀이

$a-b$의 값: _____

3 함수 $f(x) = \begin{cases} \dfrac{x^2+ax-b}{x-1} & (x \neq 1) \\ a+b & (x=1) \end{cases}$ 가 모든 실수 x

에서 연속이 되도록 하는 상수 a, b에 대하여 ab의 값을 구하시오. [8점]

풀이

ab의 값: _____

4 다항함수 $f(x)$에 대하여 $f'(3)=2$일 때,

$\lim_{x \to 3} \dfrac{x^2-9}{f(x)-f(3)}$의 값을 구하시오. [7점]

풀이

$\lim_{x \to a} \dfrac{f(x)-f(a)}{x-a} = f'(a)$
임을 이용해 봐.

식의 값: _____

5 함수 $f(x)=\begin{cases} x+a & (x\geq2) \\ bx^2+1 & (x<2) \end{cases}$ 이 모든 실수 x에서 미분가능할 때, 상수 a, b에 대하여 ab의 값을 구하시오. [7점]

풀이

ab의 값: _____

6 함수 $f(x)=x^2-5x+3$에 대하여 닫힌구간 $[-1, a]$에서 평균값 정리를 만족시키는 상수 c의 값이 $\frac{1}{2}$일 때, a의 값을 구하시오. (단, $a>-1$) [8점]

풀이

a의 값: _____

7 다음 설명과 대화를 읽고, 물음에 답하시오. [10점]

> 어떤 상품 x kg을 생산할 때 드는 비용 $C(x)$를 비용함수, x kg을 팔 때 생기는 수익 $P(x)$를 수익함수라 하는데, 이들은 보통 다항함수로 나타난다.
> 또, 비용함수 $C(x)$의 도함수 $C'(x)$를 한계 비용이라 하고, 수익함수 $P(x)$의 도함수 $P'(x)$를 한계 수익이라 한다.

우리 공장에서 상품 x kg을 생산할 때 드는 비용 $C(x)$는 $C(x)=400+15x+0.02x^2$ (천 원)이에요.

상품 x kg을 팔 때 생기는 수익 $P(x)$는 $P(x)=200x+5x^2+0.1x^3$ (원)입니다.

(1) 이 공장의 한계 비용 $C'(x)$와 한계 수익 $P'(x)$를 구하시오. [4점]

(2) 이 공장에서 상품 1000 kg을 생산하여 팔 때, 한계 비용과 한계 수익을 구하시오. [6점]

6일 창의·융합·코딩

1

다음 그림은 정지마찰력, 최대정지마찰력, 운동마찰력 사이의 관계를 나타낸 것이다. 물체를 미는 힘(외력)의 크기를 x, 마찰력을 $f(x)$라 할 때, $\lim_{x \to s} f(x)$의 값이 존재하는지 조사하고, 존재하지 않는다면 그 이유를 설명하시오.

마찰력

a ········· 최대정지마찰력

b ········· 운동마찰력

정지
마찰력

O ········· s ········· 힘(외력)

2

다음 메뉴판을 보고, 미분 식당의 김치찌개 1인분의 가격을 구하시오.

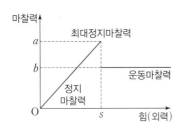

미분 식당 메뉴판

김치찌개 1인분의 가격

다항함수 $f(x)$가 $f'(1)=2$일 때,

$\lim_{x \to 1} \dfrac{f(x^3)-f(1)}{x-1}=k$를 만족시키는 k에 대하여

$1000k$원

3

다음은 연수가 인터넷 게시판에 올린 질문이다. 질문을 보고, 이에 대한 답변을 하시오.

● ●● ● 정성을 다해 상담해 드리겠습니다.

제목: 뭐가 잘못되었나요?

내용: 사잇값의 정리와 관련하여 옳은 것을 고르는 문제를 푸는데 다음과 같은 보기가 옳다고 하였더니 틀렸네요.

방정식 $\dfrac{x+1}{x-1}=1$은 열린구간 $(-1, 2)$에서 적어도 하나의 실근을 갖는다.

$f(x)=\dfrac{x+1}{x-1}-1$이라 하면

$f(-1)=-1<0, f(2)=2>0$

이므로 사잇값의 정리에 의하여 방정식

$\dfrac{x+1}{x-1}=1$은 열린구간 $(-1, 2)$에서 적어도 하나의 실근을 갖는 게 맞지 않나요?

Re

4

다음 대화를 읽고, 물음에 답하시오.

드디어 보물지도를 찾았어! 이 지도는 좌표평면 형태로 그려져 있네.

그리고 지도 하단에 보물이 묻혀 있는 장소에 대한 힌트가 문제로 주어져 있어. 빨리 풀어서 보물을 찾으러 가자!

다항식 x^6-ax+b를 $(x+1)^2$으로 나누었을 때의 나머지가 $2x-3$일 때, 보물이 묻혀 있는 장소는 지도상에서의 좌표 (a, b)이다. (단, a, b는 상수)

(1) 상수 a, b의 값을 구하시오.

(2) 보물이 묻혀 있는 장소의 지도상에서의 좌표를 구하시오.

5

이 미끄럼틀은 곡선 $y=x^3+3$을 이용해서 설계한 거래.

그렇구나. 미끄럼틀을 단단하게 받쳐주는 구조물은 접선 모양으로 설치되어 있네.

위 그림 속 미끄럼틀과 받침 구조물을 옆에서 본 모양이 오른쪽 그림과 같다. 곡선 $y=x^3+3$ 위의 점 P$(1, 4)$에서의 접선이 이 곡선과 다시 만나는 점을 Q라 할 때, 점 Q의 좌표를 구하시오.

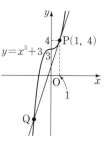

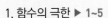

7일 중간고사 기본 테스트 1회

1 함수 $y=f(x)$의 그래프가 오른쪽 그림과 같을 때, 다음 중 극한값이 존재하지 <u>않는</u> 카드를 들고 있는 사람을 찾으시오. [4점]

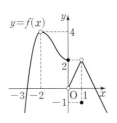

은수 $\lim_{x \to -3} f(x)$

정우 $\lim_{x \to -2^-} f(x)$

영은 $\lim_{x \to -2} f(x)$

시후 $\lim_{x \to 1} f(x)$

유리 $\lim_{x \to 0} f(x)$

2 두 함수 $f(x)$, $g(x)$에 대하여
$$\lim_{x \to 0} f(x)=2, \ \lim_{x \to 0}\{2f(x)+3g(x)\}=1$$
일 때, $\lim_{x \to 0} g(x)$의 값은? [4점]

① -2 ② -1 ③ 0
④ 1 ⑤ 2

3 다항함수 $f(x)$가 $\lim_{x \to 1} \dfrac{f(x)+1}{x-1}=4$를 만족시킬 때, $\lim_{x \to 1} \dfrac{\{f(x)\}^2+f(x)}{x^2 f(x)-f(x)}$의 값은? [4점]

① -2 ② -1 ③ 0
④ 1 ⑤ 2

4 $\lim_{x \to 2} \dfrac{x^3-x^2+ax+b+1}{x-2}=5$가 성립하도록 하는 상수 a, b에 대하여 $a-b$의 값은? [5점]

① -4 ② -2 ③ 0
④ 2 ⑤ 4

서술형

5 다항함수 $f(x)$가
$$\lim_{x \to \infty} \dfrac{f(x)}{3x^2+2x+1}=1, \ \lim_{x \to 6} \dfrac{f(x)}{x^2-5x-6}=6$$
을 만족시킬 때, $f(2)$의 값을 구하시오. [8점]

정답과 해설 **24**쪽

6 다음 중 함수 $f(x) = \dfrac{x^2+5x}{x}$에 대한 설명으로 옳지 않은 것은? (정답 2개) [4점]

① $\lim\limits_{x \to 0-} f(x) = 5$

② $\lim\limits_{x \to 0+} f(x) = 5$

③ $x=0$에서 연속이다.

④ $x \to 0$일 때, 함수 $f(x)$의 극한값은 존재하지 않는다.

⑤ $f(0)=5$로 정의하면 실수 전체의 집합에서 연속함수이다.

7 닫힌구간 $[-2, 2]$에서 정의된 함수 $y=f(x)$의 그래프가 오른쪽 그림과 같을 때, 다음 보기 중 옳은 것만을 있는 대로 고른 것은? [4점]

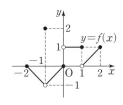

┤ 보기 ├

ㄱ. $\lim\limits_{x \to -1} f(x) = -1$

ㄴ. 극한값이 존재하지 않는 x의 값의 개수는 2이다.

ㄷ. 불연속이 되는 x의 값의 개수는 3이다.

① ㄱ   ② ㄱ, ㄴ   ③ ㄱ, ㄷ

④ ㄴ, ㄷ   ⑤ ㄱ, ㄴ, ㄷ

8 함수 $f(x) = \begin{cases} \dfrac{\sqrt{x+a}-b}{x+2} & (x \neq -2) \\ \dfrac{1}{4} & (x=-2) \end{cases}$ 이 $x=-2$에서 연속일 때, $a+b$의 값은? (단, a, b는 상수) [5점]

① 2   ② 4   ③ 6

④ 8   ⑤ 10

9 두 함수 $f(x) = x^2 - x + 1$, $g(x) = x^2 - 2ax + 4a$에 대하여 함수 $h(x) = \dfrac{f(x)}{g(x)}$가 모든 실수 x에서 연속이 되도록 하는 모든 정수 a의 값의 합은? [5점]

① 0   ② 3   ③ 6

④ 10   ⑤ 15

모든 실수에서 연속이 되려면 임의의 실수 x에 대하여 $g(x) \neq 0$이어야 해.

서술형

10 함수 $f(x) = x^2 + 2x + 7$에서 x의 값이 1에서 k까지 변할 때의 평균변화율과 $x=2$에서의 미분계수가 같을 때, 상수 k의 값을 구하시오. [7점]

11 오른쪽 그림은 $a<x<e$에 서 정의된 함수 $y=f(x)$의 그래프이다. 다음 설명 중 옳지 <u>않은</u> 것은? [4점]

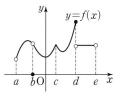

① 함수 $f(x)$가 불연속인 점은 2개이다.

② $\lim_{x \to b} f(x)$의 값이 존재한다.

③ $f'(x)=0$인 점이 존재한다.

④ 함수 $f(x)$가 미분가능하지 않은 점은 2개이다.

⑤ 함수 $f(x)$에서 연속이지만 미분가능하지 않은 점은 1개이다.

12 다항함수 $f(x)$에 대하여 $f'(3)=\dfrac{1}{4}$일 때,

$\lim_{h \to 0} \dfrac{f(3+5h)-f(3-7h)}{h}$의 값은? [5점]

① 2   ② 3   ③ 5

④ 7   ⑤ 12

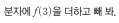

분자에 $f(3)$을 더하고 빼 봐.

13 다항함수 $f(x)$에 대하여 $f'(1)=\dfrac{1}{2}$일 때,

$\lim_{x \to 1} \dfrac{x-1}{f(\sqrt{x})-f(1)}$의 값은? [4점]

① 4   ② 5   ③ 6

④ 7   ⑤ 8

14 두 함수 $f(x)=(x-a)^3$, $g(x)=-3x$에 대하여 곡 선 $y=f(x)+g(x)$ 위의 $x=3$인 점에서의 접선의 기울기가 9이다. 이때, 실수 a의 값의 합은? [4점]

① 4   ② 5   ③ 6

④ 7   ⑤ 8

15 함수 $f(x)=\begin{cases} x^3+a & (x \geq 2) \\ ax^2+a+b & (x<2) \end{cases}$가 $x=2$에서 미분

가능할 때, 상수 a, b에 대하여 $a-b$의 값은? [5점]

① 5   ② 7   ③ 9

④ 11   ⑤ 13

정답과 해설 24쪽

16 미분가능한 함수 $f(x)$가 모든 실수 x, y에 대하여 $f(x+y)=f(x)+f(y)+axy$를 만족시키고 $f'(x)=5x-3$일 때, 상수 a의 값은? [5점]

① 1   ② 2   ③ 3

④ 4   ⑤ 5

서술형

17 다항식 x^6-2x+3을 $(x-1)^2$으로 나누었을 때의 나머지를 $R(x)$라 할 때, $R(1)$의 값을 구하시오. [8점]

18 다항함수 $f(x)$에 대하여 $\lim\limits_{x \to 2} \dfrac{f(x)-3}{x-2}=3$이 성립한다. 곡선 $y=f(x)$ 위의 $x=2$인 점에서의 접선의 방정식을 $y=mx+n$이라 할 때, 상수 m, n에 대하여 $m+n$의 값은? [5점]

① -2   ② -1   ③ 0

④ 1   ⑤ 2

$\lim\limits_{x \to a} \dfrac{f(x)}{g(x)}=$(실수)일 때,
$\lim\limits_{x \to a} g(x)=0$이면
$\lim\limits_{x \to a} f(x)=0$이야.

19 곡선 $y=-\dfrac{1}{3}x^3+x^2+\dfrac{4}{3}$에 대하여 x축의 양의 방향과 이루는 각의 크기가 $45°$인 접선의 방정식을 $y=ax+b$라 할 때, 상수 a, b에 대하여 ab의 값은? [5점]

① -3   ② -2   ③ 1

④ 2   ⑤ 3

직선이 x축의 양의 방향과 이루는 각의 크기가 θ일 때 → (기울기)$=\tan\theta$

20 다음 보기의 함수 중 주어진 닫힌구간에서 롤의 정리가 성립하는 것만을 있는 대로 고른 것은? [5점]

보기

ㄱ. $f(x)=x^2+x$ $[-1, 2]$

ㄴ. $f(x)=|x|$ $[-2, 2]$

ㄷ. $f(x)=\begin{cases} -x+2 & (x<-1) \\ 3 & (-1 \leq x<1) \\ x+2 & (x \geq 1) \end{cases}$ $[-1, 1]$

① ㄱ   ② ㄷ   ③ ㄱ, ㄴ

④ ㄱ, ㄷ   ⑤ ㄴ, ㄷ

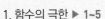

1 함수 $f(x)=\begin{cases} \dfrac{x^2-9}{|x-3|} & (x\neq 3) \\ 1 & (x=3) \end{cases}$ 에 대한 다음 설명

중 옳지 <u>않은</u> 것은? [3점]

① $\lim\limits_{x\to\infty} f(x)$의 값은 존재하지 않는다.

② $\lim\limits_{x\to-\infty} f(x)$의 값은 존재하지 않는다.

③ $\lim\limits_{x\to 3+} f(x)$의 값은 6이다.

④ $\lim\limits_{x\to 3-} f(x)$의 값은 -6이다.

⑤ $\lim\limits_{x\to 3} f(x)$의 값은 1이다.

2 두 함수 $f(x)$, $g(x)$에 대하여

$$\lim_{x\to\infty} f(x)=\infty, \quad \lim_{x\to\infty}\{3f(x)-g(x)\}=2$$

일 때, $\lim\limits_{x\to\infty}\dfrac{8f(x)-g(x)}{2f(x)+g(x)}$의 값은? [5점]

① -2 ② -1 ③ 0

④ 1 ⑤ 2

$3f(x)-g(x)=h(x)$로
놓고 풀어 봐.

3 다항함수 $f(x)$에 대하여 $\lim\limits_{x\to 1}\dfrac{2(x^4-1)}{(x^2-1)f(x)}=-2$

가 성립할 때, $f(1)$의 값은? [4점]

① -2 ② -1 ③ 0

④ 1 ⑤ 2

서술형

4 $\lim\limits_{x\to-2}\dfrac{x+2}{\sqrt{x^2-a}+b}=-\dfrac{1}{2}$일 때, 상수 a, b에 대하여

ab의 값을 구하시오. [7점]

5 다항함수 $f(x)$가 다음 조건을 만족시킬 때, $f(1)$의

값은? [5점]

| (가) $\lim\limits_{x\to\infty}\dfrac{x^2-x+3}{f(x)}=1$ $\quad$ (나) $\lim\limits_{x\to 3}\dfrac{f(x)}{x-3}=-1$ |

① 4 ② 5 ③ 6

④ 7 ⑤ 8

정답과 해설 27쪽

6 열린구간 $(0, 4)$에서 함수 $y=f(x)$의 그래프가 오른쪽 그림과 같다. 이 구간에서 다음 조건을 만족시키는 a의 개수를 m, b의 개수를 n이라 할 때, mn의 값은? [4점]

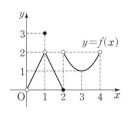

(가) 함수 $f(x)$는 $x=a$에서 극한이 존재하지 않는다.

(나) 함수 $f(x)$는 $x=b$에서 불연속이다.

① 0   ② 1   ③ 2

④ 3   ⑤ 4

8 다음 보기 중 옳은 것만을 있는 대로 고른 것은? [5점]

보기

ㄱ. 두 함수 $f(x)$, $f(x)+g(x)$가 $x=a$에서 연속이면 함수 $g(x)$도 $x=a$에서 연속이다.

ㄴ. 두 함수 $f(x)$, $f(x)g(x)$가 $x=a$에서 연속이면 함수 $g(x)$도 $x=a$에서 연속이다.

ㄷ. 두 함수 $f(x)$, $g(x)$가 $x=a$에서 연속이면 $\dfrac{1}{f(x)g(x)}$도 $x=a$에서 연속이다.

① ㄱ   ② ㄴ   ③ ㄷ

④ ㄱ, ㄷ   ⑤ ㄴ, ㄷ

서술형

7 함수 $f(x)=\begin{cases} ax+b & (|x|\geq 1) \\ x^2+2x+1 & (|x|<1) \end{cases}$ 이 모든 실수 x에서 연속이 되도록 하는 상수 a, b에 대하여 ab의 값을 구하시오. [8점]

먼저 절댓값 기호를 풀고 생각해 볼까?

9 방정식 $x^3-2x^2+a=0$이 열린구간 $(-1, 2)$에서 적어도 하나의 실근을 갖도록 하는 정수 a의 값의 합은? [5점]

① 1   ② 3   ③ 5

④ 6   ⑤ 10

10 오른쪽 그림은 함수 $y=f(x)$의 그래프와 직선 $y=x$를 나타낸 것이다. 함수 $f(x)$의 역함수를 $g(x)$라 할 때, x의 값이 b에서 d까지 변할 때의 함수 $g(x)$의 평균변화율은?

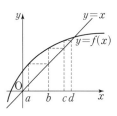

(단, 점선은 x축 또는 y축에 평행하다.) [5점]

① $\dfrac{d-a}{d-b}$ ② $\dfrac{c-a}{d-b}$ ③ $\dfrac{b-a}{d-b}$

④ $\dfrac{c-b}{d-c}$ ⑤ $\dfrac{b-a}{d-c}$

11 다음 중 $x=0$에서 연속이지만 미분가능하지 않은 함수를 들고 있는 사람을 찾으시오. [5점]

유찬
$f(x)=x|x|$

세은
$f(x)=\sqrt{x^2}$

민호
$f(x)=|x|^2$

12 미분가능한 함수 $y=f(x)$의 그래프 위의 점 $(4, 6)$에서의 접선의 기울기가 -1일 때, $\displaystyle\lim_{h\to 0}\dfrac{f(4-3h)-6}{h}$의 값은? [5점]

① 0 ② 1 ③ 2
④ 3 ⑤ 4

13 다항함수 $f(x)$에 대하여 $f(2)=-1$, $f'(2)=1$일 때, $\displaystyle\lim_{x\to 2}\dfrac{2f(x)-xf(2)}{x-2}$의 값은? [5점]

① 1 ② 2 ③ 3
④ 4 ⑤ 5

14 함수 $f(x)=x^3+ax^2+bx+1$에 대하여 $f'(-1)=-2$, $f'(1)=6$일 때, ab의 값은?

(단, a, b는 상수) [4점]

① -6 ② -5 ③ -4
④ -3 ⑤ -2

정답과 해설 27쪽

15 함수 $f(x)=x^3-x^2+2$에 대하여
$\lim\limits_{h\to 0}\dfrac{f(1+h)-f(1-3h)}{h}$의 값은? [5점]

① 1   ② 2   ③ 3

④ 4   ⑤ 5

16 미분가능한 함수 $f(x)$가 모든 실수 x, y에 대하여
$f(x+y)=f(x)+f(y)-3xy$를 만족시키고
$f'(0)=5$일 때, $f'(1)$의 값은? [5점]

① 2   ② 3   ③ 4

④ 5   ⑤ 6

17 다항식 $2x^4+4ax-b$가 $(x-1)^2$으로 나누어떨어질 때, 상수 a, b에 대하여 ab의 값은? [5점]

① 9   ② 10   ③ 12

④ 15   ⑤ 18

18 곡선 $y=x^3+2x^2-4x-3$ 위의 점 $(1,-4)$에서의 접선의 방정식이 $y=ax+b$일 때, 상수 a, b에 대하여 $b-a$의 값은? [3점]

① -10 ② -4 ③ 0

④ 4   ⑤ 10

서술형

19 원점 O에서 곡선 $y=x^3+4x-2$에 그은 접선의 접점을 P라 할 때, $\overline{\text{OP}}$의 길이를 구하시오. [7점]

좌표평면 위의 원점 O와 점 (x_1, y_1) 사이의 거리
→ $\overline{\text{OA}}=\sqrt{x_1{}^2+y_1{}^2}$

20 함수 $f(x)$는 실수 전체의 집합에서 미분가능하고 $f(-1)=4$, $f(2)=5$이다. 함수 $g(x)=\dfrac{f(x)}{x+3}$에 대하여 닫힌구간 $[-1, 2]$에서 평균값 정리를 만족시키는 상수를 c라 할 때, $g'(c)$의 값은? [5점]

① $-\dfrac{1}{4}$ ② $-\dfrac{1}{3}$ ③ $-\dfrac{1}{2}$

④ $\dfrac{1}{2}$ ⑤ $\dfrac{1}{3}$

Memo

핵심정리 01 함수의 극한

(1) 좌극한과 우극한

함수 $f(x)$에서 x의 값이 a보다 작으면서(크면서) a에 한없이 가까워질 때, $f(x)$의 값이 일정한 값 $L(M)$에 한없이 가까워지면

→ $L(M)$은 $x=a$에서의 함수 $f(x)$의 좌극한(**❶**)

→ $\lim\limits_{x \to a-} f(x) = L$ ($\lim\limits_{x \to a+} f(x) = $ **❷**)

(2) 극한값이 존재하기 위한 조건

$$\lim\limits_{x \to a-} f(x) = \lim\limits_{x \to a+} f(x) = L \Longleftrightarrow \lim\limits_{x \to a} f(x) = \boxed{\text{❸}}$$

함숫값 $f(a)$가 정의되지 않아도 극한값 $\lim\limits_{x \to a} f(x)$는 존재할 수 있어.

답 ❶ 우극한 ❷ M ❸ L

핵심정리 02 함수의 극한값의 계산

(1) $\dfrac{0}{0}$ 꼴의 극한

① 분모, 분자가 모두 다항식인 경우

→ 분모, 분자를 각각 인수분해하여 **❶** 한다.

② 분모, 분자 중 무리식이 있는 경우

→ 근호가 있는 쪽을 **❷** 한다.

(2) $\dfrac{\infty}{\infty}$ 꼴의 극한

→ 분모의 **❸** 으로 분모, 분자를 각각 나눈다.

답 ❶ 약분 ❷ 유리화 ❸ 최고차항

핵심정리 03 극한값을 이용한 미정계수의 결정

두 함수 $f(x)$, $g(x)$에 대하여

(1) $\lim\limits_{x \to a} \dfrac{f(x)}{g(x)} = L$ (L은 실수)일 때

→ $\lim\limits_{x \to a} g(x) = 0$이면 $\lim\limits_{x \to a} f(x) = $ **❶**

(2) $\lim\limits_{x \to a} \dfrac{f(x)}{g(x)} = L$ ($L \neq 0$인 실수)일 때

→ $\lim\limits_{x \to a} f(x) = 0$이면 $\lim\limits_{x \to a} g(x) = $ **❷**

(분모) → 0이면 (분자) → 0,
$L \neq 0$이고 (분자) → 0이면
(분모) → 0

답 ❶ 0 ❷ 0

핵심정리 04 함수의 연속과 불연속

(1) 함수의 연속

함수 $f(x)$가 실수 a에 대하여 다음 세 조건을 모두 만족시킬 때, 함수 $f(x)$는 $x=a$에서 **❶** 이라 한다.

(ⅰ) 함수 $f(x)$가 $x=a$에서 정의되어 있다.

(ⅱ) 극한값 $\lim\limits_{x \to a} f(x)$가 존재한다.

(ⅲ) $\lim\limits_{x \to a} f(x) = $ **❷**

(2) 함수의 불연속

(ⅰ) $f(a)$가 정의 ×	(ⅱ) $\lim\limits_{x \to a} f(x)$가 존재 ×	(ⅲ) $\lim\limits_{x \to a} f(x) \neq f(a)$
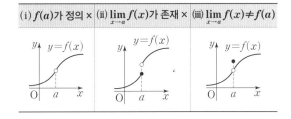		

답 ❶ 연속 ❷ $f(a)$

02 함수의 극한값의 계산

예1

$$\lim_{x \to 2} \frac{x-2}{x^2-4} = \lim_{x \to 2} \frac{x-2}{(x+2)(x-2)}$$

$$= \lim_{x \to 2} \frac{1}{\boxed{\text{❶}}} = \boxed{\text{❷}}$$

예2

$$\lim_{x \to \infty} \frac{2x}{\sqrt{x^2+3}+x} = \lim_{x \to \infty} \frac{2}{\sqrt{1+\dfrac{3}{x^2}}+\boxed{\text{❸}}}$$

$$= \frac{2}{\sqrt{1+\boxed{\text{❹}}}} = \boxed{\text{❺}}$$

답 ❶ $x+2$ ❷ $\frac{1}{4}$ ❸ 1 ❹ 1 ❺ 1

---

01 함수의 극한

예1

함수 $f(x) = \begin{cases} -x+k & (x<2) \\ 2x-4 & (x \geq 2) \end{cases}$ 에 대하여 $\lim_{x \to 2} f(x)$의

값이 존재할 때, 상수 k의 값

→ $\lim_{x \to 2-} f(x) = \lim_{x \to 2-} (-x+k) = -2+k$

$\lim_{x \to 2+} f(x) = \lim_{x \to 2+} (2x-4) = \boxed{\text{❶}}$

$\lim_{x \to 2} f(x)$의 값이 존재하려면

$\lim_{x \to 2-} f(x) = \lim_{x \to 2+} f(x)$이어야 하므로

$-2+k = \boxed{\text{❷}}$ $\quad \therefore k = \boxed{\text{❸}}$

답 ❶ 0 ❷ 0 ❸ 2

---

04 함수의 연속과 불연속

예1

함수 $f(x) = \begin{cases} \dfrac{x^2+ax-6}{x-1} & (x \neq 1) \\ 5 & (x=1) \end{cases}$ 가 $x=1$에서 연속

일 때, 상수 a의 값

→ 함수 $f(x)$가 $x=1$에서 연속이면

$\lim_{x \to 1} f(x) = f(\boxed{\text{❶}})$이므로

$\lim_{x \to 1} \dfrac{x^2+ax-6}{x-1} = \boxed{\text{❷}}$

이때, $\lim_{x \to 1} (x-1) = 0$이므로

$\lim_{x \to 1} (x^2+ax-6) = 0$에서

$1+a-6 = 0$ $\quad \therefore a = \boxed{\text{❸}}$

> 극한값이 존재하고
> (분모) → 0이므로
> (분자) → 0이야.

답 ❶ 1 ❷ 5 ❸ 5

---

03 극한값을 이용한 미정계수의 결정

예1

$\lim_{x \to -2} \dfrac{ax+4}{x+2} = -2$를 만족시키는 상수 a의 값

→ $\lim_{x \to -2} (x+2) = 0$이므로 $\lim_{x \to -2} (ax+4) = \boxed{\text{❶}}$

즉, $-2a+4 = \boxed{\text{❷}}$에서 $a = \boxed{\text{❸}}$

예2

$\lim_{x \to 1} \dfrac{x-1}{x^2+3x+a} = 1$을 만족시키는 상수 a의 값

→ $1 \neq 0$이고 $\lim_{x \to 1} (x-1) = 0$이므로

$\lim_{x \to 1} (x^2+3x+a) = \boxed{\text{❹}}$

즉, $1+3+a = \boxed{\text{❺}}$에서 $a = \boxed{\text{❻}}$

답 ❶ 0 ❷ 0 ❸ 2 ❹ 0 ❺ 0 ❻ -4

핵심정리 05 연속함수와 그 성질

(1) 연속함수

함수 $f(x)$가 어떤 구간에 속하는 모든 점에서 연속일 때, 함수 $f(x)$는 그 구간에서 연속 또는 그 구간에서 $\boxed{❶}$ 라 한다.

(2) 연속함수의 성질

두 함수 $f(x)$, $g(x)$가 $x=a$에서 연속이면 다음 함수도 $x=a$에서 연속이다.

① $cf(x)$ (단, c는 상수)

② $f(x) \pm g(x)$

③ $f(x)g(x)$

④ $\dfrac{f(x)}{g(x)}$ (단, $g(a) \neq \boxed{❷}$)

답 ❶ 연속함수 ❷ 0

핵심정리 06 최대·최소 정리

함수 $f(x)$가 닫힌구간 $[a, b]$에서 $\boxed{❶}$ 이면 함수 $f(x)$는 이 구간에서 반드시 최댓값과 $\boxed{❷}$ 을 갖는다.

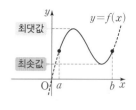

열린구간이나 반닫힌 구간에서는 최댓값 또는 최솟값을 갖지 않을 수도 있어.

$(\ )$ $(\ ], [\ )$

답 ❶ 연속 ❷ 최솟값

핵심정리 07 사잇값의 정리의 활용

함수 $f(x)$가 닫힌구간 $[a, b]$에서 연속이고
$f(a)f(b) < 0$이면

→ $f(c) = \boxed{❶}$ 인 c가 열린구간 (a, b)에 적어도 하나 존재한다.

→ 방정식 $f(x) = 0$은 열린구간 $\boxed{❷}$ 에서 적어도 하나의 실근을 갖는다.

답 ❶ 0 ❷ (a, b)

핵심정리 08 평균변화율과 미분계수

(1) 평균변화율

함수 $y = f(x)$에서 x의 값이 a에서 b까지 변할 때의 평균변화율

→ $\dfrac{\Delta y}{\Delta x} = \dfrac{f(b) - f(a)}{b - a} = \dfrac{f(a + \Delta x) - f(a)}{\boxed{❶}}$

(2) 미분계수

함수 $y = f(x)$의 $x = a$에서의 순간변화율 또는 $\boxed{❷}$

→ $f'(a) = \lim\limits_{\Delta x \to 0} \dfrac{\Delta y}{\Delta x} = \lim\limits_{\Delta x \to 0} \dfrac{f(a + \Delta x) - f(a)}{\Delta x}$

$= \lim\limits_{x \to a} \dfrac{f(x) - f(a)}{\boxed{❸}}$

미분계수가 존재하면 미분가능하다고 해.

답 ❶ Δx ❷ 미분계수 ❸ $x - a$

예 1

닫힌구간 $[0, 3]$에서 함수 $f(x) = \dfrac{6}{x+3} - 1$의 최댓값과 최솟값

→ 함수 $f(x) = \dfrac{6}{x+3} - 1$은 닫힌 구간 $[0, 3]$에서 연속이고, 이 구간에서 $y = f(x)$의 그래프 는 오른쪽 그림과 같으므로

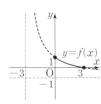

최댓값은 $f(0) = $ ❶

최솟값은 $f(3) = $ ❷

답 ❶ 1 ❷ 0

예 1

두 함수 $f(x) = x+1$, $g(x) = x-1$에 대하여 다음 중 연속함수가 아닌 것 고르기

다항함수는 연속함수야.

① $2f(x)$
② $f(x) + g(x)$
③ $f(x)g(x)$
④ $\dfrac{f(x)}{g(x)}$

① $2f(x) = 2x + 2$ → 연속함수
② $f(x) + g(x) = 2x$ → 연속함수
③ $f(x)g(x) = x^2 - 1$ → ❶
④ $\dfrac{f(x)}{g(x)} = \dfrac{x+1}{x-1}$ → $x = $ ❷ 에서 정의되지 않으므로

$x = $ ❸ 에서 불연속

답 ❶ 연속함수 ❷ 1 ❸ 1

예 1

함수 $f(x) = 3x^2 - 2$에 대하여 x의 값이 1에서 3까지 변할 때의 평균변화율

→ $\dfrac{\Delta y}{\Delta x} = \dfrac{f(3) - f(1)}{3 - 1}$

$= \dfrac{(3 \times 3^2 - 2) - (3 \times 1^2 - 2)}{3 - 1} = $ ❶

예 2

함수 $f(x) = x^2 - x$의 $x = 1$에서의 미분계수

→ $f'(1) = \displaystyle\lim_{\Delta x \to 0} \dfrac{f(1 + \Delta x) - f(1)}{\Delta x}$

$= \displaystyle\lim_{\Delta x \to 0} \dfrac{\{(1 + \Delta x)^2 - (1 + \Delta x)\} - (1^2 - 1)}{\Delta x}$

$= \displaystyle\lim_{\Delta x \to 0} \dfrac{\boxed{❷} + (\Delta x)^2}{\Delta x}$

$= \displaystyle\lim_{\Delta x \to 0} (\boxed{❸} + \Delta x) = $ ❹

답 ❶ 12 ❷ Δx ❸ 1 ❹ 1

예 1

방정식 $x^3 + x^2 + 1 = 0$이 열린구간 $(-2, 1)$에서 적어 도 하나의 실근을 가짐을 보이시오.

$f(x) = x^3 + x^2 + 1$로 놓으면 함수 $f(x)$는 닫힌구간 $[-2, 1]$에서 연속이고 $f(-2) = $ ❶ , $f(1) = $ ❷ 이므로

$f(-2)f(1)$ ❸ 0

따라서 사잇값의 정리에 의하여 $f(c) = 0$인 c가 열린 구간 $(-2, 1)$에 적어도 하나 존재한다.

즉, 방정식 $x^3 + x^2 + 1 = 0$은 열린구간 $(-2, 1)$에서 적어도 하나의 실근을 갖는다.

답 ❶ -3 ❷ 3 ❸ $<$

핵심정리 09 미분가능성과 연속성

함수 $f(x)$가 $x=a$에서 미분가능하면 $f(x)$는 $x=a$에서 **❶**□이다.

그러나 그 역은 성립하지 **❷**□

미분가능 ⇄ 연속

답 ❶ 연속 ❷ 않는다.

핵심정리 10 도함수

(1) 미분가능한 함수 $y=f(x)$의 도함수

$$\rightarrow f'(x)=\lim_{\Delta x\to 0}\frac{f(x+\Delta x)-f(x)}{\Delta x}$$

$$=\lim_{h\to 0}\frac{f(x+h)-f(x)}{\boxed{❶}}$$

(2) 함수 $f(x)$의 $x=a$에서의 미분계수 $f'(a)$

$\rightarrow$ 도함수 $f'(x)$의 $x=a$에서의 **❷**□

도함수		미분계수
$f'(x)$	$x=a$를 대입	$f'(a)$

답 ❶ h ❷ 함숫값

핵심정리 11 다항함수의 미분법

(1) 함수 $f(x)=x^n$과 상수함수의 도함수

① $f(x)=x^n$ ($n\geq2$인 정수) $\rightarrow f'(x)=\boxed{❶}$

② $f(x)=x \rightarrow f'(x)=\boxed{❷}$

③ $f(x)=c$ (c는 상수) $\rightarrow f'(x)=0$

(2) 함수의 실수배, 합, 차의 미분법

① $\{cf(x)\}'=\boxed{❸}f'(x)$ (단, c는 상수)

② $\{f(x)+g(x)\}'=f'(x)+g'(x)$

③ $\{f(x)-g(x)\}'=f'(x)-g'(x)$

답 ❶ nx^{n-1} ❷ 1 ❸ c

핵심정리 12 함수의 곱의 미분법

(1) 함수의 곱의 미분법

① $\{f(x)g(x)\}'=f'(x)g(x)+\boxed{❶}g'(x)$

② $\{f(x)g(x)h(x)\}'$
$=f'(x)g(x)h(x)+f(x)g'(x)h(x)$
$\qquad\qquad +f(x)g(x)h'(x)$

(2) 함수 $y=\{f(x)\}^n$ ($n\geq2$인 정수)의 도함수

$\rightarrow y'=n\{f(x)\}^{n-1}\boxed{❷}$

$\{f(x)g(x)\}'\neq f'(x)g'(x)$ 임을 명심해.

답 ❶ $f(x)$ ❷ $f'(x)$

10 도함수

예1

도함수의 정의를 이용하여 함수 $f(x)=3x+4$의 도함수 구하기

$$\begin{aligned} \rightarrow f'(x) &= \lim_{h \to 0} \frac{f(x+h)-f(x)}{h} \\ &= \lim_{h \to 0} \frac{\{3(x+h)+4\}-(3x+4)}{h} \\ &= \lim_{h \to 0} \frac{\boxed{\text{❶}}}{h} = \boxed{\text{❷}} \end{aligned}$$

답 ❶ $3h$ ❷ 3

09 미분가능성과 연속성

예1

함수 $f(x)=2|x|$의 $x=0$에서의 연속성과 미분가능성 조사하기

(ⅰ) $f(0)=0$이고 $\lim\limits_{x \to 0} f(x) = \lim\limits_{x \to 0} 2|x| = 0$이므로

$\lim\limits_{x \to 0} f(x) = \boxed{\text{❶}}$

따라서 함수 $f(x)$는 $x=0$에서 연속이다.

(ⅱ) $\lim\limits_{h \to 0-} \dfrac{f(0+h)-f(0)}{h} = \lim\limits_{h \to 0-} \dfrac{2|h|}{h}$

$= \lim\limits_{h \to 0-} \dfrac{-2h}{h} = \boxed{\text{❷}}$

$\lim\limits_{h \to 0+} \dfrac{f(0+h)-f(0)}{h} = \lim\limits_{h \to 0+} \dfrac{2|h|}{h}$

$= \lim\limits_{h \to 0+} \dfrac{2h}{h} = \boxed{\text{❸}}$

따라서 함수 $f(x)$는 $x=0$에서 미분가능하지 않다.

답 ❶ $f(0)$ ❷ -2 ❸ 2

12 함수의 곱의 미분법

예1

$y=(x+2)(x^2-1)$

$$\begin{aligned} \rightarrow y' &= (x+2)'(x^2-1) + (x+2)(x^2-1)' \\ &= 1 \times (x^2-1) + (x+2) \times 2x \\ &= 3x^2 + \boxed{\text{❶}} - 1 \end{aligned}$$

예2

$y=(2x+3)^4$

$$\begin{aligned} \rightarrow y' &= \{(2x+3)^4\}' \\ &= 4(2x+3)^3(2x+3)' \\ &= 4(2x+3)^3 \times \boxed{\text{❷}} \\ &= \boxed{\text{❸}}(2x+3)^3 \end{aligned}$$

답 ❶ $4x$ ❷ 2 ❸ 8

11 다항함수의 미분법

예1

$y=-3x^3+2x^2-x+1$

$$\begin{aligned} \rightarrow y' &= -3(x^3)' + 2(x^2)' - (x)' + (1)' \\ &= -3 \times \boxed{\text{❶}} + 2 \times \boxed{\text{❷}} - 1 + 0 \\ &= \boxed{\text{❸}} + 4x - 1 \end{aligned}$$

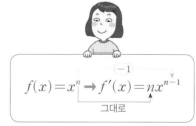

$$f(x) = x^n \rightarrow f'(x) = nx^{n-1}$$
그대로

답 ❶ $3x^2$ ❷ $2x$ ❸ $-9x^2$

핵심정리 13 접선의 방정식 구하기 [1]

곡선 $y=f(x)$ 위의 한 점 $(a, f(a))$가 주어질 때

(i) 접선의 기울기 $\boxed{\text{❶}}$ 를 구한다.

(ii) $y-\boxed{\text{❷}}=f'(a)(x-a)$를 이용하여 접선의 방정식을 구한다.

(접선의 기울기)
=(미분계수)

답 ❶ $f'(a)$　❷ $f(a)$

핵심정리 14 접선의 방정식 구하기 [2]

곡선 $y=f(x)$의 접선의 기울기 m이 주어질 때

(i) 접점의 좌표를 $(a, f(a))$로 놓는다.

(ii) $f'(a)=\boxed{\text{❶}}$임을 이용하여 접점의 좌표를 구한다.

(iii) $y-f(a)=m(x-\boxed{\text{❷}})$를 이용하여 접선의 방정식을 구한다.

답 ❶ m　❷ a

핵심정리 15 접선의 방정식 구하기 [3]

곡선 $y=f(x)$ 밖의 한 점 (x_1, y_1)이 주어질 때

(i) 접점의 좌표를 $(a, f(a))$로 놓는다.

(ii) 접선의 기울기 $\boxed{\text{❶}}$ 를 구한다.

(iii) $y-f(a)=f'(a)(x-a)$에 점 (x_1, y_1)의 좌표를 대입하여 $\boxed{\text{❷}}$의 값을 구한다.

(iv) a의 값을 $y-f(a)=f'(a)(x-a)$에 대입하여 접선의 방정식을 구한다.

답 ❶ $f'(a)$　❷ a

핵심정리 16 롤의 정리, 평균값 정리

(1) 롤의 정리

함수 $f(x)$가 닫힌구간 $[a, b]$에서 연속이고 열린구간 (a, b)에서 미분가능할 때, $f(a)=f(b)$이면 $f'(c)=\boxed{\text{❶}}$인 c가 열린구간 (a, b)에 적어도 하나 존재한다.

(2) 평균값 정리

함수 $f(x)$가 닫힌구간 $[a, b]$에서 연속이고 열린구간 (a, b)에서 미분가능할 때,

$$\frac{f(b)-f(a)}{\boxed{\text{❷}}}=f'(c)$$인 c가 열린구간 (a, b)에 적어도 하나 존재한다.

평균값 정리에서 $f(a)=f(b)$인 경우가 롤의 정리야.

답 ❶ 0　❷ $b-a$

예1

곡선 $y=-x^2+2x$에 접하고 기울기가 4인 직선의 방정식

→ $f(x)=-x^2+2x$로 놓으면 $f'(x)=-2x+2$

접점의 좌표를 $(a, -a^2+2a)$라 하면 접선의 기울기가 4이므로

$f'(a)=-2a+2=4$에서 $a=$ ❶⬚

따라서 접점의 좌표는 (❷⬚, -3)이므로 구하는 접선의 방정식은

$y-(-3)=4\{x-($ ❸⬚ $)\}$

$\therefore y=$ ❹⬚

답 ❶ -1 ❷ -1 ❸ -1 ❹ $4x+1$

예1

곡선 $y=x^2-3x+3$ 위의 점 $(1, 1)$에서의 접선의 방정식

→ $f(x)=x^2-3x+3$으로 놓으면 $f'(x)=2x-3$이므로 점 $(1, 1)$에서의 접선의 기울기는

$f'(1)=2\times1-3=$ ❶⬚

따라서 구하는 접선의 방정식은

$y-1=$ ❷⬚ $\times(x-1)$ $\therefore y=$ ❸⬚

> 접점의 좌표가 주어질 때는 접선의 기울기를 먼저 구해 봐.

답 ❶ -1 ❷ -1 ❸ $-x+2$

예1

함수 $f(x)=x^2-2$에 대하여 닫힌구간 $[-2, 1]$에서 평균값 정리를 만족시키는 상수 c의 값

→ 함수 $f(x)=x^2-2$는 닫힌 구간 $[-2, 1]$에서 연속이고 열린구간 $(-2, 1)$에서 미분 가능하므로 평균값 정리에 의하여

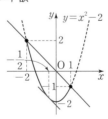

$\dfrac{f(1)-f(-2)}{1-(-2)}=\dfrac{-1-2}{3}=$ ❶⬚ $=f'(c)$

인 c가 열린구간 $(-2, 1)$에 적어도 하나 존재한다.

이때, $f'(x)=2x$이므로

$f'(c)=2c=$ ❷⬚ $\therefore c=$ ❸⬚

답 ❶ -1 ❷ -1 ❸ $-\dfrac{1}{2}$

예1

점 $(0, -3)$에서 곡선 $y=x^2+1$에 그은 접선의 방정식

→ $f(x)=x^2+1$로 놓으면 $f'(x)=2x$

접점의 좌표를 (a, a^2+1)이라 하면 이 점에서의 접선의 기울기는 $f'(a)=2a$이므로 접선의 방정식은

$y-(a^2+1)=2a(x-a)$

$\therefore y=2ax-a^2+1$ …… ㉠

이 직선이 점 $(0, -3)$을 지나므로

$-3=-a^2+1, a^2=4$ $\therefore a=\pm2$

(i) $a=2$일 때, ㉠에서 $y=$ ❶⬚

(ii) $a=$ ❷⬚ 일 때, ㉠에서 $y=-4x-3$

따라서 구하는 접선의 방정식은

$y=$ ❸⬚ 또는 $y=-4x-3$

답 ❶ $4x-3$ ❷ -2 ❸ $4x-3$

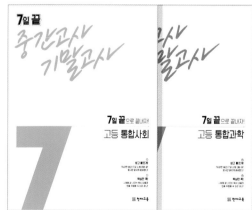

고등 내신 대비 단기 완성 교재

2021 신간

중간·기말 대비, 7일이면 충분해!

7일 끝 시리즈

초단기 시험 대비

시험에 꼭 나오는 핵심만 콕콕!
학습량은 줄이고 효율은 높여
7일 안에 중간·기말고사 최적 대비!

중하위권 기초 다지기

시험이 두려운 중하위권들을 위해
쉽지만 꼭 풀어 봐야 할 문제들만 모아
기초를 확실하게 다져 주는 교재!

다양한 기출·예상 문제

학교 내신 빈출 문제는 물론,
창의·융합형, 서술형, 신유형 등
다양한 문제 수록으로 철저한 시험 대비!

내신 대비, 늦었다고 생각할 때가 제일 빠르다!

국어: 고1~3 / 저자별 총 6권(국어(상), 국어(하), 문학, 독서, 화법과 작문, 언어와 매체)

수학: 고1~2 / 총 4권(수학(상), 수학(하), 수학Ⅰ, 수학Ⅱ)

영어: 어법·구문 / 총 2권(내신 기반 다지기)

사회: 고1~3 / 총 5권(한국사, 통합사회, 사회·문화, 한국 지리, 생활과 윤리)

※한국사: 고1~2/2022년부터 고3 동일 적용

과학: 고1~3 / 총 5권(통합과학, 물리학Ⅰ, 화학Ⅰ, 생명과학Ⅰ, 지구과학Ⅰ)

book.chunjae.co.kr

교재 내용 문의 ·········	교재 홈페이지 ▶ 고등 ▶ 교재상담
교재 내용 외 문의 ·········	교재 홈페이지 ▶ 고객센터 ▶ 1:1문의
발간 후 발견되는 오류 ·········	교재 홈페이지 ▶ 고등 ▶ 학습지원 ▶ 학습자료실

7일 끝

기말고사

7

고등 수학 II

BOOK 2

천재교육

언제나 만점이고 싶은 친구들

Welcome!

숨 돌릴 틈 없이 찾아오는 시험과 평가,
성적과 입시 그리고 미래에 대한 걱정,
중·고등학교에서 보내는 6년이란 시간은
때때로 힘들고, 버겁게 느껴지곤 해요.

그런데 여러분, 그거 아세요?
지금 이 시기가 노력의 대가를
가장 잘 확인할 수 있는 시간이라는 걸요.

안 돼, 못하겠어, 해도 안 될 텐데—
이렇게 생각하지 말아요, 천재교육이 있잖아요.
첫 시작의 두려움은 첫 마무리의 뿌듯함으로 바꿔줄게요.

펜을 쥐고 이 책을 펼친 순간
여러분 앞에 무한한 가능성의 길이 열렸어요.

우리와 함께 꽃길을 향해 걸어가 볼까요?

#시험대비
#핵심정복

7일 끝
중간고사
기말고사

Chunjae
Makes
Chunjae

[7일 끝] 고등 수학 Ⅱ

저자   최용준, 해법수학연구회
편집개발   김혜림, 오혜진, 이영욱, 남원남
제작   황성진, 조규영

발행일   2021년 7월 1일 초판 2021년 7월 1일 1쇄
발행인   (주)천재교육
주소   서울시 금천구 가산로9길 54
신고번호   제2001-000018호
고객센터   1577-0902
교재 내용문의   (02)3282-8854

7일 끝으로 끝내자!

7

고등 수학Ⅱ

BOOK 2

기 말 고 사 대 비

이 책의 구성과 활용

밀차별 시험 공부

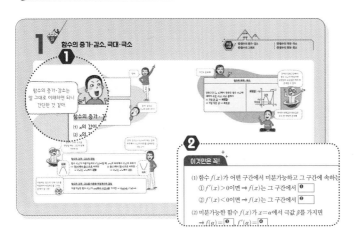

내용 한눈에 보기

본격적인 학습 전, 만화를 통해 시험에 잘 나오는 내용을 가볍게 짚고 넘어갈 수 있습니다.

❶ 만화로 핵심 내용 짚어 보기
❷ 시험에 잘 나오는 내용 중 꼭 알아야 할 내용 점검하기

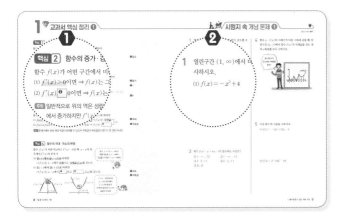

교과서 핵심 정리 + 시험지 속 개념 문제

시험 전 꼭 알아야 할 교과서 핵심 내용과 개념 문제를 통해 핵심 개념을 잘 이해하였는지 확인할 수 있습니다.

❶ 빈칸 문제를 채우며 핵심 내용 체크하기
❷ 시험에 잘 나오는 개념 문제 풀기

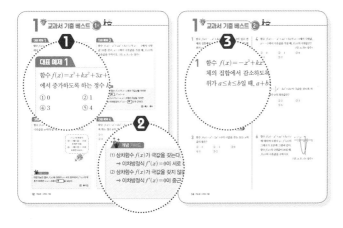

교과서 기출 베스트

기출문제를 분석하여 엄선한 빈출 유형의 문제를 집중적으로 풀며 효과적으로 기본 실력을 다질 수 있습니다.

❶ 빈출 유형을 통해 출제 빈도가 높은 문제 유형 익히기
❷ 개념 가이드를 보며 문제 해결의 힌트 확인하기
❸ 빈출 유형을 반복하여 익히기

시험 공부 마무리 테스트

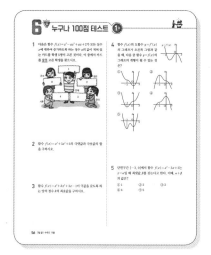

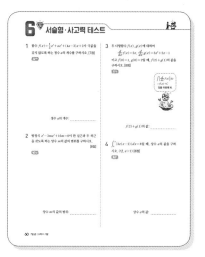

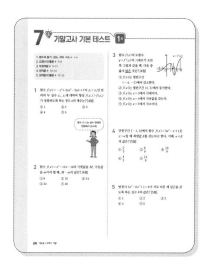

누구나 100점 테스트

아주 쉬운 예상 문제로 100점에 도전하여 내신 자신감을 키울 수 있습니다.

서술형·사고력 테스트

다양한 유형의 서술형 문제를 풀며 사고력과 서술형 문제에 대한 적응력을 높일 수 있습니다.

중간/기말고사 기본 테스트

실제 시험과 비슷한 예상 문제를 풀며 실전에 대비할 수 있습니다.

시험 직전까지 챙겨야 할 부록

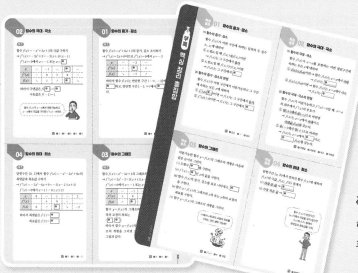

♦ 핵심 정리 총집합 카드

핵심 개념만을 모아 카드 형식으로 수록하였습니다.
휴대하여 이동할 때나 시험 직전에 활용할 수 있습니다.

이 책의 차례

함수의 증가·감소, 극대·극소

함수의 증가·감소는
말 그대로 이해하면 되니
간단한 것 같아.

맞아.

함수의 증가·감소

(1) x의 값이 커질 때, y의 값도 커지면 ➡ 증가
(2) x의 값이 커질 때, y의 값이 작아지면 ➡ 감소

시험에는 함수의
증가·감소를 판정하는
문제가 잘 나와.

함수의 증가·감소의 판정

함수 $f(x)$가 어떤 구간에서 미분가능하고
그 구간에 속하는 모든 x에 대하여
(1) $f'(x)>0$이면 ➡ $f(x)$는 그 구간에서 증가
(2) $f'(x)<0$이면 ➡ $f(x)$는 그 구간에서 감소

증가, 감소는
$f'(x)$의 부호 조사!

함수의 극대·극소를
판정할 때는 그림과 함께
기억해 둬.

극대, 극소는 $f'(x)=0$이 되는 점의
좌우에서 $f'(x)$의 부호를 살펴보면
되는구나.

함수의 극대·극소의 판정

극대

함수 $f(x)$가 미분가능하고 $f'(a)=0$일 때, $x=a$의 좌우에서 $f'(x)$의 부호가
(1) 양(+)에서 음(−)으로 바뀌면
➡ $f(x)$는 $x=a$에서 극대

(2) 음(−)에서 양(+)으로 바뀌면
➡ $f(x)$는 $x=a$에서 극소

극소

시험에는 함수의 극대·극소를
이용하여 미정계수를 구하는
문제가 잘 나와.

함수의 극대·극소를 이용한 미정계수의 결정

미분가능한 함수 $f(x)$가 $x=a$에서 극값 β를 가지면 ➡ $f(a)=\beta$, $f'(a)=0$

1 함수의 증가·감소　　**2** 함수의 극대·극소
3 함수의 그래프　　　　**4** 함수의 최대·최소

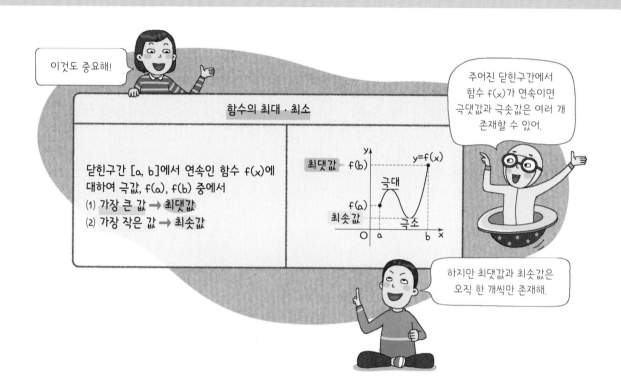

이것도 중요해!

주어진 닫힌구간에서 함수 f(x)가 연속이면 극댓값과 극솟값은 여러 개 존재할 수 있어.

함수의 최대·최소

닫힌구간 [a, b]에서 연속인 함수 f(x)에 대하여 극값, f(a), f(b) 중에서
(1) 가장 큰 값 ➡ **최댓값**
(2) 가장 작은 값 ➡ **최솟값**

하지만 최댓값과 최솟값은 오직 한 개씩만 존재해.

이것만은 꼭!

(1) 함수 $f(x)$가 어떤 구간에서 미분가능하고 그 구간에 속하는 모든 x에 대하여
　　① $f'(x) > 0$이면 ➡ $f(x)$는 그 구간에서 **❶ [　　]**
　　② $f'(x) < 0$이면 ➡ $f(x)$는 그 구간에서 **❷ [　　]**

(2) 미분가능한 함수 $f(x)$가 $x = \alpha$에서 극값 β를 가지면
　　➡ $f(\alpha) = $ **❸ [　　]** , $f'(\alpha) = $ **❹ [　　]**

(3) 닫힌구간 $[a, b]$에서 연속인 함수 $f(x)$에 대하여 극값, $f(a)$, $f(b)$ 중에서
　　① 가장 큰 값 ➡ **❺ [　　]**　　　　② 가장 작은 값 ➡ **❻ [　　]**

답 ❶ 증가　❷ 감소　❸ β　❹ 0　❺ 최댓값　❻ 최솟값

핵심 1 함수의 증가·감소

함수 $f(x)$가 어떤 구간에 속하는 임의의 두 실수 x_1, x_2에 대하여

(1) $x_1 < x_2$일 때 $f(x_1) < f(x_2)$이면 ➡ $f(x)$는 그 구간에서 증가

(2) $x_1 < x_2$일 때 $f(x_1) > f(x_2)$이면 ➡ $f(x)$는 그 구간에서 ❶ ☐

❶ 감소

핵심 2 함수의 증가·감소의 판정

함수 $f(x)$가 어떤 구간에서 미분가능하고 그 구간에 속하는 모든 x에 대하여

(1) $f'(x) > 0$이면 ➡ $f(x)$는 그 구간에서 ❷ ☐

(2) $f'(x)$ ❸ ☐ 0이면 ➡ $f(x)$는 그 구간에서 감소

❷ 증가

❸ <

주의 일반적으로 위의 역은 성립하지 않는다. 예를 들어 함수 $f(x) = x^3$은 열린구간 $(-\infty, \infty)$

에서 증가하지만 $f'(x) = 3x^2$에서 $f'(0) = $ ❹ ☐ 이다.

❹ 0

핵심 3 함수의 극대·극소

함수 $f(x)$가 $x = a$를 포함하는 어떤 열린구간에 속하는 모든 x에 대하여

(1) $f(x) \leq f(a)$이면 ➡ 함수 $f(x)$는 $x = a$에서 ❺ ☐ ➡ $f(a)$는 극댓값 ⎫
⎬ 극값
(2) $f(x) \geq f(a)$이면 ➡ 함수 $f(x)$는 $x = a$에서 극소 ➡ $f(a)$는 ❻ ☐ ⎭

❺ 극대

❻ 극솟값

참고 한 함수에서 여러 개의 극값이 존재할 수 있으며 극댓값이 극솟값보다 반드시 큰 것은 아니다.

핵심 4 함수의 극대·극소의 판정

함수 $f(x)$가 미분가능하고 $f'(a) = 0$일 때, $x = a$의 좌우에서 $f'(x)$의 부호가

(1) 양$(+)$에서 음$(-)$으로 바뀌면
➡ $f(x)$는 $x = a$에서 극대이고, 극댓값 $f(a)$를 갖는다.

(2) 음$(-)$에서 양$(+)$으로 바뀌면
➡ $f(x)$는 $x = a$에서 ❼ ☐ 이고, ❽ ☐ $f(a)$를 갖는다.

함수 $f(x)$가 $x = a$에서 미분가능하고 $x = a$에서 극값을 가지면 $f'(a) = 0$이야.

❼ 극소

❽ 극솟값

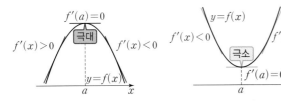

$f'(a) = 0$이더라도 $x = a$의 좌우에서 $f'(x)$의 부호가 바뀌지 않으면 $f(a)$는 극값이 아니야.

1 열린구간 $(1, \infty)$에서 다음 함수의 증가, 감소를 조사하시오.

(1) $f(x) = -x^2 + 4$

(2) $f(x) = 2x^2 + x - 5$

2 함수 $f(x) = -x^2 - 6x$가 증가하는 구간은?

① $(-\infty, -3]$ ② $(-\infty, -2]$

③ $[-3, \infty)$ ④ $[-2, \infty)$

⑤ $[-3, 2]$

3 함수 $f(x) = x^2 + 4x - 1$이 감소하는 구간은?

① $(-\infty, -2]$ ② $(-\infty, -1]$

③ $[-2, \infty)$ ④ $[-1, \infty)$

⑤ $[1, 2]$

4 함수 $y = f(x)$의 그래프가 다음 그림과 같을 때, 닫힌구간 $[a, f]$에서 함수 $f(x)$가 극댓값을 갖는 점의 x좌표를 모두 구하시오.

증가하다가 감소하는 부분을 찾자!

5 다음 함수의 극값을 구하시오.

(1) $f(x) = -2x^2 + 12x - 3$

(2) $f(x) = x^3 + 6x^2 - 10$

1일 교과서 핵심 정리 ❷

핵심 5 함수의 그래프

미분가능한 함수 $y=f(x)$의 그래프의 개형은 다음과 같은 순서로 그린다.

(i) 도함수 $f'(x)$를 구한다.

(ii) $f'(x)=\boxed{❶}$인 x의 값을 구한다.

(iii) 함수 $f(x)$의 증가, 감소를 표로 나타내고, $\boxed{❷}$을 구한다.

(iv) 함수 $y=f(x)$의 그래프와 x축 또는 y축의 교점의 좌표를 구한다.

└→ $x=0$에서의 교점의 좌표

(v) 함수 $y=f(x)$의 그래프의 개형을 그린다.

(iv)에서 x축과의 교점의 좌표를 구하는 것은 생략 가능해.

❶ 0

❷ 극값

예 함수 $f(x)=x^3-3x$의 그래프의 개형 그리기

(i) $f(x)=x^3-3x$에서 $f'(x)=3x^2-3=3(x+1)(x-1)$

(ii) $f'(x)=0$에서 $x=-1$ 또는 $x=\boxed{❸}$

❸ 1

(iii) 함수 $f(x)$의 증가, 감소를 표로 나타내면 다음과 같다.

x	$\cdots$	-1	$\cdots$	$\boxed{❹}$	$\cdots$
$f'(x)$	$+$	0	$-$	0	$\boxed{❺}$
$f(x)$	$\boxed{❻}$	2	$\searrow$	-2	$\nearrow$

❹ 1

❺ $+$

❻ $\nearrow$

(iv) 함수 $y=f(x)$의 그래프와 y축의 교점의 좌표는 $(0, 0)$

(v) 따라서 함수 $y=f(x)$의 그래프의 개형을 그리면 오른쪽 그림과 같다.

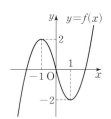

핵심 6 함수의 최대 · 최소

닫힌구간 $[a, b]$에서 연속인 함수 $f(x)$에 대하여 $f(x)$의 극값, $f(a)$, $f(b)$ 중에서

(1) 가장 큰 값 ➡ $\boxed{❼}$

(2) 가장 작은 값 ➡ $\boxed{❽}$

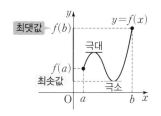

❼ 최댓값

❽ 최솟값

참고 (1) 함수 $f(x)$가 닫힌구간 $[a, b]$에서 극값을 갖지 않으면 $f(a)$와 $\boxed{❾}$ 중에서 최댓값과 최솟값을 갖는다.

❾ $f(b)$

(2) 주어진 닫힌구간에서 함수 $f(x)$가 연속이면 극댓값과 극솟값은 여러 개 존재할 수 있지만 최댓값과 최솟값은 오직 한 개씩 존재한다.

6 다음 함수의 그래프의 개형을 그리시오.

(1) $f(x) = x^3 - \dfrac{9}{2}x^2 + 6x - \dfrac{1}{2}$

(2) $f(x) = x^3 - 3x^2 + 4$

(3) $f(x) = -2x^3 + 3x^2 + 12x - 7$

7 주어진 닫힌구간에서 다음 함수의 최댓값과 최솟값을 구하시오.

(1) $f(x) = x^3 + 3x^2 + 5$ $[-1, 1]$

(2) $f(x) = x^3 - \dfrac{3}{2}x^2 - 6x + \dfrac{1}{2}$ $[-2, 1]$

8 닫힌구간 $[-1, 2]$에서 함수
$$f(x) = -x^3 + 9x^2 - 10$$
의 최댓값과 최솟값의 합은?

① 5 　　② 6 　　③ 7

④ 8 　　⑤ 9

극값, $f(-1)$, $f(2)$ 중에서
가장 큰 값 ➡ 최댓값
가장 작은 값 ➡ 최솟값

대표 예제 1

함수 $f(x)=x^3+kx^2+3x+1$이 열린구간 $(-\infty, \infty)$에서 증가하도록 하는 정수 k의 최댓값은?

① 0   ② 1   ③ 2

④ 3   ⑤ 4

개념 가이드

삼차함수 $f(x)$가 실수 전체의 집합에서

(1) 증가 → 모든 실수 x에 대하여 $f'(x)$ ❶ [ ] 0

(2) 감소 → 모든 실수 x에 대하여 $f'(x)$ ❷ [ ] 0

답 ❶ $\geq$ ❷ $\leq$

대표 예제 3

함수 $f(x)=x^3+ax^2+bx+c$가 $x=-2$에서 극댓값 15를 갖고, $x=1$에서 극솟값을 가질 때, $f(x)$의 극솟값을 구하시오. (단, a, b, c는 상수)

개념 가이드

(1) 미분가능한 함수 $f(x)$가 $x=\alpha$에서 극값 β를 가지면

  → $f(\alpha)=$ ❶ [ ] , $f'(\alpha)=0$

(2) 삼차함수 $f(x)$가 $x=\alpha$, $x=\beta$에서 극값을 가지면

  → α, β는 이차방정식 $f'(x)=$ ❷ [ ] 의 두 근이다.

답 ❶ β ❷ 0

대표 예제 2

함수 $f(x)=-2x^3+3x^2+12x-10$의 극댓값을 M, 극솟값을 m이라 할 때, $M+m$의 값을 구하시오.

> $f'(x)$의 부호가
> 양$(+)$에서 음$(-)$으로
> 바뀌면 극대,
> 음$(-)$에서 양$(+)$으로
> 바뀌면 극소야.

개념 가이드

미분가능한 함수 $f(x)$에 대하여 $x=k$의 좌우에서 $f'(x)$의 부호가 바뀌면 → $x=k$에서 ❶ [ ] 을 갖는다.

답 ❶ 극값

대표 예제 4

함수 $f(x)=x^3+kx^2-kx+5$가 극값을 갖지 않도록 하는 정수 k의 개수는?

① 1   ② 2   ③ 3

④ 4   ⑤ 5

개념 가이드

(1) 삼차함수 $f(x)$가 극값을 갖는다.

  → 이차방정식 $f'(x)=0$이 서로 다른 두 ❶ [ ] 을 갖는다.

(2) 삼차함수 $f(x)$가 극값을 갖지 않는다.

  → 이차방정식 $f'(x)=0$이 중근 또는 ❷ [ ] 을 갖는다.

답 ❶ 실근   ❷ 허근

대표 예제 **5**

최고차항의 계수가 1인 삼차함수 $f(x)$의 도함수 $y=f'(x)$의 그래프가 오른쪽 그림과 같다. 함수 $f(x)$의 극댓값이 10일 때, $f(x)$의 극솟값을 구하시오.

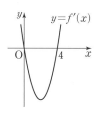

개념 가이드

(i) 도함수 $y=f'(x)$의 그래프를 보고 함수 $f(x)$에 대한 ❶ ⬜️ 를 만든다.

(ii) 함수 $f(x)$가 $x=\alpha$에서 극값 β를 가지면
 → $f(\alpha)=\beta$, $f'(\alpha)=$ ❷ ⬜️ 임을 이용한다.

답 ❶ 증감표 ❷ 0

대표 예제 **7**

닫힌구간 $[-2, 0]$에서 함수 $f(x)=x^3+2x^2+x+1$의 최댓값을 M, 최솟값을 m이라 할 때, Mm의 값은?

① -2 ② -1 ③ 0
④ 1 ⑤ 2

개념 가이드

닫힌구간 $[a, b]$에서 연속인 함수 $f(x)$에 대하여 $f(x)$의 극값, $f(a), f(b)$ 중에서

(1) 가장 큰 값 → ❶ ⬜️ (2) 가장 작은 값 → ❷ ⬜️

답 ❶ 최댓값 ❷ 최솟값

대표 예제 **6**

함수 $f(x)$의 도함수 $y=f'(x)$의 그래프가 오른쪽 그림과 같을 때, 다음을 구하시오.

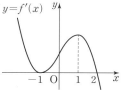

(1) 함수 $f(x)$가 감소하는 x의 값의 범위
(2) 함수 $f(x)$가 극댓값을 갖는 x의 값

개념 가이드

(1) 증가, 감소 → $f'(x)$의 ❶ ⬜️ 를 살펴본다.
(2) 극대, 극소 → $f'(x)=0$이 되는 점의 좌우에서 $f'(x)$의 부호의 ❷ ⬜️ 를 살펴본다.

답 ❶ 부호 ❷ 변화

대표 예제 **8**

닫힌구간 $[-1, 4]$에서 함수
$$f(x)=x^3-6x^2+9x+k$$
의 최댓값과 최솟값의 합이 -10일 때, 상수 k의 값을 구하시오.

최댓값과 최솟값을 k에 대한 식으로 나타내 봐.

개념 가이드

미정계수를 포함한 함수 $f(x)$의 최댓값 또는 최솟값이 주어지면
 → $f(x)$의 ❶ ⬜️ 또는 최솟값을 직접 구하여 주어진 값과 ❷ ⬜️ 한다.

답 ❶ 최댓값 ❷ 비교

1 함수 $f(x)=-x^3+kx^2+(k-6)x+3$이 실수 전체의 집합에서 감소하도록 하는 실수 k의 값의 범위가 $a \leq k \leq b$일 때, $a+b$의 값을 구하시오.

2 함수 $f(x)=x^3+x^2+ax-4$가 열린구간 $(1, 3)$에서 증가하도록 하는 실수 a의 값의 범위를 구하시오.

> 삼차함수 $f(x)$가
> 열린구간 (a, b)에서 증가
> → 구간 안의 모든 x에 대하여
> $f'(x) \geq 0$
> → $f'(a) \geq 0, f'(b) \geq 0$

3 함수 $f(x)=x^4-2x^2+6$이 극값을 갖는 모든 x의 값의 합은?

① -2 ② -1 ③ 0
④ 1 ⑤ 2

4 함수 $f(x)=-x^3+ax^2+bx$가 $x=1$에서 극댓값, $x=-1$에서 극솟값을 가질 때, $f(x)$의 극댓값은?
(단, a, b는 상수)

① -2 ② -1 ③ 0
④ 1 ⑤ 2

5 함수 $f(x)=\dfrac{1}{3}x^3-kx^2+kx$가 극값을 갖도록 하는 양의 정수 k의 최솟값은?

① 1 ② 2 ③ 3
④ 4 ⑤ 5

6 함수 $f(x)=x^3+ax^2+bx+c$에 대하여 도함수 $y=f'(x)$의 그래프가 오른쪽 그림과 같다. 함수 $f(x)$의 극댓값이 26일 때, $f(x)$의 극솟값을 구하시오.
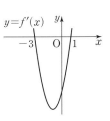
(단, a, b, c는 상수)

7 함수 $f(x)$의 도함수 $y=f'(x)$의 그래프가 오른쪽 그림과 같을 때, 다음 보기 중 옳은 것을 있는 대로 고르시오.

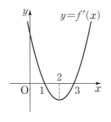

┤ 보기 ├

ㄱ. 함수 $f(x)$는 구간 $(2, \infty)$에서 증가하는 함수이다.

ㄴ. 함수 $f(x)$는 $x=1$에서 극댓값을 갖는다.

ㄷ. 함수 $f(x)$는 최솟값은 존재하지만 최댓값은 존재하지 않는다.

8 닫힌구간 $[0, 4]$에서 함수 $f(x)=x^3-12x+10$의 최댓값을 M, 최솟값을 m이라 할 때, $M+m$의 값은?

① 4   ② 16   ③ 20
④ 32   ⑤ 36

9 닫힌구간 $[1, 4]$에서 함수 $f(x)=x^3-3x^2+k$의 최솟값이 -8일 때, $f(x)$의 최댓값은? (단, k는 상수)

① -6 ② 0   ③ 6
④ 9   ⑤ 12

10 어느 극장의 관람료 x백 원과 관객 수 y명 사이에는 $y=700+30x-\dfrac{1}{3}x^2$인 관계식이 성립한다고 한다. 관람 수입을 최대로 하려면 관람료를 얼마로 정해야 하는가?

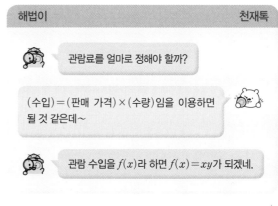

① 4000원   ② 5000원   ③ 6000원
④ 7000원   ⑤ 8000원

2 일 도함수의 활용

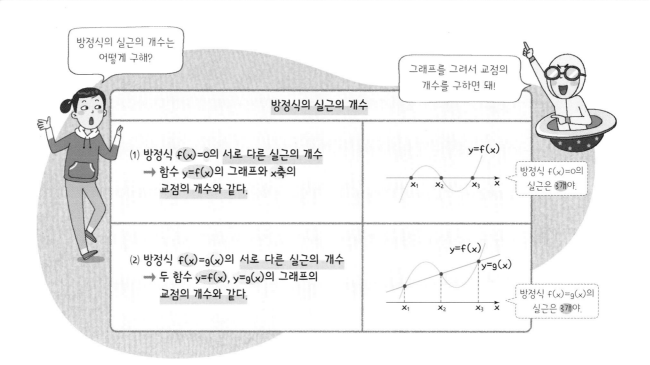

방정식의 실근의 개수는 어떻게 구해?

그래프를 그려서 교점의 개수를 구하면 돼!

방정식의 실근의 개수

(1) 방정식 $f(x)=0$의 서로 다른 실근의 개수
→ 함수 $y=f(x)$의 그래프와 x축의 교점의 개수와 같다.

$y=f(x)$

방정식 $f(x)=0$의 실근은 3개야.

(2) 방정식 $f(x)=g(x)$의 서로 다른 실근의 개수
→ 두 함수 $y=f(x)$, $y=g(x)$의 그래프의 교점의 개수와 같다.

$y=f(x)$
$y=g(x)$

방정식 $f(x)=g(x)$의 실근은 3개야.

부등식이 항상 성립할 조건을 구하는 문제가 시험에 잘 나오던데~

그렇지. 주어진 구간에서 함수 $f(x)$의 최솟값을 먼저 구해야 한다는 것을 꼭 기억해 둬.

어떤 구간에서 부등식이 항상 성립할 조건

어떤 구간에서 부등식 $f(x) \geq 0$이 성립하려면
→ 그 구간에서 (함수 $f(x)$의 최솟값) ≥ 0

모든 실수에서 부등식이 항상 성립할 조건

모든 실수 x에 대하여 부등식 $f(x) \geq 0$이 성립하려면
→ (함수 $f(x)$의 최솟값) ≥ 0

모든 실수에서 부등식이 항상 성립할 조건도 함께 기억해야겠어.

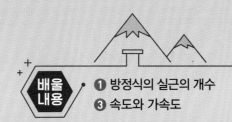
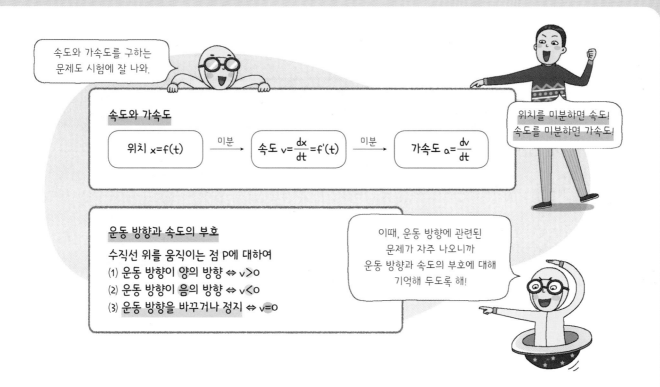

속도와 가속도를 구하는 문제도 시험에 잘 나와.

속도와 가속도

$$위치\ x=f(t) \xrightarrow{미분} 속도\ v=\frac{dx}{dt}=f'(t) \xrightarrow{미분} 가속도\ a=\frac{dv}{dt}$$

위치를 미분하면 속도!
속도를 미분하면 가속도!

운동 방향과 속도의 부호

수직선 위를 움직이는 점 P에 대하여
(1) 운동 방향이 양의 방향 ⇔ $v>0$
(2) 운동 방향이 음의 방향 ⇔ $v<0$
(3) 운동 방향을 바꾸거나 정지 ⇔ $v=0$

이때, 운동 방향에 관련된 문제가 자주 나오니까 운동 방향과 속도의 부호에 대해 기억해 두도록 해!

이것만은 꼭!

(1) 방정식 $f(x)=0$의 서로 다른 실근의 개수
　➡ 함수 $y=f(x)$의 그래프와 ❶ ☐ 의 교점의 개수와 같다.

(2) 방정식 $f(x)=g(x)$의 서로 다른 실근의 개수
　➡ 두 함수 $y=f(x)$, $y=$ ❷ ☐ 의 그래프의 교점의 개수와 같다.

(3) 어떤 구간에서 부등식 $f(x)\geq0$이 성립하려면
　➡ 그 구간에서 (함수 $f(x)$의 최솟값) ❸ ☐ 0

(4) 수직선 위를 움직이는 점 P의 시각 t에서의 위치 x가 $x=f(t)$일 때
　점 P가 운동 방향을 바꾸는 시각 t를 구하려면 ➡ $v=f'(t)=$ ❹ ☐ 임을 이용한다.

답 ❶ x축 ❷ $g(x)$ ❸ $\geq$ ❹ 0

핵심 1 방정식의 실근의 개수

(1) 방정식 $f(x)=0$의 서로 다른 실근의 개수
→ 함수 $y=f(x)$의 그래프와 $\boxed{\textbf{❶}}$ 의 교점의 개수와 같다.

❶ x축

(2) 방정식 $f(x)=g(x)$의 서로 다른 실근의 개수
→ 두 함수 $y=f(x)$, $y=g(x)$의 그래프의 $\boxed{\textbf{❷}}$ 의 개수와 같다.

❷ 교점

예 방정식 $x^3-3x=0$의 서로 다른 실근의 개수 구하기
→ $f(x)=x^3-3x$로 놓으면 $f'(x)=3x^2-3=3(x+1)(x-1)$
$f'(x)=0$에서 $x=-1$ 또는 $x=\boxed{\textbf{❸}}$

❸ 1

함수 $f(x)$의 증가, 감소를 표로 나타내면 다음과 같다.

x	$\cdots$	-1	$\cdots$	1	$\cdots$
$f'(x)$	$+$	0	$-$	0	$+$
$f(x)$	$\nearrow$	2	$\searrow$	$\boxed{\textbf{❹}}$	$\nearrow$

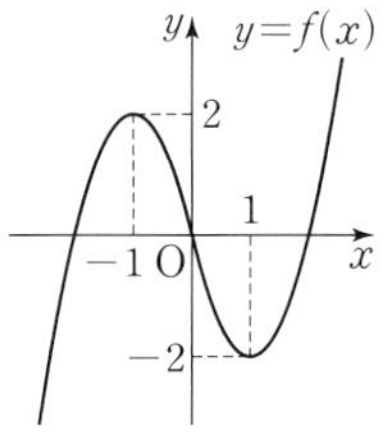

❹ -2

따라서 함수 $y=f(x)$의 그래프는 오른쪽 그림과 같이 x축과 서로 다른 세 점에서 만나므로 주어진 방정식의 서로 다른 실근의 개수는 $\boxed{\textbf{❺}}$ 이다.

❺ 3

핵심 2 삼차방정식의 근의 판별

삼차함수 $f(x)$가 극값을 가질 때, 삼차방정식 $f(x)=0$의 근은
(1) (극댓값)×(극솟값)<0 ⟺ 서로 다른 세 실근
(2) (극댓값)×(극솟값)$=0$ ⟺ 한 실근과 중근 (서로 다른 두 실근)
(3) (극댓값)×(극솟값)>0 ⟺ 한 실근과 두 $\boxed{\textbf{❻}}$

❻ 허근

핵심 3 부등식의 증명

(1) 어떤 구간에서 부등식 $f(x)\geq0$이 성립함을 증명하려면
→ 그 구간에서 (함수 $f(x)$의 최솟값)≥0임을 보인다.

(2) 어떤 구간에서 부등식 $f(x)\geq g(x)$가 성립함을 증명하려면
→ $h(x)=f(x)-g(x)$로 놓고 그 구간에서 (함수 $h(x)$의 $\boxed{\textbf{❼}}$)≥0임을 보인다.

❼ 최솟값

참고 어떤 구간에서 $f(x)$의 최솟값이 a이면 그 구간에서 $f(x)\geq\boxed{\textbf{❽}}$ 이다.

❽ a

1 다음 방정식의 서로 다른 실근의 개수를 구하시오.

(1) $x^3 - 3x^2 = 0$

(2) $-2x^3 + 3x^2 + 12x - 10 = 0$

(3) $-x^4 + 8x^2 - 8 = 0$

2 방정식 $3x^4 - 4x^3 + 1 = 0$의 서로 다른 실근의 개수는?

① 0   ② 1   ③ 2

④ 3   ⑤ 4

3 다음은 민호가 인터넷 게시판에 올린 질문과 그 답변이다. ㈎, ㈏에 알맞은 것을 구하시오.

● ● ● 정성을 다해 상담해 드리겠습니다.

제목: 증명해 주세요.

내용: $x \geq 0$일 때, 부등식 $x^3 + 3x \geq 0$이 성립함을 보이시오.

Re $f(x) = x^3 + 3x$로 놓으면
$f'(x) = 3x^2 + 3 = 3(x^2 + \boxed{㈎}) > 0$
함수 $f(x)$는 $x \geq 0$에서 증가하는 함수이고 $f(0) = \boxed{㈏}$이므로 $x \geq 0$일 때
$f(x) \geq \boxed{㈏}$이다.
따라서 $x \geq 0$일 때, 부등식 $x^3 + 3x \geq 0$이 성립한다.

4 $x \geq 0$일 때, 부등식 $2x^3 - 6x^2 \geq -8$이 성립함을 보이시오.

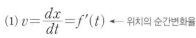

교과서 핵심 정리 ❷

핵심 4 속도와 가속도

수직선 위를 움직이는 점 P의 시각 t에서의 위치 x가 $x=f(t)$ 일 때, 시각 t에서의 점 P의 속도 v와 가속도 a는

위치를 미분하면 속도!
속도를 미분하면 가속도!

(1) $v=\dfrac{dx}{dt}=f'(t)$ ← 위치의 순간변화율

(2) $a=$ [❶] ← 속도의 순간변화율

❶ $\dfrac{dv}{dt}$

참고 운동 방향과 속도의 부호

수직선 위를 움직이는 점 P에 대하여

(1) 운동 방향이 **양의 방향** $\Longleftrightarrow v>0$

(2) 운동 방향이 **음의 방향** $\Longleftrightarrow v<0$

(3) 운동 방향을 바꾸거나 정지 $\Longleftrightarrow v=0$

예 수직선 위를 움직이는 점 P의 시각 t에서의 위치 x가 $x=t^3-3t$일 때, 시각 $t=2$에서의 점 P의 속도 v와 가속도 a 구하기

→ $v=\dfrac{dx}{dt}=3t^2-3$, $a=\dfrac{dv}{dt}=$ [❷] 이므로 시각 $t=2$에서의 점 P의 속도와 가속도는

$v=3\times2^2-3=9$, $a=6\times2=$ [❸]

❷ $6t$

❸ 12

핵심 5 시각에 대한 길이, 넓이, 부피의 변화율

어떤 물체의 시각 t에서의 길이를 l, 넓이를 S, 부피를 V라 할 때, 시간이 $\varDelta t$만큼 경과한 후 길이, 넓이, 부피가 각각 $\varDelta l$, $\varDelta S$, $\varDelta V$만큼 변했다고 하면 시각 t에서의

(1) 길이 l의 변화율: $\displaystyle\lim_{\varDelta t\to0}\dfrac{\varDelta l}{\varDelta t}=\dfrac{dl}{dt}$

(2) 넓이 S의 변화율: $\displaystyle\lim_{\varDelta t\to0}\dfrac{\varDelta S}{\varDelta t}=\dfrac{dS}{dt}$

(3) 부피 V의 변화율: $\displaystyle\lim_{\varDelta t\to0}\dfrac{\varDelta V}{\varDelta t}=$ [❹]

❹ $\dfrac{dV}{dt}$

예 시각 t에서의 한 변의 길이가 $(1+t)$인 정사각형이 있다. 시각 $t=2$에서의 정사각형의 넓이의 변화율 구하기

→ 정사각형의 넓이를 S라 하면 $S=(1+t)^2$ ∴ $\dfrac{dS}{dt}=2(1+t)=2+$ [❺]

따라서 $t=2$에서의 정사각형의 넓이의 변화율은 $2+2\times$ [❻] $=$ [❼]

❺ $2t$

❻ 2

❼ 6

시험지 속 개념 문제 ②

5 수직선 위를 움직이는 점 P의 시각 t에서의 위치 x가 다음과 같을 때, 주어진 시각 t에서의 점 P의 속도 v와 가속도 a를 구하시오.

(1) $x = t^2 + t$　[$t = 3$]

(2) $x = -t^3 + 6t + 4$　[$t = 2$]

6 시각 t에서의 길이 l이 다음과 같은 고무줄이 있다. 시각 $t = 1$에서의 고무줄의 길이의 변화율을 구하시오.

(1) $l = t^3 + 4t^2 + 2$

(2) $l = 2t^3 + 3t + 5$

7 시각 t에서의 한 모서리의 길이가 $2t$인 정육면체에 대하여 다음을 구하시오.

(1) 시각 $t = 2$에서의 정육면체의 겉넓이의 변화율

(2) 시각 $t = 3$에서의 정육면체의 부피의 변화율

8 시각 t에서의 반지름의 길이가 $3t$인 구에 대하여 시각 $t = 2$에서의 구의 부피의 변화율은?

① 72π　　② 144π　　③ 216π

④ 432π　　⑤ 576π

구의 반지름의 길이가 r일 때,
부피 → $\dfrac{4}{3}\pi r^3$

대표 예제 1

방정식 $-x^3+3x=k$가 서로 다른 세 실근을 갖도록 하는 실수 k의 값의 범위를 구하시오.

개념 가이드

방정식 $f(x)=k$의 서로 다른 실근의 개수는 함수 $y=$ **❶** 의 그래프와 직선 $y=$ **❷** 의 교점의 개수와 같다.

답 ❶ $f(x)$ ❷ k

대표 예제 2

방정식 $x^3+3x^2-9x-3a=0$이 한 실근과 두 허근을 갖도록 하는 자연수 a의 최솟값은?

① 1   ② 2   ③ 8
④ 9   ⑤ 10

개념 가이드

삼차함수 $f(x)$가 극값을 가질 때, 삼차방정식 $f(x)=0$의 근은
(1) (극댓값)×(극솟값)<0 ⟺ 서로 다른 세 **❶**
(2) (극댓값)×(극솟값)=0 ⟺ 한 실근과 중근
　　　　　　　　　　　　　　　(서로 다른 두 실근)
(3) (극댓값)×(극솟값)>0 ⟺ 한 **❷** 과 두 **❸**

답 ❶ 실근 ❷ 실근 ❸ 허근

대표 예제 3

방정식 $x^3-3x-a+1=0$이 서로 다른 두 개의 음의 실근과 한 개의 양의 실근을 갖도록 하는 정수 a의 개수는?

① 1   ② 2   ③ 3
④ 4   ⑤ 5

개념 가이드

방정식 $f(x)=k$의 실근의 부호는 함수 $y=f(x)$의 그래프와 직선 $y=$ **❶** 의 교점의 **❷** 의 부호와 같다.

답 ❶ k ❷ x좌표

대표 예제 4

$x\geq0$일 때, 부등식 $x^3+3x^2-24x+k\geq0$이 항상 성립하도록 하는 실수 k의 최솟값을 구하시오.

$f(x)=x^3+3x^2-24x+k$
로 놓고 $f(x)$의 최솟값을
먼저 구해 봐.

개념 가이드

어떤 구간에서 부등식 $f(x)\geq0$이 성립하려면
→ 그 구간에서 (함수 $f(x)$의 최솟값)≥ **❶**

답 ❶ 0

대표 예제 5

모든 실수 x에 대하여 부등식

$$x^4 - x^2 + 7x > 5x^2 - x - a$$

가 성립하도록 하는 정수 a의 최솟값은?

① 23   ② 24   ③ 25

④ 26   ⑤ 27

개념 가이드

모든 실수 x에 대하여 부등식 $f(x) > g(x)$가 성립하려면

→ $h(x) = f(x) -$ ❶ 라 할 때

  (함수 $h(x)$의 ❷) > 0

답 ❶ $g(x)$ ❷ 최솟값

대표 예제 7

지상 8 m의 위치에서 6 m/s의 속도로 지면과 수직하게 위로 던진 물체의 t초 후의 높이를 h m라 하면 $h = -2t^2 + 6t + 8$인 관계가 성립한다. 물체가 도달하는 최고 높이를 구하시오.

개념 가이드

지면과 수직하게 위로 던진 물체가

(1) 최고 높이에 도달할 때 → (속도) = ❶

(2) 지면에 떨어질 때 → (높이) = ❷

답 ❶ 0 ❷ 0

대표 예제 6

원점을 출발하여 수직선 위를 움직이는 점 P의 시각 t에서의 위치 x가 $x = -2t^3 + 2t^2 + 2t$일 때, 점 P가 운동 방향을 바꾸는 시각은?

① $\dfrac{1}{3}$ ② $\dfrac{1}{2}$ ③ 1

④ $\dfrac{3}{2}$ ⑤ 2

개념 가이드

수직선 위를 움직이는 점 P가 운동 방향을 바꾸는 순간의 속도는 ❶ 이다.

답 ❶ 0

대표 예제 8

가로의 길이가 20 cm, 세로의 길이가 30 cm인 직사각형이 있다. 가로의 길이는 매초 2 cm씩 늘어나고, 세로의 길이는 매초 1 cm씩 늘어난다. 4초 후 이 직사각형의 넓이의 변화율을 구하시오.

 t초 후 이 직사각형의 가로의 길이는 $(20 + 2t)$ cm, 세로의 길이는 $(30 + t)$ cm야.

개념 가이드

어떤 물체의 시각 t에서의 넓이가 S일 때, 넓이의 변화율은

→ $\dfrac{❶}{dt}$

답 ❶ dS

1 방정식 $2x^3-6x^2-18x=k$가 서로 다른 두 실근을 갖도록 하는 모든 실수 k의 값을 구하시오.

2 방정식 $x^3-3x^2-9x-1-k=0$이 서로 다른 세 실근을 갖도록 하는 양의 정수 k의 개수는?

① 1   ② 2   ③ 3

④ 4   ⑤ 5

3 방정식 $x^3-6x^2-a=0$이 오직 한 개의 양의 실근을 갖도록 하는 정수 a의 최솟값은?

① -1 ② 0   ③ 1

④ 2   ⑤ 3

4 $x\ge-2$일 때, 부등식 $x^3-12x+k\ge0$이 항상 성립하도록 하는 실수 k의 값의 범위를 구하시오.

어떤 구간에서 부등식 $f(x)\ge0$이 성립하려면 그 구간에서 (함수 $f(x)$의 최솟값)≥0

5 모든 실수 x에 대하여 부등식 $x^4-4x-a>0$이 성립하도록 하는 정수 a의 최댓값은?

① -4 ② -3 ③ -2

④ -1 ⑤ 0

6 원점을 출발하여 수직선 위를 움직이는 점 P의 시각 t에서의 위치 x가 $x = t^3 - 9t^2 + 24t$일 때, 다음 보기 중 옳은 것을 있는 대로 고르시오.

> ┤ 보기 ├
>
> ㄱ. 점 P가 출발할 때의 속도는 24이다.
> ㄴ. 점 P는 움직이는 동안 운동 방향을 세 번 바꾼다.
> ㄷ. 점 P가 출발 후 다시 원점에 도착하는 시각은 $t = 1$이다.

7 다음 대화를 읽고, 브레이크를 밟은 후 자동차가 정지할 때까지 움직인 거리를 구하시오.

자동차 성능 검사장

이 자동차가 브레이크를 밟은 후 t초 동안 움직인 거리를 x m라 하면 $x = 24t - 1.2t^2$인 관계가 성립하네.

제동을 건 지 t초 후 속도는 $\dfrac{dx}{dt}$, 정지할 때의 속도가 0임을 이용하면…

8 지면과 수직하게 위로 던진 물체의 t초 후의 높이를 h m라 하면 $h = -10t^2 + 30t$인 관계가 성립한다. 이 물체가 지면에 떨어지는 순간의 속력을 구하시오.

9 원점에서 출발하여 수직선 위를 움직이는 점 P의 시각 t에서의 속도 $v(t)$의 그래프가 오른쪽 그림과 같을 때, 점 P는 운동 방향을 몇 번 바꾸는지 구하시오. (단, $0 \le t \le 6$)

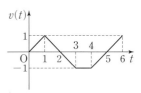

10 물이 1000 L 들어 있는 수족관에서 물을 빼려고 한다. 물을 빼기 시작한 지 t분 후 이 수족관 안에 남아 있는 물의 부피를 V L라 하면

$$V = 1000\left(1 - \frac{t}{50}\right)^2 \ (0 \le t \le 50)$$

인 관계가 성립한다. 물을 빼기 시작한 지 10분 후 이 수족관 안에 남아 있는 물의 부피의 변화율은?

① -28 L/m ② -30 L/m ③ -32 L/m
④ -34 L/m ⑤ -36 L/m

3 일 부정적분

새롭게 배우게 되는 기본 개념이야. 꼭 기억해!

부정적분

함수 $f(x)$의 한 부정적분을 $F(x)$라 하면

$$\Rightarrow \int \underbrace{f(x)}_{\text{도함수}} dx = \overbrace{F(x)}^{\text{부정적분}} + C \text{ (단, } C\text{는 적분상수)}$$

부정적분은 앞에서 배운 미분과 관계가 있네.

$$(2x)' = 2 \Rightarrow \int 2\, dx = 2x + C$$

그렇지. 이건 부정적분과 미분의 관계에서 기억해야 할 내용이야.

부정적분과 미분의 관계

미분가능한 함수 $f(x)$에 대하여

(1) $\dfrac{d}{dx} \int \overbrace{f(x)}^{\text{그대로}} dx = f(x)$

(2) $\int \left\{ \dfrac{d}{dx} f(x) \right\} dx = f(x) + C$ (단, C는 적분상수)

(그대로)+(적분상수)

적분한 후 미분하는지 미분한 후 적분하는지에 따라 그 결과가 달라.

$$\dfrac{d}{dx} \int f(x)\, dx \neq \int \left\{ \dfrac{d}{dx} f(x) \right\} dx$$

예를 들어 구해 보면

$f(x) = 4x^3$일 때

(1) $\dfrac{d}{dx} \int 4x^3\, dx = \dfrac{d}{dx}(x^4 + C) = 4x^3$

서로 달라!

(2) $\int \left\{ \dfrac{d}{dx}(4x^3) \right\} dx = \int 12x^2\, dx = 4x^3 + C$

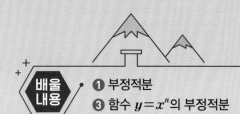

❶ 부정적분 　　　　❷ 부정적분과 미분의 관계
❸ 함수 $y=x^n$의 부정적분 　　❹ 함수의 실수배, 합, 차의 부정적분

이건 부정적분의 계산에서 가장 기본이 되는 공식이니 꼭 암기해!

함수 $y=x^n$의 부정적분

n이 0 또는 양의 정수일 때

$$\Rightarrow \int x^n\, dx = \frac{1}{n+1}x^{n+1} + C \text{ (단, } C \text{는 적분상수)}$$

직접 구해 보면 이렇게 되네.

$$\int x^6\, dx = \frac{1}{6+1}x^{6+1} + C = \frac{1}{7}x^7 + C$$

이것만은 꼭!

(1) 함수 $f(x)$의 한 부정적분을 $F(x)$라 하면 ➡ $\displaystyle\int f(x)\, dx = \boxed{\text{❶}} + C$ (단, C는 적분상수)

(2) 미분가능한 함수 $f(x)$에 대하여

① $\dfrac{d}{dx}\displaystyle\int f(x)\, dx = \boxed{\text{❷}}$ 　　　② $\displaystyle\int \left\{\dfrac{d}{dx}f(x)\right\} dx = \boxed{\text{❸}}$ (단, C는 적분상수)

(3) n이 0 또는 양의 정수일 때 ➡ $\displaystyle\int x^n\, dx = \dfrac{1}{\boxed{\text{❹}}}x^{\boxed{\text{❺}}} + C$ (단, C는 적분상수)

답 ❶ $F(x)$　❷ $f(x)$　❸ $f(x)+C$　❹ $n+1$　❺ $n+1$

핵심 1 부정적분

(1) 함수 $f(x)$에 대하여 $F'(x)=f(x)$가 되는 함수 $F(x)$를 함수 $f(x)$의 부정적분

이라 하고, 기호로 [❶] 와 같이 나타낸다.

❶ $\int f(x)\,dx$

(예)

x^4
x^4+1
$x^4-\dfrac{1}{3}$
$\vdots$

미분 → ← 적분 $4x^3$

→ [❷] $+$(상수) 꼴

$4x^3$의 부정적분은
무수히 많이 있으며
모두 상수항만 달라.

❷ x^4

(2) 함수 $f(x)$의 한 부정적분을 $F(x)$라 하면

→ $\int f(x)\,dx=$ [❸] $+C$ (단, C는 적분상수)

$$\int f(x)\,dx=F(x)+C$$

부정적분 / 도함수

❸ $F(x)$

(예) $(x^2)'=2x$ → $\int 2x\,dx=$ [❹] $+C$

❹ x^2

핵심 2 부정적분과 미분의 관계

미분가능한 함수 $f(x)$에 대하여

(1) $\dfrac{d}{dx}\int f(x)\,dx=$ [❺]

❺ $f(x)$

(2) $\int\left\{\dfrac{d}{dx}f(x)\right\}dx=$ [❻] (단, C는 적분상수)

❻ $f(x)+C$

주의 $\dfrac{d}{dx}\int f(x)\,dx\neq\int\left\{\dfrac{d}{dx}f(x)\right\}dx$

(예) $f(x)=4x^3$일 때

(1) $\dfrac{d}{dx}\int 4x^3\,dx=\dfrac{d}{dx}($ [❼] $)=4x^3$

→ $f(x)\xrightarrow{\text{적분}}F(x)+C\xrightarrow{\text{미분}}f(x)$

❼ x^4+C

(2) $\int\left\{\dfrac{d}{dx}(4x^3)\right\}dx=\int$ [❽] $dx=4x^3+C$

→ $f(x)\xrightarrow{\text{미분}}f'(x)\xrightarrow{\text{적분}}f(x)+C$

❽ $12x^2$

1 다음 중 $3x^2$의 부정적분이 적힌 카드를 들고 있는 사람을 모두 고른 것은?

① 은수
② 은수, 유리
③ 정우, 시후
④ 영진, 시후
⑤ 은수, 유리, 영진

2 다음 부정적분을 구하시오.

(1) $\int (-3)\, dx$

(2) $\int 4x\, dx$

(3) $\int (-8x^3)\, dx$

(4) $\int (-6x^5 + 9x^2)\, dx$

3 다음 등식을 만족시키는 함수 $f(x)$를 구하시오.

(단, C는 적분상수)

(1) $\int f(x)\, dx = -x^3 + C$

(2) $\int f(x)\, dx = 2x^4 + \dfrac{1}{2}x^2 + C$

(3) $\int f(x)\, dx = -\dfrac{3}{5}x^5 + x^3 + C$

(4) $\int f(x)\, dx = x^7 + 2x^4 - 5x^2 + C$

4 함수 $f(x) = 2x^3 - x$에 대하여 다음을 구하시오.

(1) $\dfrac{d}{dx} \int f(x)\, dx$

(2) $\int \left\{ \dfrac{d}{dx} f(x) \right\} dx$

미분을 나중에 하면
그대로!
적분을 나중에 하면
+ 적분상수!

교과서 핵심 정리 ❷

핵심 3 함수 $y=x^n$의 부정적분

n이 0 또는 양의 정수일 때

$$\rightarrow \int x^n \, dx = \boxed{❶} \, x^{n+1} + C \text{ (단, } C\text{는 적분상수)}$$

적분을 하면 차수는 1만큼 커지고 계수는 커진 차수의 역수와 같아.

참고 $\int 1 \, dx$는 $\int dx$로 나타낼 수 있다.

예 (1) $\int x^5 \, dx = \dfrac{1}{5+1} x^{5+1} + C = \boxed{❷} + C$

(2) $\int 1 \, dx = \int x^0 \, dx = \dfrac{1}{0+1} x^{0+1} + C = \boxed{❸} + C$

❶ $\dfrac{1}{n+1}$

❷ $\dfrac{1}{6} x^6$

❸ x

핵심 4 함수의 실수배, 합, 차의 부정적분

두 함수 $f(x)$, $g(x)$에 대하여

(1) $\int k f(x) \, dx = \boxed{❹} \int f(x) \, dx$ (단, k는 0이 아닌 상수)

(2) $\int \{ f(x) + g(x) \} \, dx = \int f(x) \, dx + \int g(x) \, dx$

(3) $\int \{ f(x) - g(x) \} \, dx = \int f(x) \, dx - \int g(x) \, dx$

(2), (3)은 세 개 이상의 함수에 대하여도 성립해.

❹ k

예 $\int (4x^2 - 2x + 1) \, dx = \int 4x^2 \, dx - \int \boxed{❺} \, dx + \int 1 \, dx$

$$= 4 \int x^2 \, dx - 2 \int x \, dx + \int dx$$

$$= 4 \left(\dfrac{1}{3} x^3 + C_1 \right) - 2 \left(\boxed{❻} + C_2 \right) + (x + C_3)$$

$$= \dfrac{4}{3} x^3 - x^2 + x + \underline{(4C_1 - 2C_2 + C_3)}$$

$$= \dfrac{4}{3} x^3 - x^2 + x + \boxed{❼} \longleftarrow$$

적분상수가 여러 개일 때에는 이들을 묶어서 하나의 적분상수 C로 나타낸다.

❺ $2x$

❻ $\dfrac{1}{2} x^2$

❼ C

5 다음 부정적분을 구하시오.

(1) $\displaystyle\int (x^4 \times x^3)\, dx$

(2) $\displaystyle\int (x^3)^2\, dx$

(3) $\displaystyle\int (-x^5)^4\, dx$

6 다음 부정적분을 구하시오.

(1) $\displaystyle\int (-7x^6 + x)\, dx$

(2) $\displaystyle\int (4x^3 + 6x^2 - 1)\, dx$

(3) $\displaystyle\int (-8x^7 - 6x + 3)\, dx$

7 다음 부정적분을 구하시오.

(1) $\displaystyle\int (x-4)(x+3)\, dx$

전개한 후 부정적분을 구해 봐.

(2) $\displaystyle\int (x-1)(x^2+x+1)\, dx$

(3) $\displaystyle\int (2x+1)^2\, dx$

(4) $\displaystyle\int (x-2)^3\, dx$

(5) $\displaystyle\int \frac{x^2-1}{x-1}\, dx$

먼저 인수분해하여 식을 간단히 해.

(6) $\displaystyle\int \frac{2x^2+5x-3}{x+3}\, dx$

대표 예제 1

함수 $f(x)$에 대하여

$$\int f(x)\,dx = x^3 + 2x^2 - 4x + C$$

일 때, $f(2)$의 값은? (단, C는 적분상수)

① 15   ② 16   ③ 17

④ 18   ⑤ 19

개념 가이드

$\int f(x)\,dx = F(x) + C$ (C는 적분상수)이면

→ $f(x) =$ ❶ ⬚

답 ❶ $F'(x)$

대표 예제 3

함수 $f(x) = \int \dfrac{x^3}{x-2}\,dx - \int \dfrac{8}{x-2}\,dx$에 대하여

$f(0) = -1$일 때, $f(-3)$의 값은? (단, $x \neq 2$)

① -13 ② -11 ③ -9

④ -7 ⑤ -5

개념 가이드

부정적분의 성질과 인수분해를 이용하여 식을 간단히 한 후

$\int x^n\,dx = \dfrac{1}{\boxed{❶}}x^{n+1} + C$임을 이용한다.

답 ❶ $n+1$

대표 예제 2

모든 실수 x에 대하여

$$\frac{d}{dx}\int (x^3 + ax^2 + 1)\,dx = bx^3 - 4x^2 + c$$

가 성립할 때, 세 상수 a, b, c의 합 $a+b+c$의 값을 구하시오.

개념 가이드

(1) $\dfrac{d}{dx}\int f(x)\,dx =$ ❶ ⬚

(2) $\int \left\{ \dfrac{d}{dx} f(x) \right\} dx =$ ❷ ⬚ (단, C는 적분상수)

답 ❶ $f(x)$ ❷ $f(x) + C$

대표 예제 4

함수 $f(x)$에 대하여 $f'(x) = 3x^2 + 6x - 1$이고 $f(0) = 5$일 때, $f(1)$의 값은?

① 2   ② 4   ③ 6

④ 8   ⑤ 10

개념 가이드

함수 $f(x)$와 그 도함수 ❶ ⬚ 에 대하여

→ $f(x) = \int$ ❷ ⬚ dx

답 ❶ $f'(x)$ ❷ $f'(x)$

대표 예제 **5**

다항함수 $f(x)$의 한 부정적분을 $F(x)$라 하면
$$F(x)=xf(x)-2x^3+x^2+1$$
이 성립하고 $f(1)=1$일 때, $f(2)$의 값을 구하시오.

> $\{f(x)g(x)\}'$
> $=f'(x)g(x)+f(x)g'(x)$

개념 가이드

함수 $f(x)$와 그 부정적분 $F(x)$ 사이의 관계식이 주어지면
→ 양변을 x에 대하여 ❶ 한 후 $F'(x)=$ ❷ 임을 이용한다.

답 ❶ 미분 ❷ $f(x)$

대표 예제 **7**

곡선 $y=f(x)$ 위의 임의의 점 $(x, f(x))$에서의 접선의 기울기가 $6x^2-2x-5$일 때, $f(2)-f(-1)$의 값은?

① -2 ② -1 ③ 0
④ 1 ⑤ 2

개념 가이드

곡선 $y=f(x)$ 위의 임의의 점 $(x, f(x))$에서의 접선의 기울기는 ❶ 이므로
→ $f(x)=\displaystyle\int$ ❷ dx

답 ❶ $f'(x)$ ❷ $f'(x)$

대표 예제 **6**

연속함수 $f(x)$의 도함수가 $f'(x)=\begin{cases} 2x-1 & (x>1) \\ 1 & (x<1) \end{cases}$
이고 $f(0)=1$일 때, $f(5)$의 값을 구하시오.

개념 가이드

함수 $f(x)$가 $x=a$에서 연속이고 $f'(x)=\begin{cases} g(x) & (x>a) \\ h(x) & (x<a) \end{cases}$일 때

(1) $f(x)=\begin{cases} \displaystyle\int \boxed{❶} \, dx & (x\geq a) \\ \displaystyle\int h(x)\,dx & (x<a) \end{cases}$

(2) $f(a)=\displaystyle\lim_{x\to a+}\int g(x)\,dx=\lim_{x\to a-}\int \boxed{❷} \, dx$

답 ❶ $g(x)$ ❷ $h(x)$

대표 예제 **8**

함수 $f(x)$의 도함수가 $f'(x)=3x^2-5x+2$이고 $f(x)$의 극솟값이 $\dfrac{1}{2}$일 때, $f(-2)$의 값을 구하시오.

> 극소인 점을 찾아서
> 적분상수를 구해 봐.

개념 가이드

극값이 주어진 경우의 부정적분
→ $f'(a)=0$이고 $x=a$의 좌우에서 $f'(x)$의 부호가
  (1) 양$(+)$에서 음$(-)$으로 바뀌면
    → $f(x)$는 $x=a$에서 ❶ 이다.
  (2) 음$(-)$에서 양$(+)$으로 바뀌면
    → $f(x)$는 $x=a$에서 ❷ 이다.

답 ❶ 극대 ❷ 극소

1 함수 $f(x)$의 한 부정적분이 $2x^3+x^2-5x+3$일 때, $f(-1)$의 값은?

① -5 ② -4 ③ -3

④ -2 ⑤ -1

2 등식 $\displaystyle\int xf(x)\,dx=-x^3+3x^2$을 만족시키는 다항 함수 $f(x)$에 대하여 $f(3)$의 값은?

① -3 ② -1 ③ 1

④ 3 ⑤ 5

3 함수 $f(x)=\displaystyle\int\left\{\frac{d}{dx}(x^3-x^2+2x)\right\}dx$에 대하여 $f(0)=-1$일 때, $f(2)$의 값은?

① 5 ② 6 ③ 7

④ 8 ⑤ 9

4 함수 $f(x)=\displaystyle\int\frac{1}{1-x}\,dx-\int\frac{x^4}{1-x}\,dx$에 대하여 $f(0)=1$일 때, $f(-1)$의 값은? (단, $x\neq1$)

① $\dfrac{1}{12}$ ② $\dfrac{5}{12}$ ③ $\dfrac{7}{12}$

④ $\dfrac{11}{12}$ ⑤ $\dfrac{13}{12}$

> 먼저 부정적분의 성질과 인수분해를 이용하여 식을 간단히 해.

5 함수 $f(x)$에 대하여 $f'(x)=6x^2-8x+3$이고 $f(2)=-3$일 때, $f(1)$의 값은?

① -8 ② -6 ③ -4

④ -2 ⑤ 0

6 다음 안내원의 말을 읽고, 수학 박물관 입장에 필요한 오늘의 문제를 푸시오.

수학 박물관

저희 수학 박물관에 입장하시려면 아래에 있는 오늘의 문제를 풀어야 합니다!

오늘의 문제
다항함수 $f(x)$의 한 부정적분을 $F(x)$라 하면
$F(x) = xf(x) - 3x^4 - 2x^3 + 4x^2$
이 성립하고 $f(0) = 2$일 때, $f(1)$의 값을 구하시오.

7 연속함수 $f(x)$의 도함수가 $f'(x) = |x| - x$이고 $f(0) = 1$일 때, $f(-2)$의 값을 구하시오.

8 점 $(0, 2)$를 지나는 곡선 $y = f(x)$ 위의 임의의 점 $(x, f(x))$에서의 접선의 기울기가 $3x^2 - 4x + 1$일 때, $f(2)$의 값은?

① 0 　　② 1 　　③ 2

④ 3 　　⑤ 4

9 함수 $f(x) = \int (3x^2 - 2x) dx$에 대하여

$\lim\limits_{h \to 0} \dfrac{f(1+h) - f(1-h)}{h}$ 의 값을 구하시오.

10 함수 $f(x)$의 도함수가 $f'(x) = x^2 - 1$이고 $f(x)$의 극댓값이 3일 때, $f(x)$의 극솟값은?

① $-\dfrac{4}{3}$ 　　② $-\dfrac{2}{3}$ 　　③ $\dfrac{1}{3}$

④ $\dfrac{5}{3}$ 　　⑤ $\dfrac{7}{3}$

4일 정적분

부정적분이 구간이 정해지지 않은 적분이라면 정적분은 구간이 정해진 적분이야.

정적분

닫힌구간 $[a, b]$에서 연속인 함수 $f(x)$의 한 부정적분을 $F(x)$라 할 때

$$\rightarrow \int_a^b f(x)\,dx = \Big[F(x)\Big]_a^b = F(b) - F(a)$$

정적분에서 적분변수 x 대신 다른 문자를 사용해도. 그 값은 같아.

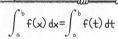

$$\int_a^b f(x)\,dx = \int_a^b f(t)\,dt$$

이것도 함께 기억해 두면 아주 유용해!

(1) $\displaystyle\int_a^a f(x)\,dx = 0$ ←── 아래끝과 위끝이 서로 같으면 정적분의 값은 0

(2) $\displaystyle\int_a^b f(x)\,dx = -\int_b^a f(x)\,dx$

(3) $\displaystyle\int_a^c f(x)\,dx + \int_c^b f(x)\,dx = \int_a^b f(x)\,dx$ ←── a, b, c의 대소에 관계없이 성립!

복잡한 다항함수의 정적분을 구할 때 편리한 공식이 있어.

함수 $y = x^n$의 정적분

n이 자연수일 때, 상수 a에 대하여

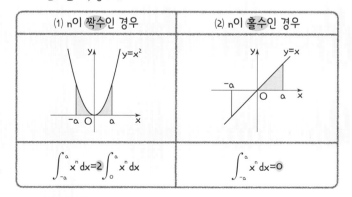

(1) n이 짝수인 경우	(2) n이 홀수인 경우
$\displaystyle\int_{-a}^a x^n\,dx = 2\int_0^a x^n\,dx$	$\displaystyle\int_{-a}^a x^n\,dx = 0$

n이 짝수인 경우에는 좌우의 정적분의 값이 같으니까 2배가 되네.

n이 홀수인 경우에는 정적분의 값이 0이 되네.

이번 단원에서 시험에 가장 잘 나오는 내용이니까 꼭 기억해!

정적분으로 정의된 함수의 미분

(1) $\dfrac{d}{dx}\displaystyle\int_a^x f(t)\,dt = f(x)$ (단, a는 상수)

　$\longrightarrow F(x)-F(a)$

(2) $\dfrac{d}{dx}\displaystyle\int_x^{x+a} f(t)\,dt = f(x+a)-f(x)$ (단, a는 상수)

　$\longrightarrow F(x+a)-F(x)$

t에 대한 함수일 것 같았는데 x에 대한 함수네.

 직접 계산해 보면

(1) $\dfrac{d}{dx}\displaystyle\int_1^x (2t^3-3t^2+2)\,dt = 2x^3-3x^2+2$

(2) $\dfrac{d}{dx}\displaystyle\int_x^{x+1} (t^2+1)\,dt = \{(x+1)^2+1\}-(x^2+1) = 2x+1$

이것만은 꼭!

(1) $\displaystyle\int_a^a f(x)\,dx = \boxed{❶}$, $\displaystyle\int_a^b f(x)\,dx = -\int_b^a f(x)\,dx$, $\displaystyle\int_a^c f(x)\,dx + \int_c^b f(x)\,dx = \int_a^{\boxed{❷}} f(x)\,dx$

(2) n이 짝수이면 ➡ $\displaystyle\int_{-a}^a x^n\,dx = \boxed{❸} \int_0^a x^n\,dx$

　n이 홀수이면 ➡ $\displaystyle\int_{-a}^a x^n\,dx = \boxed{❹}$

(3) $\dfrac{d}{dx}\displaystyle\int_a^x f(t)\,dt = f(\boxed{❺})$ (단, a는 상수)

　$\dfrac{d}{dx}\displaystyle\int_x^{x+a} f(t)\,dt = f(x+a)-f(\boxed{❻})$ (단, a는 상수)

답 ❶ 0 ❷ b ❸ 2 ❹ 0 ❺ x ❻ x

4일 교과서 핵심 정리 ①

핵심 1 정적분

(1) 닫힌구간 $[a, b]$에서 연속인 함수 $f(x)$의 한 부정적분을 $F(x)$라 할 때
→ 적분 구간

$F(b) - F(a)$를 함수 $f(x)$의 a에서 b까지의 ❶ [   ]이라 하고,

기호로 다음과 같이 나타낸다. → 아래끝 → 위끝

❶ 정적분

$$\Rightarrow \int_a^b f(x)\,dx = \Big[F(x) \Big]_a^b = F(b) - F(a)$$

예 $\displaystyle\int_1^2 3x^2\,dx = \Big[x^3 \Big]_1^2 = 2^3 - 1^3 = 7$

참고 x 대신 다른 문자를 사용해도 그 값은 같다. → $\displaystyle\int_a^b f(x)\,dx = \int_a^b$ ❷ [   ] dt

❷ $f(t)$

(2) 함수 $f(x)$가 닫힌구간 $[a, b]$에서 연속일 때

① $\displaystyle\int_a^a f(x)\,dx =$ ❸ [   ]   ② $\displaystyle\int_a^b f(x)\,dx =$ ➖ $\displaystyle\int_b^a f(x)\,dx$

❸ 0

핵심 2 함수의 실수배, 합, 차의 정적분

두 함수 $f(x)$, $g(x)$가 닫힌구간 $[a, b]$에서 연속일 때

아래끝, 위끝이 각각 같은
두 정적분은 하나의 정적분으로
나타내어 간단히 계산할 수 있어.

(1) $\displaystyle\int_a^b kf(x)\,dx =$ ❹ [   ] $\displaystyle\int_a^b f(x)\,dx$ (단, k는 상수)

❹ k

(2) $\displaystyle\int_a^b \{ f(x) \oplus g(x) \}\,dx = \int_a^b f(x)\,dx$ ❺ $\displaystyle\int_a^b g(x)\,dx$

❺ $+$

(3) $\displaystyle\int_a^b \{ f(x) \ominus g(x) \}\,dx = \int_a^b f(x)\,dx$ ❻ $\displaystyle\int_a^b g(x)\,dx$

❻ $-$

핵심 3 정적분의 성질

함수 $f(x)$가 임의의 세 실수 a, b, c를 포함하는 닫힌구간
에서 연속일 때

이 성질은 a, b, c의 대소에
관계없이 항상 성립해.

$$\Rightarrow \int_a^c f(x)\,dx + \int_c^b f(x)\,dx = \int_a^b f(x)\,dx$$

예 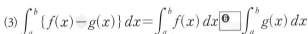 $\displaystyle\int_0^1 (x^3 - 3x^2)\,dx - \int_2^1 (x^3 - 3x^2)\,dx = \int_0^1 (x^3 - 3x^2)\,dx$ ❼ $\displaystyle\int_1^2 (x^3 - 3x^2)\,dx$

❼ $+$

$\displaystyle = \int_0^2 (x^3 - 3x^2)\,dx = \Big[\frac{1}{4}x^4 - x^3 \Big]_0^2 =$ ❽ [   ]

❽ -4

38 7일 끝 | 수학Ⅱ 기말

1 다음 정적분의 값을 구하시오.

(1) $\int_1^2 x^3\,dx$

(2) $\int_0^1 (-5t^4+t)\,dt$

(3) $\int_{-1}^3 (x-3)(x+1)\,dx$

(4) $\int_{-3}^0 (2t-1)^2\,dt$

2 정적분 $\int_{-1}^{-1}(x^2+2x-1)\,dx$의 값은?

① -2 ② -1 ③ 0

④ 1 ⑤ 2

3 다음 정적분의 값을 구하시오.

적분 구간이 같을 때는 함수를 합해 봐.

함수가 같을 때는 적분 구간을 합쳐 봐.

(1) $\int_1^3 (4x^3-3x+2)\,dx+\int_1^3 (3x-1)\,dx$

(2) $\int_{-3}^3 (2x^2+x)\,dx+\int_3^{-3} (x^2-x)\,dx$

(3) $\int_{-1}^1 (2x-1)\,dx+\int_1^2 (2x-1)\,dx$

(4) $\int_0^2 (4x^3-2x)\,dx+\int_4^2 (2x-4x^3)\,dx$

핵심 4 **여러 가지 함수의 정적분**

(1) 구간에 따라 다르게 정의된 함수의 정적분

함수 $f(x)=\begin{cases} g(x) & (x \leq c) \\ h(x) & (x \geq c) \end{cases}$ 가 닫힌구간 $[a, b]$에서 연속이고 $a < c < b$일 때

➡ $\int_a^b f(x)\,dx = \int_a^c g(x)\,dx + \int_c^b \boxed{\textbf{❶}}\,dx$

❶ $h(x)$

예 함수 $f(x)=\begin{cases} 1 & (x \leq 0) \\ x+1 & (x \geq 0) \end{cases}$에 대하여 $\int_{-1}^2 f(x)\,dx$의 값

➡ $\int_{-1}^2 f(x)\,dx = \int_{-1}^0 1\,dx + \int_0^2 (\boxed{\textbf{❷}})\,dx$

$= \Big[x\Big]_{-1}^0 + \Big[\dfrac{1}{2}x^2 + x\Big]_0^2 = 1 + 4 = 5$

❷ $x+1$

(2) 함수 $y = x^n$의 정적분

n이 자연수일 때, 상수 a에 대하여

① n이 짝수이면 ➡ $\int_{-a}^a x^n\,dx = \boxed{\textbf{❸}} \int_0^a x^n\,dx$

$n=0$이면
➡ $\int_{-a}^a 1\,dx = 2\int_0^a 1\,dx$

❸ 2

② n이 홀수이면 ➡ $\int_{-a}^a x^n\,dx = \boxed{\textbf{❹}}$

❹ 0

예 $\int_{-1}^1 (5x^4 + 4x^3 - 3x^2 - 2x + 1)\,dx = \int_{-1}^1 (5x^4 - 3x^2 + 1)\,dx$

짝수 차수의 항
또는 상수항만
살아남아!

$= \boxed{\textbf{❺}} \int_0^1 (5x^4 - 3x^2 + 1)\,dx$

$= 2\Big[x^5 - x^3 + x\Big]_0^1 = 2 \times 1 = 2$

❺ 2

핵심 5 **정적분으로 정의된 함수**

(1) 정적분으로 정의된 함수의 미분

① $\dfrac{d}{dx}\int_a^x f(t)\,dt = f(x)$ (단, a는 상수)

② $\dfrac{d}{dx}\int_x^{x+a} f(t)\,dt = f(x+a) - \boxed{\textbf{❻}}$ (단, a는 상수)

$\longrightarrow F(x) - F(a)$
$\longrightarrow F(x+a) - F(x)$

❻ $f(x)$

(2) 정적분으로 정의된 함수의 극한

① $\displaystyle\lim_{x \to a} \dfrac{1}{x-a}\int_a^x f(t)\,dt = f(a)$

② $\displaystyle\lim_{x \to 0} \dfrac{1}{x}\int_a^{x+a} f(t)\,dt = \boxed{\textbf{❼}}$

❼ $f(a)$

참고 함수 $f(t)$의 한 부정적분을 $F(t)$라 하면 $F'(t) = f(t)$이므로

미분계수의 정의

① $\displaystyle\lim_{x \to a} \dfrac{1}{x-a}\int_a^x f(t)\,dt = \lim_{x \to a} \dfrac{\Big[F(t)\Big]_a^x}{x-a} = \lim_{x \to a} \dfrac{F(x)-F(a)}{x-a} = \boxed{\textbf{❽}} = f(a)$

❽ $F'(a)$

정답과 해설 **42**쪽

4 함수 $f(x)=\begin{cases} 2x & (x\leq 1) \\ x^2+1 & (x\geq 1) \end{cases}$에 대하여 다음 정적분의 값을 구하시오.

(1) $\displaystyle\int_1^2 f(x)\,dx$

(2) $\displaystyle\int_0^3 f(x)\,dx$

5 다음 정적분의 값을 구하시오.

(1) $\displaystyle\int_{-3}^3 (x^3-x^2+x-2)\,dx$

(2) $\displaystyle\int_{-1}^1 (3x^5-4x^3+2x^2+1)\,dx$

6 다음을 구하시오.

(1) $\dfrac{d}{dx}\displaystyle\int_1^x (2t^3+t+1)\,dt$

(2) $\dfrac{d}{dx}\displaystyle\int_x^{x+2} (t^2-t)\,dt$

7 임의의 실수 x에 대하여 다음 등식이 성립할 때, 다항함수 $f(x)$를 구하시오.

양변을 x에 대하여 미분해 봐.

(1) $\displaystyle\int_1^x f(t)\,dt=x^3-x^2+x-1$

(2) $\displaystyle\int_{-2}^x f(t)\,dt=(x^2-4)(x+1)$

8 다음은 $\displaystyle\lim_{x\to 0}\dfrac{1}{x}\int_0^x (2t^2-5)\,dt$의 값을 구하는 과정이다. □ 안에 알맞은 수를 써넣으시오.

$F'(t)=2t^2-5$라 하면

$\displaystyle\lim_{x\to 0}\dfrac{1}{x}\int_0^x (2t^2-5)\,dt$

$=\displaystyle\lim_{x\to 0}\dfrac{F(x)-F(\boxed{})}{x}$

$=F'(\boxed{})=\boxed{}$

대표 예제 1

$\displaystyle\int_0^1 (9x^2 + ax)\,dx = 5$를 만족시키는 실수 a의 값은?

① 1   ② 2   ③ 3

④ 4   ⑤ 5

개념 가이드

닫힌구간 $[a, b]$에서 연속인 함수 $f(x)$의 한 부정적분을 $F(x)$라 하면

$$\to \int_a^b f(x)\,dx = \left[F(x)\right]_a^b = F(\boxed{❶}) - F(\boxed{❷})$$

답 ❶ b ❷ a

대표 예제 3

정적분 $\displaystyle\int_0^3 |x-2|\,dx$의 값은?

① $\dfrac{1}{2}$ ② $\dfrac{3}{2}$ ③ $\dfrac{5}{2}$

④ $\dfrac{7}{2}$ ⑤ $\dfrac{9}{2}$

개념 가이드

절댓값 기호를 포함한 함수의 정적분

(ⅰ) 절댓값 기호 안의 식의 값을 $\boxed{❶}$으로 하는 x의 값을 경계로 적분 구간을 나눈다.

(ⅱ) $\displaystyle\int_a^b f(x)\,dx = \int_a^c f(x)\,dx + \int_{\boxed{❷}}^b f(x)\,dx$임을 이용한다.

답 ❶ 0 ❷ c

대표 예제 2

정적분 $\displaystyle\int_1^2 (x^2 - 2x)\,dx + \int_1^2 2(x^2 + x - 3)\,dx$의 값은?

① 1   ② 2   ③ 3

④ 4   ⑤ 5

> 적분 구간이 같으니까 하나의 정적분 기호로 묶어 봐.

개념 가이드

두 함수 $f(x), g(x)$가 닫힌구간 $[a, b]$에서 연속일 때

(1) $\displaystyle\int_a^b f(x)\,dx + \int_a^b g(x)\,dx = \int_a^b \{f(x) \boxed{❶} g(x)\}\,dx$

(2) $\displaystyle\int_a^b f(x)\,dx - \int_a^b g(x)\,dx = \int_a^b \{f(x) \boxed{❷} g(x)\}\,dx$

답 ❶ $+$ ❷ $-$

대표 예제 4

$\displaystyle\int_{-a}^a (3x^3 - 2x^2 + x)\,dx = -36$일 때, 실수 a의 값을 구하시오.

개념 가이드

(1) n이 짝수이면 $\to \displaystyle\int_{-a}^a x^n\,dx = \boxed{❶} \int_0^a x^n\,dx$

(2) n이 홀수이면 $\to \displaystyle\int_{-a}^a x^n\,dx = \boxed{❷}$

답 ❶ 2 ❷ 0

대표 예제 **5**

$f(x)=3x^2-6x+\displaystyle\int_0^2 f(t)\,dt$를 만족시키는 함수

$f(x)$에 대하여 $f(1)$의 값을 구하시오.

개념 가이드

$f(x)=g(x)+\displaystyle\int_a^b f(t)\,dt\,(a,b$는 상수)일 때

→ $\displaystyle\int_a^b f(t)\,dt=k\,(k$는 상수)로 놓고 $f(x)=$ ❶ +❷

임을 이용한다.

답 ❶ $g(x)$ ❷ k

대표 예제 **7**

함수 $f(x)=\displaystyle\int_0^x (t+1)(t-3)\,dt$의 극댓값을 M, 극

솟값을 m이라 할 때, Mm의 값을 구하시오.

$f'(x)$의 부호가
$+$에서 $-$로 바뀌면 극대,
$-$에서 $+$로 바뀌면 극소!

개념 가이드

$f(x)=\displaystyle\int_a^x g(t)\,dt\,(a$는 상수)로 정의된 함수 $f(x)$의 극대·극소

(ⅰ) 양변을 x에 대하여 미분하면 → $f'(x)=$ ❶

(ⅱ) $f'(x)=$ ❷ 을 만족시키는 x의 값의 좌우에서 $f'(x)$의

부호를 조사하여 증감표를 만든다.

답 ❶ $g(x)$ ❷ 0

대표 예제 **6**

다항함수 $f(x)$가 모든 실수 x에 대하여

$$\int_1^x f(t)\,dt=3x^3+kx-5$$

를 만족시킬 때, $f(2)$의 값은? (단, k는 상수)

① 35 ② 36 ③ 37

④ 38 ⑤ 39

개념 가이드

$\displaystyle\int_a^x f(t)\,dt=g(x)\,(a$는 상수)일 때

(1) 양변에 $x=a$를 대입하면 → $\displaystyle\int_a^a f(t)\,dt=0$, 즉 $g(a)=$ ❶

(2) 양변을 x에 대하여 미분하면 → $f(x)=$ ❷

답 ❶ 0 ❷ $g'(x)$

대표 예제 **8**

함수 $f(x)=x^3-x^2+2x+3$에 대하여

$\displaystyle\lim_{x\to 2}\frac{1}{x-2}\int_2^x f(t)\,dt$의 값은?

① 9 ② 10 ③ 11

④ 12 ⑤ 13

개념 가이드

(1) $\displaystyle\lim_{x\to a}\frac{1}{x-a}\int_a^x f(t)\,dt=$ ❶

(2) $\displaystyle\lim_{x\to 0}\frac{1}{x}\int_a^{x+a} f(t)\,dt=$ ❷

답 ❶ $f(a)$ ❷ $f(a)$

1 함수 $f(x)=x^2-2x+4$에 대하여 정적분 $\int_{-3}^{1} f(x)\,dx + \int_{0}^{-3} f(x)\,dx$의 값은?

① $\dfrac{10}{3}$　　　② 4　　　③ $\dfrac{14}{3}$

④ $\dfrac{16}{3}$　　　⑤ 6

2 다음 세 친구가 들고 있는 힌트를 보고, $\int_{0}^{6} f(x)\,dx$ 의 값을 구하시오. (단, $f(x)$는 연속함수)

3 함수 $f(x)=\begin{cases} 3x^2 & (x \le 1) \\ 2x+1 & (x \ge 1) \end{cases}$에 대하여 $\int_{-2}^{2} f(x)\,dx$의 값을 구하시오.

4 정적분 $\int_{0}^{2} |x(x-1)|\,dx$의 값은?

① $\dfrac{1}{3}$　　　② $\dfrac{1}{2}$　　　③ 1

④ $\dfrac{4}{3}$　　　⑤ 2

5 함수 $f(x)=1+2x+3x^2+\cdots+10x^9$에 대하여 정적분 $\int_{-1}^{1} f(x)\,dx$의 값은?

① 7　　　② 8　　　③ 9
④ 10　　　⑤ 11

정답과 해설 **44**쪽

6 $f(x)=x^2-3x+\int_0^2 tf(t)\,dt$를 만족시키는 함수 $f(x)$에 대하여 $f(5)$의 값을 구하시오.

$$\int_0^2 tf(t)\,dt=k\,(k는\ 상수)$$
로 놓고 풀어 봐.

7 다항함수 $f(x)$가 모든 실수 x에 대하여
$$\int_a^x f(t)\,dt=4x^2-4x+1$$
을 만족시킬 때, 상수 a의 값을 구하시오.

8 미분가능한 함수 $f(x)$가 모든 실수 x에 대하여
$$\int_1^x f(t)\,dt=2x^3-x^2-kx+3$$
을 만족시킬 때, $f(-1)$의 값은? (단, k는 상수)

① 1   ② 2   ③ 3
④ 4   ⑤ 5

9 함수 $f(x)=\int_1^x t(t-1)\,dt$의 극댓값을 M, 극솟값을 m이라 할 때, $M+m$의 값은?

① $-\dfrac{1}{3}$ ② $-\dfrac{1}{6}$ ③ 0
④ $\dfrac{1}{6}$ ⑤ $\dfrac{1}{3}$

10 함수 $f(x)=3x^3-2x+1$에 대하여 $\lim\limits_{x\to 0}\dfrac{1}{x}\int_3^{x+3} f(t)\,dt$의 값은?

① 74   ② 75   ③ 76
④ 77   ⑤ 78

미분계수의 정의
$$\lim_{h\to 0}\frac{f(a+h)-f(a)}{h}=f'(a)$$
를 이용해 봐.

정적분의 활용

정적분을 이용하여
곡선과 x축 사이의 넓이를
구할 수 있어.

넓이는 양수이니까
절댓값 기호를 꼭 기억해!

곡선과 x축 사이의 넓이

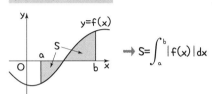

$$\Rightarrow S=\int_a^b |f(x)|\,dx$$

넓이 S는 양수이므로 닫힌구간 $[a, b]$에서

(1) $f(x) \geq 0$이면 $S=\int_a^b f(x)\,dx$

(2) $f(x) \leq 0$이면 $S=-\int_a^b f(x)\,dx$

$f(x) \geq 0$인 경우와
$f(x) \leq 0$인 경우로 나누어
생각할 수 있지.

시험에는 두 곡선 사이의
넓이를 구하는 문제가
잘 나와.

두 곡선 사이의 넓이

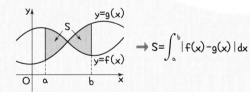

$$\Rightarrow S=\int_a^b |f(x)-g(x)|\,dx$$

이렇게 기억해 두도록!
a, b는 두 곡선의
교점의 x좌표야.

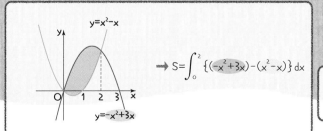

$$\Rightarrow S=\int_0^2 \{(-x^2+3x)-(x^2-x)\}\,dx$$

$$S=\int_a^b \{(위\ 식)-(아래\ 식)\}\,dx$$

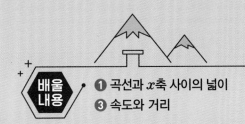

속도와 거리

위치를 미분하면 속도!
속도를 적분하면 위치!

수직선 위를 움직이는 점 P의 시각 t에서의 속도가 $v(t)$이고, 시각 $t=a$에서의 위치가 x_0일 때

시각 t에서 점 P의 위치 → $x_0 + \int_a^t v(t)\,dt$

출발 위치   위치의 변화량

위치를 구할 때는 $t=a$에서의 위치를 더하는 것을 잊으면 안 돼.

위치의 변화량은 0 또는 음수일 수 있지만 움직인 거리는 항상 양수야.

(1) 시각 $t=a$에서 $t=b$까지 점 P의 위치의 변화량 → $\int_a^b v(t)\,dt$

(2) 시각 $t=a$에서 $t=b$까지 점 P가 움직인 거리 → $\int_a^b |v(t)|\,dt$ ◁ 움직인 거리는 항상 양수!

이것만은 꼭!

(1)

$y=x(x-2)$

O S 2 x

→ $S = \boxed{❶} \int_0^{\boxed{❷}} x(x-2)\,dx$

(2)

$y=x^2$

$y=x+2$

-2 -1 O 2

S

→ $S = \int_{-1}^{\boxed{❸}} \{(x+2) - \boxed{❹}\}\,dx$

(3) 수직선 위를 움직이는 점 P의 시각 t에서의 속도가 $v(t)$이고, 시각 $t=a$에서 $t=b$까지 점 P가 움직일 때

① 점 P의 위치의 변화량 → $\int_a^b \boxed{❺}\,dt$

② 점 P가 움직인 거리 → $\int_a^b \boxed{❻}\,dt$

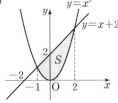

답 ❶ $-$ ❷ 2 ❸ 2 ❹ x^2 ❺ $v(t)$ ❻ $|v(t)|$

5일 교과서 핵심 정리 ①

핵심 1 곡선과 x축 사이의 넓이

함수 $f(x)$가 닫힌구간 $[a, b]$에서 연속일 때, 곡선 $y=f(x)$와 x축 및 두 직선 $x=a$, $x=b$로 둘러싸인 도형의 넓이 S는

$$\Rightarrow S=\int_a^b \boxed{\text{❶}}\, dx$$

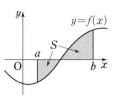

❶ $|f(x)|$

（예） 다음 곡선과 두 직선 및 x축으로 둘러싸인 도형의 넓이 S를 구해 보자.

$y=x^2, x=1, x=2$	$y=-3x^2, x=1, x=2$	$y=2x-4, x=0, x=3$
$S=\int_1^2 x^2\, dx$	$S=-\int_1^2 (-3x^2)\, dx$	$S=\int_0^3 |2x-4|\, dx$
$=\left[\boxed{\text{❷}}\right]_1^2$	$=\int_1^2 3x^2\, dx$	$=-\int_0^2 (2x-4)\, dx+\int_2^3 (2x-4)\, dx$
$=\dfrac{7}{3}$	$=\left[x^3\right]_1^2=\boxed{\text{❸}}$	$=-\left[x^2-4x\right]_0^2+\left[x^2-4x\right]_2^3=\boxed{\text{❹}}$

❷ $\dfrac{1}{3}x^3$

❸ 7

❹ 5

> 도형의 넓이를 구할 때는 항상 그림을 그려서 x축보다 위쪽에 있는지 아래쪽에 있는지를 살펴봐야 해.

핵심 2 두 곡선 사이의 넓이

두 함수 $f(x)$, $g(x)$가 닫힌구간 $[a, b]$에서 연속일 때, 두 곡선 $y=f(x)$, $y=g(x)$ 및 두 직선 $x=a$, $x=b$로 둘러싸인 도형의 넓이 S는

$$\Rightarrow S=\int_a^b |f(x)-\boxed{\text{❺}}|\, dx$$

❺ $g(x)$

（예） 곡선 $y=x^2-1$과 직선 $y=x+1$로 둘러싸인 도형의 넓이

→ 곡선 $y=x^2-1$과 직선 $y=x+1$의 교점의 x좌표는

$x^2-1=\boxed{\text{❻}}$ 에서 $x^2-x-2=0$

$(x+1)(x-2)=0$ ∴ $x=-1$ 또는 $x=2$

따라서 구하는 넓이는

$$\int_{-1}^2 \{(x+1)-(\boxed{\text{❼}})\}\, dx=\int_{-1}^2 (-x^2+x+2)\, dx$$

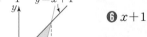

$$\boxed{\int_a^b \{(\text{위 식})-(\text{아래 식})\}\, dx} \qquad =\left[-\frac{1}{3}x^3+\frac{1}{2}x^2+2x\right]_{-1}^2=\boxed{\text{❽}}$$

❻ $x+1$

❼ x^2-1

❽ $\dfrac{9}{2}$

1 다음 곡선과 x축 및 두 직선으로 둘러싸인 도형의 넓이를 구하시오.

(1) $y = x^2 + 4x$, $x = -3$, $x = -1$

(2) $y = (x-1)(x-3)$, $x = 0$, $x = 2$

2 다음 곡선과 x축으로 둘러싸인 도형의 넓이를 구하시오.

(1) $y = 2x^2 - 2$

(2) $y = -x^2 + 2x + 3$

3 다음 곡선과 직선으로 둘러싸인 도형의 넓이를 구하시오.

(1) $y = x^2$, $y = 2x$

(2) $y = -x^2 - 2x + 1$, $y = x + 1$

4 두 곡선 $y = -x^2 + 2x + 3$과 $y = x^2 - 1$로 둘러싸인 도형의 넓이는?

① $\dfrac{26}{3}$ ② 9   ③ $\dfrac{28}{3}$

④ $\dfrac{29}{3}$ ⑤ 10

핵심 3 속도와 거리

수직선 위를 움직이는 점 P의 시각 t에서의 속도가 $v(t)$이고, 시각 $t=a$에서의 위치가 x_0일 때

(1) 시각 t에서 점 P의 위치 x는

$\rightarrow x = \boxed{❶} + \displaystyle\int_a^t v(t)\,dt$

　　　　↳ 출발 위치　↳ 위치의 변화량

❶ x_0

(2) 시각 $t=a$에서 $t=b$까지 점 P의 위치의 변화량은

$\rightarrow \displaystyle\int_a^b \boxed{❷}\, dt$

위치의 변화량은 0 또는 음수일 수 있지만 **움직인 거리는 항상 양수야.**

❷ $v(t)$

(3) 시각 $t=a$에서 $t=b$까지 점 P가 움직인 거리 s는

$\rightarrow s = \displaystyle\int_a^b \boxed{❸}\, dt$

❸ $|v(t)|$

예 좌표가 1인 점에서 출발하여 수직선 위를 움직이는 점 P의 시각 t에서의 속도가 $v(t)=2-t$일 때

(1) 시각 $t=1$에서 점 P의 위치는

$\rightarrow 1 + \displaystyle\int_0^1 v(t)\,dt = 1 + \int_0^1 (2-t)\,dt = 1 + \left[2t - \frac{1}{2}t^2\right]_0^1 = \boxed{❹}$

위치를 구할 때 $t=0$에서의 위치를 더하는 것을 잊으면 안 돼.

❹ $\dfrac{5}{2}$

(2) 시각 $t=0$에서 $t=2$까지 점 P의 위치의 변화량은

$\rightarrow \displaystyle\int_0^2 v(t)\,dt = \int_0^2 (2-t)\,dt = \left[2t - \frac{1}{2}t^2\right]_0^2 = \boxed{❺}$

❺ 2

(3) 시각 $t=0$에서 $t=3$까지 점 P가 움직인 거리는

$\rightarrow v(t) = 2-t = 0$에서 $t=2$

이때, $0 \leq t \leq 2$에서 $v(t) \geq 0$, $2 \leq t \leq 3$에서 $v(t)\boxed{❻}0$이므로 구하는 거리는

$\displaystyle\int_0^3 |v(t)|\,dt = \int_0^2 (2-t)\,dt - \int_2^3 (2-t)\,dt$

$= \left[2t - \frac{1}{2}t^2\right]_0^2 - \left[2t - \frac{1}{2}t^2\right]_2^3$

$= 2 - \left(-\frac{1}{2}\right) = \boxed{❼}$

❻ $\leq$

❼ $\dfrac{5}{2}$

참고 속도 $v(t)$의 그래프가 주어질 때, 시각 $t=a$에서 $t=b$까지 점 P가 움직인 거리는 속도 $v(t)$의 그래프와 t축 및 두 직선 $t=a$, $t=b$로 둘러싸인 도형의 넓이와 같다.

위의 **예** (3)에서 그래프를 이용하여 움직인 거리를 구하면

$\dfrac{1}{2}\times 2 \times 2 + \dfrac{1}{2}\times 1 \times 1 = \dfrac{5}{2}$

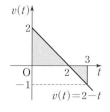

5 원점을 출발하여 수직선 위를 움직이는 점 P의 시각 t에서의 속도가 $v(t)=3t-1$일 때, 다음 시각에서 점 P의 위치를 구하시오.

(1) $t=1$

(2) $t=2$

6 원점을 출발하여 수직선 위를 움직이는 점 P의 시각 t에서의 속도 $v(t)$와 주어진 시각 t의 범위가 다음과 같을 때, 점 P의 위치의 변화량을 구하시오.

(1) $v(t)=-2t+5$, $t=0$에서 $t=3$까지

(2) $v(t)=t^2+1$, $t=1$에서 $t=2$까지

7 원점을 출발하여 수직선 위를 움직이는 점 P의 시각 t에서의 속도 $v(t)$와 주어진 시각 t의 범위가 다음과 같을 때, 점 P가 움직인 거리를 구하시오.

(1) $v(t)=2t-4$, $t=0$에서 $t=3$까지

(2) $v(t)=-3t^2+3$, $t=0$에서 $t=2$까지

8 좌표가 -2인 점에서 출발하여 수직선 위를 움직이는 점 P의 시각 t에서의 속도가 $v(t)=t^2-2t$일 때, 다음 중 옳은 말을 한 학생을 찾으시오.

대표 예제 1

곡선 $y=x^2-ax$와 x축으로 둘러싸인 도형의 넓이가 36일 때, 양수 a의 값은?

① 2   ② 3   ③ 4

④ 5   ⑤ 6

개념 가이드

오른쪽 그림과 같이 곡선 $y=f(x)$와 x축으로 둘러싸인 도형의 넓이 S는

→ $S=\displaystyle\int_a^b f(x)\,dx\ \boxed{\textbf{①}}\ \int_b^c f(x)\,dx$

답 ❶ −

대표 예제 3

두 곡선 $y=x^2+1$과 $y=2x^2-x+1$로 둘러싸인 도형의 넓이를 구하시오.

개념 가이드

오른쪽 그림과 같이 두 곡선 $y=f(x)$, $y=g(x)$로 둘러싸인 도형의 넓이 S는

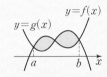

→ $S=\displaystyle\int_a^{\boxed{\textbf{①}}} |\boxed{\textbf{②}}-g(x)|\,dx$

답 ❶ b ❷ $f(x)$

대표 예제 2

곡선 $y=x^3-1$과 직선 $y=3x-3$으로 둘러싸인 도형의 넓이를 구하시오.

개념 가이드

곡선과 직선 사이의 넓이 구하는 순서

(ⅰ) 곡선과 직선의 교점의 $\boxed{\textbf{①}}$ 좌표를 구한다.

(ⅱ) 각 구간별로 {(위쪽 그래프의 식) − ($\boxed{\textbf{②}}$ 그래프의 식)}
의 정적분의 값을 구한다.

답 ❶ x ❷ 아래쪽

대표 예제 4

곡선 $y=x^2-a$가 오른쪽 그림과 같을 때, 두 부분 A, B의 넓이가 서로 같아지도록 하는 양수 a의 값을 구하시오.

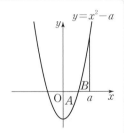

개념 가이드

오른쪽 그림에서 $S_1=S_2$이면

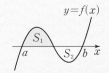

→ $\displaystyle\int_a^b f(x)\,dx=\boxed{\textbf{①}}$

답 ❶ 0

대표 예제 5

좌표가 -1인 점에서 출발하여 수직선 위를 움직이는 점 P의 시각 t에서의 속도가 $v(t)=t^2-2t-3$일 때, 점 P가 출발한 후 운동 방향을 바꾸는 순간의 위치는?

① -10 ② -9 ③ -8

④ -7 ⑤ -6

물체가 운동 방향을 바꿀 때의 속도는 0이야.

개념 가이드

좌표가 x_0인 점에서 출발하여 수직선 위를 움직이는 점 P의 시각 t에서의 속도가 $v(t)$일 때, 시각 t에서 점 P의 위치 x는

→ $x=$ ❶ $+\displaystyle\int_0^t$ ❷ dt

답 ❶ x_0 ❷ $v(t)$

대표 예제 7

지상 45 m의 높이에서 40 m/s의 속도로 똑바로 위로 쏘아 올린 공의 t초 후의 속도를 $v(t)$ m/s라 하면
$$v(t)=40-10t \ (0 \le t \le 9)$$
인 관계가 성립한다고 한다. 이 공이 최고 높이에 도달한 후 2초 동안 움직인 거리를 구하시오.

공이 최고 높이에 도달할 때의 속도는 0이야.

개념 가이드

수직선 위를 움직이는 점 P의 시각 t에서의 속도가 $v(t)$일 때, 시각 $t=a$에서 $t=b$까지 점 P가 움직인 거리 s는

→ $s=\displaystyle\int_a^b$ ❶ dt

답 ❶ $|v(t)|$

대표 예제 6

원점을 출발하여 수직선 위를 움직이는 점 P의 시각 t에서의 속도가 $v(t)=-t^2+4t$일 때, 점 P가 원점으로 다시 돌아오는 시각 t는?

① 3   ② 4   ③ 5

④ 6   ⑤ 7

출발점으로 다시 돌아오려면 위치의 변화량이 0이어야 해.

개념 가이드

수직선 위를 움직이는 점 P의 시각 t에서의 속도가 $v(t)$일 때, 시각 $t=a$에서 $t=b$까지 점 P의 위치의 변화량은

→ $\displaystyle\int_a^b$ ❶ dt

답 ❶ $v(t)$

대표 예제 8

수직선 위를 움직이는 점 P의 시각 t에서의 속도 $v(t)$의 그래프가 오른쪽 그림과 같을 때, $t=0$에서 $t=7$까지 점 P가 움직인 거리를 구하시오.

개념 가이드

점 P의 시각 t에서의 속도 $v(t)$의 그래프가 오른쪽 그림과 같을 때

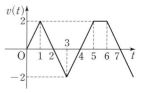

(1) 시각 $t=0$에서 $t=a$까지 점 P의 위치의 변화량은 → S_1 ❶ S_2

(2) 시각 $t=0$에서 $t=a$까지 점 P가 움직인 거리는 → S_1 ❷ S_2

답 ❶ $-$ ❷ $+$

1 곡선 $y=x^3-6x^2+8x$와 x축으로 둘러싸인 도형의 넓이는?

① 6   ② 7   ③ 8

④ 9   ⑤ 10

2 곡선 $y=x^2-2x+2$와 직선 $y=kx+2$로 둘러싸인 도형의 넓이가 $\dfrac{9}{2}$일 때, 양수 k의 값은?

① 1   ② 2   ③ 3

④ 4   ⑤ 5

3 두 곡선 $y=2x^2+x+1$과 $y=x^2-2x+1$로 둘러싸인 도형의 넓이는?

① $\dfrac{5}{2}$ ② $\dfrac{7}{2}$ ③ $\dfrac{9}{2}$

④ $\dfrac{11}{2}$ ⑤ $\dfrac{13}{2}$

4 곡선 $y=x(x-1)(x-k)$와 x축으로 둘러싸인 두 도형의 넓이가 같을 때, 상수 k의 값을 구하시오.

(단, $k>1$)

5 곡선 $y=x^2-x$와 직선 $y=ax$로 둘러싸인 도형의 넓이가 x축에 의하여 이등분될 때, $(a+1)^3$의 값을 구하시오. (단, $a>0$)

곡선과 직선으로 둘러싸인 도형의 넓이는 곡선과 x축으로 둘러싸인 도형의 넓이의 2배야.

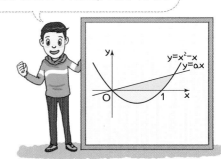

6 지상 35 m의 높이에서 30 m/s의 속도로 똑바로 위로 쏘아 올린 물체의 t초 후의 속도는
$$v(t)=30-10t \text{ (m/s)}$$
라 한다. 이 물체가 최고 높이에 도달했을 때, 지면으로부터의 높이는? (단, $0 \leq t \leq 7$)

① 60 m　　② 65 m　　③ 70 m

④ 75 m　　⑤ 80 m

$t=0$일 때의 높이를 꼭 기억해!

7 수직선 위를 움직이는 점 P의 시각 t에서의 속도가 $v(t)=t^2-6t$일 때, 점 P가 출발한 지점을 다시 지나는 것은 출발한 지 몇 초 후인가?

① 6초 후　　② 7초 후　　③ 8초 후

④ 9초 후　　⑤ 10초 후

8 수직선 위를 움직이는 점 P의 시각 t에서의 속도가 $v(t)=3t^2-12t+9$이다. 점 P가 출발한 후 처음으로 방향을 바꿀 때부터 두 번째로 방향을 바꿀 때까지 움직인 거리는?

① 4　　　　② 5　　　　③ 6

④ 7　　　　⑤ 8

9 원점을 출발하여 수직선 위를 움직이는 점 P의 시각 t에서의 속도 $v(t)$의 그래프가 오른

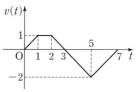

쪽 그림과 같을 때, 다음 보기 중 옳은 것을 있는 대로 고르시오. (단, $0 \leq t \leq 7$)

┤ 보기 ├

ㄱ. 점 P는 1초 동안 멈춘 적이 있다.

ㄴ. $t=5$에서 점 P의 위치는 원점이다.

ㄷ. $t=0$에서 $t=7$까지 점 P가 움직인 거리는 6이다.

1 다음은 함수 $f(x)=x^3-ax^2+ax+2$가 모든 실수 x에 대하여 증가하도록 하는 정수 a의 값이 적혀 있는 카드를 학생 5명이 고른 것이다. 이 중에서 카드를 <u>잘못</u> 고른 학생을 찾으시오.

2 함수 $f(x)=x^3+3x^2+5$의 극댓값과 극솟값의 합을 구하시오.

3 함수 $f(x)=x^3+kx^2+3x-1$이 극값을 갖도록 하는 양의 정수 k의 최솟값을 구하시오.

4 함수 $f(x)$의 도함수 $y=f'(x)$의 그래프가 오른쪽 그림과 같을 때, 다음 중 함수 $y=f(x)$의 그래프의 개형이 될 수 있는 것은?

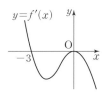

①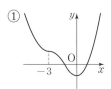

②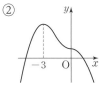

③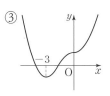

④

⑤

5 닫힌구간 $[-3, 0]$에서 함수 $f(x)=x^3-3x+2$는 $x=\alpha$일 때 최댓값 β를 갖는다고 한다. 이때, $\alpha+\beta$의 값은?

① 1   ② 2   ③ 3
④ 4   ⑤ 5

6 방정식 $2x^3-6x^2-18x+a=0$이 서로 다른 두 실근을 갖도록 하는 모든 실수 a의 값의 합은?

① 10   ② 22   ③ 44

④ 54   ⑤ 64

7 $x\leq 3$일 때, 부등식 $-\dfrac{1}{3}x^3+3x^2+a\geq 0$이 항상 성립하도록 하는 정수 a의 최솟값은?

① -2 ② -1 ③ 0

④ 1   ⑤ 2

8 모든 실수 x에 대하여 부등식 $x^4-4x^3+k\geq 0$이 성립하도록 하는 정수 k의 최솟값은?

① 26   ② 27   ③ 28

④ 29   ⑤ 30

9 원점을 출발하여 수직선 위를 움직이는 점 P의 시각 t에서의 위치 x가 $x=t^3-6t^2+9t+1$일 때, 점 P가 두 번째로 운동 방향을 바꾸는 시각은?

① 1   ② 2   ③ 3

④ 4   ⑤ 5

수직선 위를 움직이는 점 P가 운동 방향을 바꾸는 순간의 속도는 0임을 이용해.

10 야구 경기 중에 타자가 친 공이 머리 위로 높게 날아갈 때, t초 후의 공의 높이 h m는 $h=40t-5t^2$으로 측정되었다. 이때, 공이 지면에 떨어지는 순간의 속력은?

① 10 m/s   ② 20 m/s   ③ 30 m/s

④ 40 m/s   ⑤ 50 m/s

1 다음 중 부정적분을 <u>잘못</u> 구한 사람을 모두 찾으시오. (단, C는 적분상수)

유찬

$$\int (x^2+x)\,dx = \frac{1}{3}x^3 + \frac{1}{2}x^2 + C$$

세은

$$\int (4x+5)\,dx = 2x^2 + 5x$$

수아

$$\int (t-2)\,dt = \frac{1}{2}t^2 - 2t + C$$

민호

$$\int (1-2y)^2\,dy = \frac{1}{3}(1-2y)^3$$

2 함수 $f(x)$에 대하여

$$\int f(x)\,dx = x^3 - x^2 - 6x + C$$

일 때, $f(1)$의 값은? (단, C는 적분상수)

① -6　　　② -5　　　③ -4
④ -3　　　⑤ -2

3 다항함수 $f(x)$의 한 부정적분을 $F(x)$라 하면

$$F(x) = xf(x) - 4x^3 - 2x^2$$

이 성립하고 $f(1)=5$일 때, $f(-1)$의 값은?

① -3　　　② -2　　　③ -1
④ 1　　　⑤ 2

4 정적분 $\displaystyle\int_1^2 (x+1)^3\,dx - \int_1^2 (x^3+3x)\,dx$의 값은?

① 6　　　② 7　　　③ 8
④ 9　　　⑤ 10

5 정적분

$$\int_{-3}^1 (x-1)(x^2+2)\,dx + \int_1^3 (x-1)(x^2+2)\,dx$$

의 값을 구하시오.

6 다항함수 $f(x)$가 모든 실수 x에 대하여

$$\int_a^x f(t)\,dt = x^2 - x - 2$$

를 만족시킬 때, 양수 a의 값을 구하시오.

$\int_a^a f(t)\,dt = 0$
을 이용해!

7 다항함수 $f(x)$가 $f(x) = \dfrac{d}{dx}\displaystyle\int_1^x (5t^3 - t)\,dt$일 때,
$f(1)$의 값을 구하시오.

8 곡선 $y = 3x^2 - 2x - 1$과 x축 및 두 직선 $x = 0$,
$x = 2$로 둘러싸인 도형의 넓이는?

① 1   ② 2   ③ 3
④ 4   ⑤ 5

9 두 곡선 $y = x^2 + 2x + 5$와 $y = -x^2 - 4x + 1$로 둘러싸인 도형의 넓이는?

① $\dfrac{1}{3}$ ② $\dfrac{2}{3}$ ③ $\dfrac{4}{3}$

④ $\dfrac{5}{3}$ ⑤ $\dfrac{7}{3}$

10 원점을 출발하여 수직선 위를 움직이는 점 P의 시각 t에서의 속도 $v(t)$의 그래프가 오른쪽 그림과 같을 때, 다음 중 바르게 설명한 사람을 모두 찾으시오.

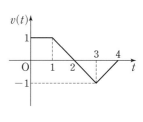

나래 : $t = 1$에서 점 P의 위치는 1이야.

수현 : $t = 1$에서 $t = 3$까지 위치의 변화량은 0이야.

지아 : $t = 4$일 때 점 P는 다시 원점으로 돌아와.

6일 서술형·사고력 테스트

1 함수 $f(x) = \dfrac{1}{3}x^3 + ax^2 + (4a-3)x + 2$가 극값을 갖지 않도록 하는 정수 a의 개수를 구하시오. [7점]

풀이

정수 a의 개수: _____

2 방정식 $x^3 - 3mx^2 + 16m = 0$이 한 실근과 두 허근을 갖도록 하는 양수 m의 값의 범위를 구하시오. [8점]

풀이

양수 m의 값의 범위: _____

3 두 다항함수 $f(x)$, $g(x)$에 대하여
$$\frac{d}{dx}f(x) = 2x, \quad \frac{d}{dx}g(x) = 3x^2 + 2x - 1$$
이고 $f(0) = 1$, $g(0) = 2$일 때, $f(2) + g(1)$의 값을 구하시오. [8점]

풀이

$\displaystyle \int \left\{ \frac{d}{dx}f(x) \right\} dx = f(x) + C$ 임을 이용해 봐.

$f(2) + g(1)$의 값: _____

4 $\displaystyle \int_0^a |3x(x-2)|\, dx = 8$일 때, 상수 a의 값을 구하시오. (단, $a > 2$) [8점]

풀이

상수 a의 값: _____

정답과 해설 51쪽

5 다항함수 $f(x)$가 모든 실수 x에 대하여

$$\int_{1}^{x} f(t)\,dt = xf(x) - 2x^3 + 3x^2$$

을 만족시킬 때, 함수 $f(x)$를 구하시오. [8점]

풀이

함수 $f(x)$: _____

6 오른쪽 그림과 같이 곡선 $y = 2x - x^2$과 직선 $y = mx$ 및 직선 $x = 2$로 둘러싸인 두 부분의 넓이를 A, B라 할 때, $A = B$이다. 이때, 양수 m의 값을 구하시오.

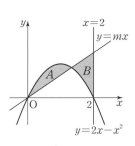

[7점]

풀이

양수 m의 값: _____

7 사고력

다음 대화를 읽고, 물음에 답하시오. [8점]

저희 전망대의 엘리베이터는 5층 매표소를 출발하여 처음 12초 동안은 일정한 가속도로 속도가 증가한 후 최고 속도 17 m/s를 13초 동안 유지하여 올라가다가 마지막 12초 동안은 일정한 가속도로 속도를 줄여 정지합니다.

전망대 도착!

그런데 5층 매표소부터 89층 전망대까지의 높이는 얼마일까?

(1) 엘리베이터가 5층 매표소를 출발한 지 t초 후의 속도를 $v(t)$ m/s라고 할 때, 시간과 속도 사이의 관계를 다음 좌표평면 위에 그래프로 나타내시오. [4점]

(2) 5층 매표소부터 89층 전망대까지의 높이를 구하시오. [4점]

1

다음을 읽고, 혜선이가 만들려고 하는 상자의 부피의 최 댓값을 구하시오.

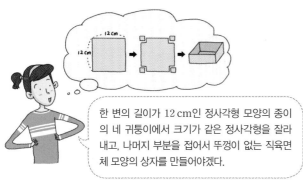

한 변의 길이가 12 cm인 정사각형 모양의 종이 의 네 귀퉁이에서 크기가 같은 정사각형을 잘라 내고, 나머지 부분을 접어서 뚜껑이 없는 직육면 체 모양의 상자를 만들어야겠다.

그런데 이렇게 만들 수 있는 상자의 부피의 최댓 값은 얼마일까?

2

다음 대화를 읽고, 물로켓이 지면에 떨어지는 순간의 속 도를 구하시오.

이 물로켓을 지면에 수직으로 쏘아 올린 지 t초 후의 지면으로부터의 높이를 h m라 하면 $h = -2t^2 + 20t$인 관계가 있대.

우리가 만든 물로켓은 얼마나 높이 올라갈까?

3

비행기 운항에 도움을 주는 어떤 관성 항법장치는 비행 기가 나아가는 각 시점에서의 접선을 계산하여 그것을 적분함으로써 현재의 위치를 결정한다. 어느 시점에서의 접선의 기울기가 $f'(x) = 6x^2 + 2$이고, 함수 $y = f(x)$의 그래프가 점 $(0, 2)$를 지날 때, $f(1)$의 값을 구하시오.

$$f(x) = \int f'(x)\, dx$$
임을 이용해.

4

가로가 6, 세로가 10인 직사각형 모양의 밭에 함수 $f(x)=-\dfrac{1}{3}x^2+2x+3$의 그래프의 모양으로 울타리가 설치되어 있다. 울타리 위쪽 밭과 아래쪽 밭의 넓이가 변하지 않으면서 울타리가 x축에 평행한 직선 모양이 되도록 울타리를 새로 설치하려고 한다. 새로 설치할 울타리를 나타내는 직선의 방정식을 구하시오.

5

20 m/s의 속도로 직선 도로를 달리는 자동차의 브레이크를 밟은 지 t초 후의 속도가 $v(t)=20-5t$ (m/s)일 때, 다음 물음에 답하시오.

(1) 브레이크를 밟은 후 자동차가 정지할 때까지 걸린 시간을 구하시오.

(2) 브레이크를 밟은 후 자동차가 정지할 때까지 달린 거리를 구하시오.

1. 함수의 증가·감소, 극대·극소 ▶ 1~4
2. 도함수의 활용 ▶ 5~8
3. 부정적분 ▶ 9~11
4. 정적분 ▶ 12~16
5. 정적분의 활용 ▶ 17~20

1 함수 $f(x)=-x^3+2ax^2-2ax+7$이 $x_1<x_2$인 임의의 두 실수 x_1, x_2에 대하여 항상 $f(x_1)>f(x_2)$가 성립하도록 하는 정수 a의 개수는? [4점]

① 1　　　② 2　　　③ 3
④ 4　　　⑤ 5

함수 $f(x)$는 실수 전체의 집합에서 감소해.

2 함수 $f(x)=x^3-12x-16$의 극댓값을 M, 극솟값을 m이라 할 때, $M-m$의 값은? [4점]

① 8　　　② 16　　　③ 24
④ 32　　　⑤ 48

3 함수 $f(x)$의 도함수 $y=f'(x)$의 그래프가 오른쪽 그림과 같을 때, 다음 중 옳지 <u>않은</u> 것은? [4점]

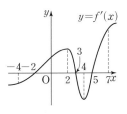

① $f(x)$는 열린구간 $(-4, -2)$에서 감소한다.
② $f(x)$는 열린구간 $(2, 3)$에서 증가한다.
③ $f(x)$는 $x=3$에서 극대이다.
④ $f(x)$는 $x=4$에서 극솟값을 갖는다.
⑤ $f(x)$는 $x=5$에서 극소이다.

4 닫힌구간 $[-1, 0]$에서 함수 $f(x)=3x^3-x+1$은 $x=\alpha$일 때 최댓값 β를 갖는다고 한다. 이때, $\alpha+\beta$의 값은? [5점]

① $\dfrac{2}{3}$　　　② $\dfrac{8}{9}$　　　③ $\dfrac{10}{9}$
④ $\dfrac{4}{3}$　　　⑤ $\dfrac{14}{9}$

5 방정식 $3x^4-6x^2+1=k$가 서로 다른 세 실근을 갖도록 하는 실수 k의 값은? [5점]

① 1　　　② 2　　　③ 3
④ 4　　　⑤ 5

6 닫힌구간 $[-1, 5]$에서 부등식 $x^3 - 27x + k > 0$이 항상 성립하도록 하는 정수 k의 최솟값은? [5점]

① -55 ② -54 ③ 54

④ 55 ⑤ 56

서술형

7 현민이는 자전거를 타고 자전거 전용도로를 달려 출발한 지 t시간 후에 출발점으로부터

$$x = \frac{4}{3}t^3 - 6t^2 + 12t$$

만큼 떨어진 지점에 도착하였다. 자전거의 속도가 처음으로 4가 되는 순간의 자전거의 가속도를 구하시오. [8점]

8 어느 연구소에서 물질에 일정한 열을 가하여 시간에 따른 물질의 부피 변화를 조사한 후 다음과 같은 결과를 얻었다고 한다.

열을 가한 지 t초 후의 물질 1 kg의 부피를 V cm³라 하면 $V = \frac{1}{3}t^3 + t^2 - 8t + 10$인 관계가 성립한다.

이 물질 1 kg의 부피의 변화율이 0이 될 때, 물질 1 kg의 부피는? [4점]

① $\frac{1}{3}$ cm³   ② $\frac{2}{3}$ cm³   ③ $\frac{5}{3}$ cm³

④ $\frac{7}{3}$ cm³   ⑤ $\frac{11}{3}$ cm³

9 다항함수 $f(x)$에 대하여

$$\int (x+1)f(x)\,dx = x^3 + x^2 - x + C$$

일 때, $f(2)$의 값은? (단, C는 적분상수) [4점]

① 1 ② 2 ③ 3

④ 4 ⑤ 5

서술형

10 상수함수가 아닌 두 다항함수 $f(x)$, $g(x)$가
$$\frac{d}{dx}\{f(x)g(x)\}=3x^2,\ f(1)=3,\ g(1)=0$$
을 만족시킬 때, $g(3)$의 값을 구하시오.
(단, $f(x)$, $g(x)$의 계수는 실수이다.) [8점]

11 함수 $f(x)=\int(3x^2+ax-2)\,dx$가 $x=-1$에서 극댓값 1을 가질 때, $f(0)$의 값은? (단, a는 상수) [5점]

① $-\dfrac{1}{2}$ 　② 1 　③ $\dfrac{1}{2}$

④ $\dfrac{5}{2}$ 　⑤ $\dfrac{7}{2}$

서술형

12 정적분 $\displaystyle\int_0^2\frac{x^2}{x+1}\,dx-\int_0^4\frac{1}{y+1}\,dy-\int_4^2\frac{1}{t+1}\,dt$ 의 값을 구하시오. [7점]

13 $\displaystyle\int_{-a}^{a}(5x^4-4ax^3+3a^2x^2-a^2x)\,dx=128$일 때, 실수 a의 값은? [4점]

① $\dfrac{1}{2}$ 　② 1 　③ $\dfrac{3}{2}$

④ 2 　⑤ $\dfrac{5}{2}$

14 다항함수 $f(x)$가
$$\int_{-4}^{1}f(x)\,dx=5,\ \int_0^5 f(x)\,dx=6,\ \int_1^5 f(x)\,dx=8$$
을 만족시킬 때, $\displaystyle\int_{-4}^{0}f(x)\,dx$의 값은? [4점]

① 5 　② 6 　③ 7

④ 8 　⑤ 9

15 임의의 실수 x에 대하여
$$f(x)=4x^2+2x\int_0^1 f'(t)\,dt$$
일 때, $f(1)$의 값은? [5점]

① -4 　② -2 　③ 1

④ 2 　⑤ 4

$\int_0^1 f'(t)\,dt$는 상수야!

정답과 해설 **53**쪽

16 다항함수 $f(x)$가 모든 실수 x에 대하여

$$\int_1^x f(t)\,dt = 2x^3 - ax^2 - 4x + 3$$

을 만족시킬 때, $f(3)$의 값은? (단, a는 상수) [5점]

① 41　　　　② 42　　　　③ 43

④ 44　　　　⑤ 45

17 곡선 $y = |x^2 - 9|$와 x축으로 둘러싸인 도형의 넓이는? [4점]

① 30　　　　② 32　　　　③ 34

④ 36　　　　⑤ 38

18 곡선 $y = x^2 + 1$과 두 직선 $y = 2x$, $y = -2x$로 둘러싸인 도형의 넓이는? [5점]

① $\dfrac{1}{3}$　　　② $\dfrac{2}{3}$　　　③ 1

④ $\dfrac{4}{3}$　　　⑤ $\dfrac{5}{3}$

19 오른쪽 그림과 같이 곡선 $y = x^3$과 y축 및 두 직선 $x = 4$, $y = k$로 둘러싸인 두 부분 A, B의 넓이가 같을 때, 상수 k의 값은?

(단, $0 < k < 64$) [5점]

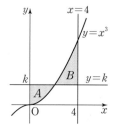

① 8　　　　② 12　　　　③ 16

④ 20　　　　⑤ 24

20 지상 55 m의 높이에서 50 m/s의 속도로 똑바로 위로 쏘아 올린 물체의 t초 후의 속도는

$$v(t) = 50 - 10t \ (\text{m/s})$$

라 한다. 이 물체가 최고 높이에 도달했을 때, 지면으로부터의 높이는? (단, $0 \le t \le 11$) [5점]

① 125 m　　　② 140 m　　　③ 160 m

④ 175 m　　　⑤ 180 m

물체가 최고 높이에 도달할 때의 속도는 0 m/s야.

1. 함수의 증가·감소, 극대·극소 ▶ **1~4**
2. 도함수의 활용 ▶ **5~8**
3. 부정적분 ▶ **9~11**
4. 정적분 ▶ **12~16**
5. 정적분의 활용 ▶ **17~20**

1 함수 $f(x) = -x^3 + kx^2 - \dfrac{4}{3}x + 1$이 열린구간

$(-\infty, \infty)$에서 감소할 때, 다음 중 실수 k의 값이

될 수 <u>없는</u> 것은? [3점]

① -1　　　② 0　　　③ 1

④ 2　　　⑤ 3

서술형

2 함수 $f(x) = x^3 + ax^2 + bx + c$가 $x = -1$, $x = 2$에

서 극값을 갖고, $f(0) = 3$이다. 이때, 상수 a, b, c에

대하여 abc의 값을 구하시오. [7점]

3 최고차항의 계수가 1인 삼차함수
$f(x)$의 도함수 $y = f'(x)$의 그래
프가 오른쪽 그림과 같다. $f(0) = 1$
일 때, 함수 $f(x)$의 극댓값은?

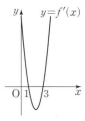

[5점]

① 1　　　② 3　　　③ 5

④ 7　　　⑤ 9

$f'(1) = 0, f'(3) = 0$
임을 이용해.

4 닫힌구간 $[-1, 3]$에서 함수 $f(x) = x^3 - 12x + 1$
의 최댓값과 최솟값의 합은? [5점]

① -3　　　② -1　　　③ 0

④ 1　　　⑤ 3

정답과 해설 **56**쪽

5 두 함수

$$f(x) = 3x^3 + 6x^2 - 8x - 30,$$
$$g(x) = 2x^3 + 7x + a$$

에 대하여 방정식 $f(x) = g(x)$가 중근과 다른 한 실근을 갖도록 하는 모든 실수 a의 값의 합은? [5점]

① 26　　　　② 28　　　　③ 30

④ 32　　　　⑤ 34

$h(x) = f(x) - g(x)$로 놓고 생각해 봐.

6 모든 실수 x에 대하여 부등식 $x^4 - 4x - k^2 + 4k \geq 0$ 이 성립하도록 하는 정수 k의 개수는? [5점]

① 1　　　　② 2　　　　③ 3

④ 4　　　　⑤ 5

서술형

7 달 표면에서 32 m/s의 속도로 지면과 수직하게 위로 던진 물체의 t초 후의 높이를 h m라 하면 $h = 32t - 0.8t^2$인 관계가 성립한다. 이 물체가 최고 높이에 도달했을 때, 지면으로부터의 높이는 몇 m 인지 구하시오. [6점]

8 잔잔한 호수에 돌을 던지면 동심원 모양의 물결이 생긴다. 가장 바깥쪽 물결의 반지름의 길이가 매초 8 cm씩 늘어날 때, 돌을 던진 지 2초 후 가장 바깥 쪽 물결의 넓이의 변화율은? [5점]

① 32π cm²/s　　　　② 64π cm²/s

③ 128π cm²/s　　　　④ 256π cm²/s

⑤ 384π cm²/s

9 두 다항함수 $f(x)$, $g(x)$가 $\int g(x)\,dx = x^4 f(x) + a$ 를 만족시키고 $f(1) = -2$, $f'(1) = 2$일 때, $g(1)$의 값은? (단, a는 상수) [4점]

① -6　　　② -5　　　③ -4

④ -3　　　⑤ -2

$$\frac{d}{dx}\int f(x)\,dx = f(x)$$

10 함수 $f(x)$에 대하여 $f'(x) = 3x^2 + ax + 5$이고 $f(0) = -3$, $f(1) = -1$일 때, $f(2)$의 값은? (단, a는 상수) [4점]

① -5　　　② -3　　　③ -1

④ 3　　　　⑤ 5

11 함수 $f(x) = \int (x^3 + x^2 + 3)\,dx$에 대하여

$\displaystyle\lim_{x \to 2} \frac{f(x) - f(2)}{x - 2}$의 값은? [4점]

① 11   ② 12   ③ 13

④ 14   ⑤ 15

12 $\displaystyle\int_{-3}^{-1} (x^2 + x + 1)\,dx + \int_{-1}^{3} (x^2 + x + 1)\,dx$
$$+ \int_{3}^{-3} (x^2 + x)\,dx$$

의 값은? [4점]

① 6   ② 7   ③ 8

④ 9   ⑤ 10

13 함수 $f(x) = |x^2 - 1| + 2x$에 대하여 $\displaystyle\int_0^2 f(x)\,dx$의 값은? [5점]

① $\dfrac{5}{3}$ ② 2   ③ $\dfrac{8}{3}$

④ $\dfrac{13}{3}$ ⑤ 6

14 다항함수 $f(x)$가 임의의 실수 x에 대하여

$$f(x) = 6x^2 - \int_0^1 (2x + 1) f(t)\,dt$$

를 만족시킬 때, $\displaystyle\int_0^1 f(t)\,dt$의 값은? [5점]

① -1 ② $\dfrac{2}{3}$ ③ $\dfrac{3}{4}$

④ 1   ⑤ 2

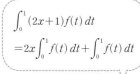

$$\int_0^1 (2x + 1) f(t)\,dt$$
$$= 2x \int_0^1 f(t)\,dt + \int_0^1 f(t)\,dt$$

서술형

15 함수 $f(x) = \displaystyle\int_2^x (t^2 - 4t + 3)\,dt$가 $x = a$에서 극솟값 b를 가질 때, ab의 값을 구하시오. [8점]

16 함수 $f(x) = x^3 - 4x^2 + 2x + 5$에 대하여

$\displaystyle\lim_{x \to 1} \frac{1}{x^2 - 1} \int_1^x f(t)\,dt$의 값은? [5점]

① -2 ② -1 ③ 1

④ 2   ⑤ 4

정답과 해설 56쪽

17 두 곡선 $y=x^3-2x^2$과 $y=-2x^2+x$로 둘러싸인 도형의 넓이가 $\dfrac{b}{a}$일 때, $a+b$의 값은?

(단, a, b는 서로소인 자연수) [5점]

① 3 ② 5 ③ 7

④ 9 ⑤ 11

18 오른쪽 그림과 같이 곡선 $y=x^2-6x+k$와 x축 및 y축으로 둘러싸인 도형의 넓이를 A, 곡선 $y=x^2-6x+k$와 x축으로 둘러싸인 도형의 넓이를 B라 하자. $B=2A$일 때, 상수 k의 값은? (단, $k>0$) [5점]

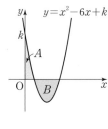

① 2 ② 3 ③ 4

④ 5 ⑤ 6

19 원점을 출발하여 수직선 위를 움직이는 두 점 P, Q의 t초 후의 속도가 각각 $v_P=3t^2-4t+3$, $v_Q=2t+12$일 때, 두 점 P, Q의 속도가 같아지는 순간 두 점 P, Q 사이의 거리는? [5점]

① 21 ② 24 ③ 27

④ 30 ⑤ 33

20 좌표가 1인 점에서 출발하여 수직선 위를 8초 동안 움직이는 점 P의 시각 t에서의 속도 $v(t)$의 그래프가 아래 그림과 같을 때, 다음 중 옳은 것만을 있는 대로 고른 것은? [5점]

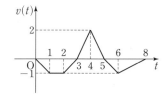

그래프와 t축 사이의 넓이가 움직인 거리야.

ㄱ. $t=2$일 때 점 P의 위치는 $-\dfrac{3}{2}$이다.

ㄴ. 8초 동안 점 P가 실제로 움직인 거리는 $\dfrac{11}{2}$이다.

ㄷ. $t=8$일 때 출발점에서 가장 멀리 떨어져 있다.

① ㄱ ② ㄴ ③ ㄷ

④ ㄱ, ㄷ ⑤ ㄴ, ㄷ

Memo

핵심정리 01 함수의 증가 · 감소

(1) 함수의 증가 · 감소

함수 $f(x)$가 어떤 구간에 속하는 임의의 두 실수 x_1, x_2에 대하여

① $x_1 < x_2$일 때 $f(x_1) < f(x_2)$이면
  → $f(x)$는 그 구간에서 증가

② $x_1 < x_2$일 때 $f(x_1) > f(x_2)$이면
  → $f(x)$는 그 구간에서 **❶**

(2) 함수의 증가 · 감소의 판정

함수 $f(x)$가 어떤 구간에서 미분가능하고 그 구간에 속하는 모든 x에 대하여

① $f'(x)$ **❷** 0이면 → $f(x)$는 그 구간에서 증가

② $f'(x) < 0$이면 → $f(x)$는 그 구간에서 **❸**

답 ❶ 감소 ❷ > ❸ 감소

핵심정리 02 함수의 극대 · 극소

(1) 함수의 극대 · 극소

함수 $f(x)$가 $x = a$를 포함하는 어떤 열린구간에 속하는 모든 x에 대하여

① $f(x) \leq f(a)$이면 → 함수 $f(x)$는 $x = a$에서 극대
  → $f(a)$는 **❶**

② $f(x) \geq f(a)$이면 → 함수 $f(x)$는 $x = a$에서 극소
  → $f(a)$는 **❷**

(2) 함수의 극대 · 극소의 판정

함수 $f(x)$가 미분가능하고 $f'(a) = 0$일 때, $x = a$의 좌우에서 $f'(x)$의 부호가

① 양($+$)에서 음($-$)으로 바뀌면
  → $f(x)$는 $x = a$에서 극대이고,
  극댓값 $f(a)$를 갖는다.

② 음($-$)에서 양($+$)으로 바뀌면
  → $f(x)$는 $x = a$에서 **❸** 이고,
  ❹ $f(a)$를 갖는다.

답 ❶ 극댓값 ❷ 극솟값 ❸ 극소 ❹ 극솟값

핵심정리 03 함수의 그래프

미분가능한 함수 $y = f(x)$의 그래프의 개형은 다음과 같은 순서로 그린다.

(i) 도함수 **❶** 를 구한다.

(ii) $f'(x) =$ **❷** 인 x의 값을 구한다.

(iii) 함수 $f(x)$의 증가, 감소를 표로 나타내고, **❸** 을 구한다.

(iv) 함수 $y = f(x)$의 그래프와 x축 또는 y축의 교점의 좌표를 구한다.

(v) 함수 $y = f(x)$의 그래프의 개형을 그린다.

(iv)에서 x축과의 교점의 좌표를 구하는 것은 생략 가능해!

답 ❶ $f'(x)$ ❷ 0 ❸ 극값

핵심정리 04 함수의 최대 · 최소

닫힌구간 $[a, b]$에서 연속인 함수 $f(x)$에 대하여 $f(x)$의 극값, $f(a)$, $f(b)$ 중에서

(1) 가장 큰 값 → **❶**

(2) 가장 작은 값 → **❷**

함수 $f(x)$가 닫힌구간 $[a, b]$에서 극값을 갖지 않으면 $f(a)$와 $f(b)$ 중에서 최댓값과 최솟값을 가져.

답 ❶ 최댓값 ❷ 최솟값

예1

함수 $f(x)=-x^3+3x+3$의 극값 구하기

→ $f'(x)=-3x^2+3=-3(x+1)(x-1)$

  $f'(x)=0$에서 $x=-1$ 또는 $x=$ ❶

x	$\cdots$	-1	$\cdots$	❷	$\cdots$
$f'(x)$	$-$	0	$+$	0	$-$
$f(x)$	$\searrow$	1	$\nearrow$	❸	$\searrow$

따라서 극댓값은 $f($ ❹ $)=$ ❺

  극솟값은 $f(-1)=1$

함수 $f(x)$가 $x=a$에서 미분가능하고
$x=a$에서 극값을 가지면 $f'(a)=0$이야.

답 ❶ 1 ❷ 1 ❸ 5 ❹ 1 ❺ 5

예1

함수 $f(x)=x^2+6x+2$의 증가, 감소 조사하기

→ $f'(x)=2x+6$이므로 $f'(x)=0$에서 $x=-3$

x	$\cdots$	-3	$\cdots$
$f'(x)$	$-$	❶	$+$
$f(x)$	$\searrow$	-7	$\nearrow$

따라서 함수 $f(x)$는 반닫힌 구간 $(-\infty, -3]$에서 ❷ 하고, 반닫힌 구간 $[-3, \infty)$에서 ❸ 한다.

답 ❶ 0 ❷ 감소 ❸ 증가

예1

닫힌구간 $[0, 2]$에서 함수 $f(x)=-x^3-3x^2+9x$의 최댓값과 최솟값 구하기

→ $f'(x)=-3x^2-6x+9=-3(x-1)(x+3)$

  $f'(x)=0$에서 $x=1$ $(\because 0\leq x\leq2)$

x	0	$\cdots$	1	$\cdots$	2
$f'(x)$		$+$	0	$-$	
$f(x)$	0	$\nearrow$	❶	$\searrow$	-2

따라서 최댓값은 $f(1)=$ ❷

  최솟값은 $f(2)=$ ❸

답 ❶ 5 ❷ 5 ❸ -2

예1

함수 $f(x)=x^3-3x+1$의 그래프의 개형 그리기

→ $f'(x)=3x^2-3=3(x+1)(x-1)$

  $f'(x)=0$에서 $x=-1$ 또는 $x=1$

x	$\cdots$	-1	$\cdots$	1	$\cdots$
$f'(x)$	$+$	0	$-$	0	$+$
$f(x)$	$\nearrow$	❶	$\searrow$	-1	$\nearrow$

함수 $y=f(x)$의 그래프와 y축의 교점의 좌표는
$($ ❷ $,$ ❸ $)$
따라서 함수 $y=f(x)$의 그래프의 개형을 그리면 오른쪽 그림과 같다.

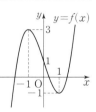

답 ❶ 3 ❷ 0 ❸ 1

부록 핵심 정리 총집합

핵심정리 05 방정식의 실근의 개수

(1) 방정식의 실근의 개수

① 방정식 $f(x)=0$의 서로 다른 실근의 개수

→ 함수 $y=f(x)$의 그래프와 **❶** 축의 교점의 개수와 같다.

② 방정식 $f(x)=g(x)$의 서로 다른 실근의 개수

→ 두 함수 $y=f(x)$, $y=g(x)$의 그래프의 교점의 개수와 같다.

(2) 삼차방정식의 근의 판별

① (극댓값)×(극솟값)<0

⟺ 서로 다른 세 실근

② (극댓값)×(극솟값) **❷** 0

⟺ 한 실근과 중근 (서로 다른 두 실근)

③ (극댓값)×(극솟값) **❸** 0

⟺ 한 실근과 두 허근

답 ❶ x ❷ $=$ ❸ $>$

핵심정리 06 부등식의 증명

(1) 어떤 구간에서 부등식 $f(x)\geq0$이 성립함을 증명하려면

→ 그 구간에서 (함수 $f(x)$의 최솟값)$\geq$ **❶** 임을 보인다.

(2) 어떤 구간에서 부등식 $f(x)\geq g(x)$가 성립함을 증명하려면

→ $h(x)=f(x)-g(x)$로 놓고 그 구간에서 (함수 $h(x)$의 **❷**)≥0임을 보인다.

> 어떤 구간에서 $f(x)$의 최솟값이 a이면 그 구간에서 $f(x)\geq a$야.

답 ❶ 0 ❷ 최솟값

핵심정리 07 속도와 가속도

수직선 위를 움직이는 점 P의 시각 t에서의 위치 x가 $x=f(t)$일 때, 시각 t에서의 점 P의 속도 v와 가속도 a는

(1) $v=\dfrac{dx}{dt}=$ **❶**

(2) $a=\dfrac{\boxed{❷}}{dt}$

> 위치를 미분하면 속도!
> 속도를 미분하면 가속도!

답 ❶ $f'(t)$ ❷ dv

핵심정리 08 부정적분

(1) 부정적분

함수 $f(x)$의 한 부정적분을 $F(x)$라 하면

→ $\displaystyle\int f(x)\,dx=$ **❶** $+C$ (단, C는 적분상수)

(2) 부정적분과 미분의 관계

① $\dfrac{d}{dx}\displaystyle\int f(x)\,dx=$ **❷**

② $\displaystyle\int\left\{\dfrac{d}{dx}f(x)\right\}dx=$ **❸** $+C$

(단, C는 적분상수)

> 미분을 나중에 하면 그대로!
> 적분을 나중에 하면 (그대로)+(적분상수)

답 ❶ $F(x)$ ❷ $f(x)$ ❸ $f(x)$

자르는 선

06 부등식의 증명

예 1

$x \geq -1$일 때, 부등식 $x^3 - 3x + 2 \geq 0$이 성립함을 보이기

→ $f(x) = x^3 - 3x + 2$로 놓으면

$f'(x) = 3x^2 - 3 = 3(x+1)(x-1)$

$f'(x) = 0$에서 $x = -1$ 또는 $x = 1$

x	-1	$\cdots$	❶	$\cdots$
$f'(x)$	0	$-$	0	$+$
$f(x)$	4	$\searrow$	❷	$\nearrow$

함수 $y = f(x)$의 그래프는 오른쪽 그림과 같고, $x \geq -1$일 때 $f(x)$는 $x = $ ❸ 에서 최솟값 ❹ 을 가지므로

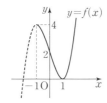

$f(x) = x^3 - 3x + 2 \geq 0$

따라서 $x \geq -1$일 때, 부등식 $x^3 - 3x + 2 \geq 0$이 성립한다.

답 ❶ 1 ❷ 0 ❸ 1 ❹ 0

05 방정식의 실근의 개수

예 1

방정식 $x^3 - 12x = 0$의 서로 다른 실근의 개수 구하기

→ $f(x) = x^3 - 12x$로 놓으면

$f'(x) = 3x^2 - 12 = 3(x+2)(x-2)$

$f'(x) = 0$에서 $x = -2$ 또는 $x = $ ❶

x	$\cdots$	-2	$\cdots$	2	$\cdots$
$f'(x)$	$+$	❷	$-$	0	❸
$f(x)$	$\nearrow$	16	$\searrow$	-16	$\nearrow$

따라서 함수 $y = f(x)$의 그래프는 오른쪽 그림과 같이 x축과 서로 다른 세 점에서 만나므로 주어진 방정식의 서로 다른 실근의 개수는 ❹ 이다.

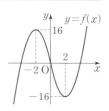

답 ❶ 2 ❷ 0 ❸ + ❹ 3

08 부정적분

예 1

$(x^4)' = 4x^3$ → $\displaystyle\int 4x^3\,dx = $ ❶ $+C$

예 2

(1) $\dfrac{d}{dx}\displaystyle\int 3x^2\,dx = \dfrac{d}{dx}(x^3 + C) = $ ❷

(2) $\displaystyle\int \left\{ \dfrac{d}{dx}(3x^2) \right\}dx = \int 6x\,dx = $ ❸

적분한 후 미분하는지 미분한 후 적분하는지에 따라 그 결과가 달라.

답 ❶ x^4 ❷ $3x^2$ ❸ $3x^2 + C$

07 속도와 가속도

예 1

수직선 위를 움직이는 점 P의 시각 t에서의 위치 x가 $x = t^3 - 4t$일 때, 시각 $t = 3$에서의 점 P의 속도 v와 가속도 a 구하기

→ $v = \dfrac{dx}{dt} = 3t^2 - 4$, $a = \dfrac{dv}{dt} = $ ❶ 이므로

시각 $t = 3$에서의 점 P의 속도와 가속도는

$v = 3 \times 3^2 - 4 = $ ❷ , $a = 6 \times 3 = $ ❸

답 ❶ $6t$ ❷ 23 ❸ 18

(1) 함수 $y=x^n$의 부정적분

n이 0 또는 양의 정수일 때

$\rightarrow \int x^n\,dx = \boxed{\text{❶}}\, x^{n+1}+C$ (단, C는 적분상수)

(2) 함수의 실수배, 합, 차의 부정적분

① $\int kf(x)\,dx = \boxed{\text{❷}} \int f(x)\,dx$

(단, k는 0이 아닌 상수)

② $\int \{f(x)\pm g(x)\}\,dx$

$= \int f(x)\,dx \pm \int g(x)\,dx$ (복호동순)

(2)는 정적분에서도 성립해!

답 ❶ $\dfrac{1}{n+1}$　❷ k

(1) 정적분

닫힌구간 $[a, b]$에서 연속인 함수 $f(x)$의 한 부정적분을 $F(x)$라 할 때

$\rightarrow \int_a^b f(x)\,dx = \left[\,\boxed{\text{❶}}\,\right]_a^b = F(b)-F(a)$

(2) 정적분의 성질

① $\int_a^a f(x)\,dx = \boxed{\text{❷}}$

② $\int_a^b f(x)\,dx = \ominus \int_b^a f(x)\,dx$

③ $\int_a^c f(x)\,dx + \int_c^b f(x)\,dx = \int_a^b f(x)\,dx$

성질 ③은 a, b, c의 대소에 관계없이 항상 성립해.

답 ❶ $F(x)$　❷ 0

(1) 구간에 따라 다르게 정의된 함수의 정적분

함수 $f(x)=\begin{cases} g(x)\ (x\le c) \\ h(x)\ (x\ge c) \end{cases}$가 닫힌구간 $[a, b]$에서 연속이고 $a<c<b$일 때

$\rightarrow \int_a^b f(x)\,dx = \int_a^c g(x)\,dx + \int_c^b \boxed{\text{❶}}\,dx$

(2) 절댓값 기호를 포함한 함수의 정적분

(ⅰ) 절댓값 기호 안의 식의 값을 $\boxed{\text{❷}}$으로 하는 x의 값을 경계로 적분 구간을 나눈다.

(ⅱ) $\int_a^b f(x)\,dx = \int_a^c f(x)\,dx + \int_{\boxed{\text{❸}}}^b f(x)\,dx$임을 이용한다.

답 ❶ $h(x)$　❷ 0　❸ c

n이 자연수일 때, 상수 a에 대하여

(1) n이 짝수인 경우	(2) n이 홀수인 경우
$y=x^2$ 그래프 $-a$, O, a	$y=x$ 그래프 $-a$, O, a
$\displaystyle\int_{-a}^a x^n\,dx$ $= \boxed{\text{❶}} \displaystyle\int_0^a x^n\,dx$	$\displaystyle\int_{-a}^a x^n\,dx = \boxed{\text{❷}}$

답 ❶ 2　❷ 0

예1

$$\int_{1}^{2} x^4\,dx = \left[\boxed{\text{❶}} \right]_{1}^{2} = \frac{32}{5} - \frac{1}{5} = \frac{31}{5}$$

예2

$$\int_{0}^{1} (x^3 - 2x)\,dx - \int_{2}^{1} (x^3 - 2x)\,dx$$

$$= \int_{0}^{1} (x^3 - 2x)\,dx + \int_{1}^{2} (x^3 - 2x)\,dx$$

$$= \int_{0}^{2} (x^3 - 2x)\,dx$$

$$= \left[\frac{1}{4}x^4 - \boxed{\text{❷}} \right]_{0}^{2} = \boxed{\text{❸}}$$

답 ❶ $\frac{1}{5}x^5$ ❷ x^2 ❸ 0

예1

$$\int x^2\,dx = \frac{1}{2+1}x^{2+1} + C = \boxed{\text{❶}} + C$$

예2

(1) $\int (3x^2 + 2x - 4)\,dx = x^3 + \boxed{\text{❷}} - 4x + C$

(2) $\int (x-1)(x^2 + x + 1)\,dx = \int (x^3 - \boxed{\text{❸}})\,dx$

$$= \frac{1}{4}x^4 - x + C$$

답 ❶ $\frac{1}{3}x^3$ ❷ x^2 ❸ 1

예1

$$\int_{-1}^{1} (6x^5 - 5x^4 + 4x^3 + 3x^2 - 2x + 5)\,dx$$

$$= \int_{-1}^{1} (-5x^4 + \boxed{\text{❶}} + 5)\,dx$$

$$= \boxed{\text{❷}} \int_{0}^{1} (-5x^4 + \boxed{\text{❸}} + 5)\,dx$$

$$= 2\left[-x^5 + \boxed{\text{❹}} + 5x \right]_{0}^{1}$$

$$= \boxed{\text{❺}}$$

짝수 차수의 항 또는 상수항만 살아남아!

답 ❶ $3x^2$ ❷ 2 ❸ $3x^2$ ❹ x^3 ❺ 10

예1

함수 $f(x) = \begin{cases} -1 & (x \leq 0) \\ 2x-1 & (x \geq 0) \end{cases}$에 대하여 $\int_{-1}^{1} f(x)\,dx$

의 값 구하기

$\rightarrow \int_{-1}^{1} f(x)\,dx = \int_{-1}^{0} (-1)\,dx + \int_{0}^{1} (\boxed{\text{❶}})\,dx$

$$= \left[-x \right]_{-1}^{0} + \left[x^2 - x \right]_{0}^{1} = \boxed{\text{❷}}$$

예2

함수 $f(x) = |x-1|$에 대하여 $\int_{0}^{2} f(x)\,dx$의 값 구하기

$\rightarrow f(x) = \begin{cases} 1-x & (x \leq 1) \\ x-1 & (x \geq 1) \end{cases}$이므로

$$\int_{0}^{2} f(x)\,dx = \int_{0}^{1} (1-x)\,dx + \int_{1}^{2} (x-1)\,dx$$

$$= \left[x - \frac{1}{2}x^2 \right]_{0}^{1} + \left[\frac{1}{2}x^2 - x \right]_{1}^{2} = \boxed{\text{❸}}$$

답 ❶ $2x-1$ ❷ -1 ❸ 1

(1) 정적분으로 정의된 함수의 미분

① $\dfrac{d}{dx}\displaystyle\int_a^x f(t)\,dt = f(x)$ (단, a는 상수)

$\quad\quad \longmapsto F(x)-F(a)$

② $\dfrac{d}{dx}\displaystyle\int_x^{x+a} f(t)\,dt = f(x+a) - $ **①** ⬚

$\quad\quad \longmapsto F(x+a)-F(x)$ (단, a는 상수)

(2) 정적분으로 정의된 함수의 극한

① $\displaystyle\lim_{x\to a}\dfrac{1}{x-a}\int_a^x f(t)\,dt = f(a)$

② $\displaystyle\lim_{x\to 0}\dfrac{1}{x}\int_a^{x+a} f(t)\,dt = $ **②** ⬚

답 **①** $f(x)$ **②** $f(a)$

함수 $f(x)$가 닫힌구간 $[a, b]$ 에서 연속일 때, 곡선 $y=f(x)$ 와 x축 및 두 직선 $x=a$, $x=b$ 로 둘러싸인 도형의 넓이 S는

$$\Rightarrow S=\int_a^b \boxed{\text{①}}\,dx$$

> 도형의 넓이를 구할 때는 항상 그림을 그려서 x축보다 위쪽에 있는지 아래쪽에 있는지를 살펴봐야 해.

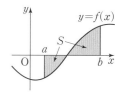

답 **①** $|f(x)|$

두 함수 $f(x)$, $g(x)$가 닫힌 구간 $[a, b]$에서 연속일 때, 두 곡선 $y=f(x)$, $y=g(x)$ 및 두 직선 $x=a$, $x=b$로 둘러싸인 도형의 넓이 S는

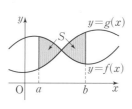

$$\Rightarrow S=\int_a^b |\,f(x)-\boxed{\text{①}}\,|\,dx$$

> 꼭 기억해!

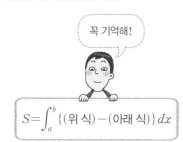

$$S=\int_a^b \{(\text{위 식})-(\text{아래 식})\}\,dx$$

답 **①** $g(x)$

수직선 위를 움직이는 점 P의 시각 t에서의 속도가 $v(t)$이고, 시각 $t=a$에서의 위치가 x_0일 때

(1) 시각 t에서 점 P의 위치 x

$$\Rightarrow x=\boxed{\text{①}} + \int_a^t v(t)\,dt$$

$\quad\quad \longmapsto$ 출발 위치 $\quad \longmapsto$ 위치의 변화량

(2) 시각 $t=a$에서 $t=b$까지 점 P의 위치의 변화량

$$\Rightarrow \int_a^b \boxed{\text{②}}\,dt$$

(3) 시각 $t=a$에서 $t=b$까지 점 P가 움직인 거리 s

$$\Rightarrow s=\int_a^b \boxed{\text{③}}\,dt$$

> 움직인 거리는 항상 양수야.

답 **①** x_0 **②** $v(t)$ **③** $|v(t)|$

14 곡선과 x축 사이의 넓이

곡선 $y=x^2-1$과 x축 및 두 직선 $x=0$, $x=2$로 둘러싸인 도형의 넓이 구하기

➡ $\displaystyle\int_0^2 |x^2-1|\,dx$

$\displaystyle =-\int_0^1 (x^2-1)\,dx$

$\displaystyle \qquad +\int_1^2 (x^2-1)\,dx$

$\displaystyle =-\left[\frac{1}{3}x^3-x\right]_0^1+\left[\frac{1}{3}x^3-x\right]_1^2$

$\displaystyle =\boxed{\textbf{①}\ }+\frac{4}{3}=\boxed{\textbf{②}\ }$

답 ❶ $\dfrac{2}{3}$ ❷ 2

---

13 정적분으로 정의된 함수

(1) $\displaystyle\frac{d}{dx}\int_2^x (t^3-2t+1)\,dt=x^3-2x+1$

(2) $\displaystyle\frac{d}{dx}\int_x^{x-1}(t^2+1)\,dt$

$\qquad =\{(x-1)^2+1\}-(\boxed{\textbf{①}\qquad})$

$\qquad =\boxed{\textbf{②}\qquad}$

예 2

$\displaystyle\lim_{x\to 1}\frac{1}{x-1}\int_1^x (2t-1)\,dt$의 값 구하기

➡ $F'(t)=2t-1$이라 하면

$\displaystyle\lim_{x\to 1}\frac{1}{x-1}\int_1^x (2t-1)\,dt$

$\displaystyle =\lim_{x\to 1}\frac{F(x)-F(1)}{x-1}=F'(\boxed{\textbf{③}})=\boxed{\textbf{④}\ }$

미분계수의 정의

답 ❶ x^2+1 ❷ $-2x+1$ ❸ 1 ❹ 1

---

16 속도와 거리

좌표가 3인 점에서 출발하여 수직선 위를 움직이는 점 P의 시각 t에서의 속도가 $v(t)=1-t$일 때

(1) 시각 $t=2$에서 점 P의 위치

$\qquad ➡ \boxed{\textbf{①}\ }+\displaystyle\int_0^2 (1-t)\,dt=3+\left[t-\frac{1}{2}t^2\right]_0^2=\boxed{\textbf{②}\ }$

(2) 시각 $t=0$에서 $t=3$까지 점 P의 위치의 변화량

$\qquad ➡ \displaystyle\int_0^3 (1-t)\,dt=\left[t-\frac{1}{2}t^2\right]_0^3=\boxed{\textbf{③}\ }$

(3) 시각 $t=0$에서 $t=3$까지 점 P가 움직인 거리

$\qquad ➡ \displaystyle\int_0^3 |1-t|\,dt=\int_0^1 (1-t)\,dt-\int_1^3 (1-t)\,dt$

$\qquad\qquad =\left[t-\frac{1}{2}t^2\right]_0^1-\left[t-\frac{1}{2}t^2\right]_1^3$

$\qquad\qquad =\boxed{\textbf{④}\ }$

답 ❶ 3 ❷ 3 ❸ $-\dfrac{3}{2}$ ❹ $\dfrac{5}{2}$

---

15 두 곡선 사이의 넓이

곡선 $y=-x^2+1$과 직선 $y=x-1$로 둘러싸인 도형의 넓이 구하기

➡ 곡선 $y=-x^2+1$과 직선
$y=x-1$의 교점의 x좌표는
$-x^2+1=\boxed{\textbf{①}\qquad}$에서
$x^2+x-2=0$
$(x+2)(x-1)=0$
$\therefore x=-2$ 또는 $x=1$

따라서 구하는 넓이는

$\displaystyle\int_{-2}^1 \{(-x^2+1)-(\boxed{\textbf{②}\qquad})\}\,dx$

$\displaystyle =\int_{-2}^1 (-x^2-x+2)\,dx$

$\displaystyle =\left[-\frac{1}{3}x^3-\frac{1}{2}x^2+2x\right]_{-2}^1=\boxed{\textbf{③}\ }$

답 ❶ $x-1$ ❷ $x-1$ ❸ $\dfrac{9}{2}$

고등수학 개념 기본서 [개념]

내신 대비 문제 기본서 [유형]

고등수학의 해법을 찾다!

해결의 법칙
시리즈

검증된 수학교재

해법수학 천재교육 39년의 노하우와
200여명의 학부모 및 선생님의
검증을 받아 탄생한 완벽한 참고서!

빈틈없는 맞춤학습

수학의 개념을 잡아주는 [개념]편
모든 유형을 마스터하는 [유형]편
이 두 권으로 수학의 기본을 꽈악!

내신 성적 향상 보장

방학 중에는 [개념]편으로 빠르게 예습
학기 중에는 [유형]편으로 다시 한번 복습
체계적인 내신 준비로 성적이 쑥쑥!

수학은 역시 해결의 법칙! 고1~3(수학(상), 수학(하), 수학I, 수학II, 확률과 통계, 미적분, 기하)

book.chunjae.co.kr

교재 내용 문의 ·················· 교재 홈페이지 ▶ 고등 ▶ 교재상담
교재 내용 외 문의 ·················· 교재 홈페이지 ▶ 고객센터 ▶ 1:1문의
발간 후 발견되는 오류 ············ 교재 홈페이지 ▶ 고등 ▶ 학습지원 ▶ 학습자료실

7일 끝

중간고사 기말고사

7일 끝으로 끝내자!

고등 수학 II

7

BOOK 3
정답과 해설

천재교육

7일 끝!

정답과 해설

7일 끝! 중간

1일 시험지 속 개념 문제

9, 11쪽

1 (1) 7 (2) -4 **2** (1) 0 (2) 3

3 (1) ∞ (2) ∞ **4** (1) 1 (2) 존재하지 않는다.

5 (1) 5 (2) -2 **6** (1) $\dfrac{1}{3}$ (2) $\dfrac{1}{6}$

7 (1) 2 (2) $\dfrac{1}{3}$ **8** (1) ∞ (2) 0

9 (1) -3 (2) -6 **10** 2

1 (1) $f(x)=x^2+3$으로 놓으면 $y=f(x)$의 그래프는 오른쪽 그림과 같다.
이 그래프에서 x의 값이 2에 한없이 가까워질 때, $f(x)$의 값은 7에 한없이 가까워지므로
$$\lim_{x\to 2}(x^2+3)=7$$

(2) $f(x)=\dfrac{x^2-4}{x+2}$로 놓으면 $x\neq -2$일 때,
$$f(x)=\dfrac{x^2-4}{x+2}=\dfrac{(x+2)(x-2)}{x+2}=x-2$$
이므로 $y=f(x)$의 그래프는 오른쪽 그림과 같다.
이 그래프에서 x의 값이 -2에 한없이 가까워질 때, $f(x)$의 값은 -4에 한없이 가까워지므로
$$\lim_{x\to -2}\dfrac{x^2-4}{x+2}=-4$$

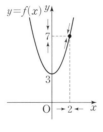

2 (1) $f(x)=\dfrac{1}{x-2}$로 놓으면 $y=f(x)$의 그래프는 오른쪽 그림과 같다.
이 그래프에서 x의 값이 한없이 커질 때, $f(x)$의 값은 0에 한없이 가까워지므로
$$\lim_{x\to\infty}\dfrac{1}{x-2}=0$$

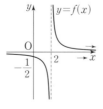

(2) $f(x)=3+\dfrac{1}{x}$로 놓으면 $y=f(x)$의 그래프는 오른쪽 그림과 같다.
이 그래프에서 x의 값이 음수이면서 그 절댓값이 한없이 커질 때, $f(x)$의 값은 3에 한없이 가까워지므로
$$\lim_{x\to -\infty}\left(3+\dfrac{1}{x}\right)=3$$

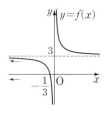

3 (1) $f(x)=\dfrac{1}{|x+1|}$로 놓으면 $y=f(x)$의 그래프는 오른쪽 그림과 같다.
이 그래프에서 x의 값이 -1에 한없이 가까워질 때, $f(x)$의 값은 한없이 커지므로
$$\lim_{x\to -1}\dfrac{1}{|x+1|}=\infty$$

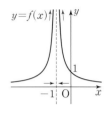

(2) $f(x)=x^2-1$로 놓으면 $y=f(x)$의 그래프는 오른쪽 그림과 같다.
이 그래프에서 x의 값이 한없이 커질 때, $f(x)$의 값은 한없이 커지므로
$$\lim_{x\to\infty}(x^2-1)=\infty$$

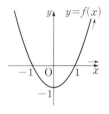

4 (1) x의 값이 0보다 작으면서 0에 한없이 가까워질 때, $f(x)$의 값은 1에 한없이 가까워지므로 $\lim\limits_{x\to 0-}f(x)=1$
x의 값이 0보다 크면서 0에 한없이 가까워질 때, $f(x)$의 값은 1에 한없이 가까워지므로 $\lim\limits_{x\to 0+}f(x)=1$
따라서 $\lim\limits_{x\to 0-}f(x)=\lim\limits_{x\to 0+}f(x)=1$이므로 $\lim\limits_{x\to 0}f(x)=1$

(2) x의 값이 1보다 작으면서 1에 한없이 가까워질 때, $f(x)$의 값은 0에 한없이 가까워지므로 $\lim\limits_{x\to 1-}f(x)=0$
x의 값이 1보다 크면서 1에 한없이 가까워질 때, $f(x)$의 값은 2에 한없이 가까워지므로 $\lim\limits_{x\to 1+}f(x)=2$
따라서 $\lim\limits_{x\to 1-}f(x)\neq\lim\limits_{x\to 1+}f(x)$이므로 $\lim\limits_{x\to 1}f(x)$의 값은 존재하지 않는다.

5 (1) $\lim\limits_{x\to -1}(2x^2-3x)=2\lim\limits_{x\to -1}x^2-3\lim\limits_{x\to -1}x$
$\qquad =2\times(-1)^2-3\times(-1)=5$

(2) $\lim\limits_{x\to 2}\dfrac{x}{x-3}=\dfrac{\lim\limits_{x\to 2}x}{\lim\limits_{x\to 2}(x-3)}=\dfrac{\lim\limits_{x\to 2}x}{\lim\limits_{x\to 2}x-\lim\limits_{x\to 2}3}$
$\qquad =\dfrac{2}{2-3}=-2$

6 (1) $\displaystyle\lim_{x\to 2}\frac{x^2-3x+2}{x^2-x-2}=\lim_{x\to 2}\frac{(x-1)(x-2)}{(x+1)(x-2)}$

$\qquad\qquad\qquad\qquad=\displaystyle\lim_{x\to 2}\frac{x-1}{x+1}=\frac{2-1}{2+1}=\frac{1}{3}$

(2) $\displaystyle\lim_{x\to 9}\frac{\sqrt{x}-3}{x-9}=\lim_{x\to 9}\frac{(\sqrt{x}-3)(\sqrt{x}+3)}{(x-9)(\sqrt{x}+3)}$

$\qquad\qquad\qquad=\displaystyle\lim_{x\to 9}\frac{x-9}{(x-9)(\sqrt{x}+3)}$

$\qquad\qquad\qquad=\displaystyle\lim_{x\to 9}\frac{1}{\sqrt{x}+3}=\frac{1}{\sqrt{9}+3}=\frac{1}{6}$

7 (1) $\displaystyle\lim_{x\to\infty}\frac{2x-1}{x+1}=\lim_{x\to\infty}\frac{2-\dfrac{1}{x}}{1+\dfrac{1}{x}}=2$

(2) $\displaystyle\lim_{x\to\infty}\frac{x^2+3x-5}{3x^2-2}=\lim_{x\to\infty}\frac{1+\dfrac{3}{x}-\dfrac{5}{x^2}}{3-\dfrac{2}{x^2}}=\frac{1}{3}$

8 (1) $\displaystyle\lim_{x\to\infty}(x^4-x^2-1)=\lim_{x\to\infty}x^4\left(1-\frac{1}{x^2}-\frac{1}{x^4}\right)=\infty$

(2) $\displaystyle\lim_{x\to\infty}(\sqrt{x-1}-\sqrt{x+1})$

$\qquad=\displaystyle\lim_{x\to\infty}\frac{(\sqrt{x-1}-\sqrt{x+1})(\sqrt{x-1}+\sqrt{x+1})}{\sqrt{x-1}+\sqrt{x+1}}$

$\qquad=\displaystyle\lim_{x\to\infty}\frac{-2}{\sqrt{x-1}+\sqrt{x+1}}=0$

9 (1) $\displaystyle\lim_{x\to 1}\frac{ax^2+x+2}{x-1}=-5$에서 $\displaystyle\lim_{x\to 1}(x-1)=0$이므로

$\qquad\displaystyle\lim_{x\to 1}(ax^2+x+2)=0$

$\qquad$즉, $a+1+2=0$이므로 $a=-3$

(2) $\displaystyle\lim_{x\to 3}\frac{x-3}{2x^2-4x+a}=\frac{1}{8}$에서 $\dfrac{1}{8}\neq 0$이고

$\qquad\displaystyle\lim_{x\to 3}(x-3)=0$이므로

$\qquad\displaystyle\lim_{x\to 3}(2x^2-4x+a)=0$

$\qquad$즉, $18-12+a=0$이므로 $a=-6$

10 모든 양의 실수 x에 대하여

$\qquad\dfrac{2x^2+1}{x^2}<f(x)<\dfrac{2x^2+3x+1}{x^2}$이고

$\qquad\displaystyle\lim_{x\to\infty}\frac{2x^2+1}{x^2}=\lim_{x\to\infty}\frac{2x^2+3x+1}{x^2}=2$이므로

$\qquad\displaystyle\lim_{x\to\infty}f(x)=2$

중간

1 ④	**2** 0	**3** 4
4 (1) 12 (2) 2	**5** (1) 1 (2) $-\dfrac{1}{2}$	**6** ⑤
7 12	**8** ③	

1 $\displaystyle\lim_{x\to 1-}f(x)=\lim_{x\to 1-}(x^2+2x)=3$

$\displaystyle\lim_{x\to 1+}f(x)=\lim_{x\to 1+}(x+2a)=1+2a$

이때, $\displaystyle\lim_{x\to 1}f(x)$의 값이 존재하려면 $\displaystyle\lim_{x\to 1-}f(x)=\lim_{x\to 1+}f(x)$이

어야 하므로

$3=1+2a,\ 2a=2$

$\therefore a=1$

2 $f(x)=\dfrac{x^2+2x-3}{|x-1|}=\dfrac{(x-1)(x+3)}{|x-1|}$

$\qquad=\begin{cases}x+3\ (x>1)\\-x-3\ (x<1)\end{cases}$

이므로

$\displaystyle\lim_{x\to 1-}f(x)=\lim_{x\to 1-}(-x-3)=-4$

$\displaystyle\lim_{x\to 1+}f(x)=\lim_{x\to 1+}(x+3)=4$

따라서 $a=-4,\ b=4$이므로

$a+b=-4+4=0$

3 $2f(x)-g(x)=h(x)$로 놓으면 $g(x)=2f(x)-h(x)$이고

$\displaystyle\lim_{x\to 2}h(x)=1$이다.

$\therefore\displaystyle\lim_{x\to 2}\frac{3f(x)-g(x)}{-3f(x)+2g(x)}$

$\qquad=\displaystyle\lim_{x\to 2}\frac{3f(x)-\{2f(x)-h(x)\}}{-3f(x)+2\{2f(x)-h(x)\}}$

$\qquad=\displaystyle\lim_{x\to 2}\frac{f(x)+h(x)}{f(x)-2h(x)}$

$\qquad=\dfrac{3+1}{3-2\times 1}=4$

다른 풀이

$2f(x)-g(x)=h(x)$로 놓으면 $g(x)=2f(x)-h(x)$이고

$\displaystyle\lim_{x\to 2}h(x)=1$이므로

$\displaystyle\lim_{x\to 2}g(x)=\lim_{x\to 2}\{2f(x)-h(x)\}=2\times 3-1=5$

$\therefore\displaystyle\lim_{x\to 2}\frac{3f(x)-g(x)}{-3f(x)+2g(x)}=\frac{3\times 3-5}{-3\times 3+2\times 5}=4$

4 (1) $\displaystyle\lim_{x\to 2}\frac{x^3-8}{x-2}=\lim_{x\to 2}\frac{(x-2)(x^2+2x+4)}{x-2}$

$\qquad\qquad\qquad=\displaystyle\lim_{x\to 2}(x^2+2x+4)=12$

(2) $\displaystyle\lim_{x \to 1} \frac{x-1}{\sqrt{x^2+3}-2} = \lim_{x \to 1} \frac{(x-1)(\sqrt{x^2+3}+2)}{(\sqrt{x^2+3}-2)(\sqrt{x^2+3}+2)}$

$\qquad\qquad\qquad\quad = \displaystyle\lim_{x \to 1} \frac{(x-1)(\sqrt{x^2+3}+2)}{x^2-1}$

$\qquad\qquad\qquad\quad = \displaystyle\lim_{x \to 1} \frac{(x-1)(\sqrt{x^2+3}+2)}{(x+1)(x-1)}$

$\qquad\qquad\qquad\quad = \displaystyle\lim_{x \to 1} \frac{\sqrt{x^2+3}+2}{x+1} = 2$

5 (1) 분모, 분자를 x로 각각 나누면

$\displaystyle\lim_{x \to \infty} \frac{\sqrt{x^2+2x}-3}{x-1} = \lim_{x \to \infty} \frac{\sqrt{1+\frac{2}{x}}-\frac{3}{x}}{1-\frac{1}{x}} = 1$

(2) $x = -t$로 놓으면 $x \to -\infty$일 때 $t \to \infty$이므로

$\displaystyle\lim_{x \to -\infty} \frac{x-3}{\sqrt{x^2+2x}-x} = \lim_{t \to \infty} \frac{-t-3}{\sqrt{t^2-2t}+t}$

$\qquad\qquad\qquad\qquad = \displaystyle\lim_{t \to \infty} \frac{-1-\frac{3}{t}}{\sqrt{1-\frac{2}{t}}+1} = -\frac{1}{2}$

6 $\displaystyle\lim_{x \to 2} \frac{x^2+ax+b}{x^2-4} = 3$에서 $\displaystyle\lim_{x \to 2}(x^2-4) = 0$이므로

$\displaystyle\lim_{x \to 2}(x^2+ax+b) = 4+2a+b = 0$

$\therefore b = -2a-4 \qquad\qquad\qquad \cdots\cdots\, \bigcirc$

$\bigcirc$을 주어진 등식에 대입하면

$\displaystyle\lim_{x \to 2} \frac{x^2+ax-2a-4}{x^2-4} = \lim_{x \to 2} \frac{(x-2)(x+a+2)}{(x+2)(x-2)}$

$\qquad\qquad\qquad\qquad\quad = \displaystyle\lim_{x \to 2} \frac{x+a+2}{x+2} = \frac{a+4}{4} = 3$

따라서 $a = 8$, $b = -20$이므로

$a-b = 8-(-20) = 28$

7 $\displaystyle\lim_{x \to \infty} \frac{f(x)}{x^2-x+5} = 3$에서 $f(x)$는 이차항의 계수가 3인 이차함수임을 알 수 있다.

또, $\displaystyle\lim_{x \to 1} \frac{f(x)}{x-1} = 9$에서 $\displaystyle\lim_{x \to 1}(x-1) = 0$이므로

$\displaystyle\lim_{x \to 1} f(x) = 0 \qquad \therefore f(1) = 0$

즉, $f(x) = 3(x-1)(x-a)$ (a는 상수)로 놓을 수 있으므로

$\displaystyle\lim_{x \to 1} \frac{f(x)}{x-1} = \lim_{x \to 1} \frac{3(x-1)(x-a)}{x-1}$

$\qquad\qquad\qquad = \displaystyle\lim_{x \to 1} 3(x-a) = 3-3a = 9$

$\therefore a = -2$

따라서 $f(x) = 3(x-1)(x+2)$이므로

$f(2) = 3 \times 1 \times 4 = 12$

8 모든 양의 실수 x에 대하여 $x^2 > 0$이므로

$3x^2-x-1 < f(x) < 3x^2+2x+1$의 각 변을 x^2으로 나누면

$\dfrac{3x^2-x-1}{x^2} < \dfrac{f(x)}{x^2} < \dfrac{3x^2+2x+1}{x^2}$

이때, $\displaystyle\lim_{x \to \infty} \frac{3x^2-x-1}{x^2} = \lim_{x \to \infty} \frac{3x^2+2x+1}{x^2} = 3$이므로

$\displaystyle\lim_{x \to \infty} \frac{f(x)}{x^2} = 3$

1일 교과서 기출 베스트 2회 14~15쪽

1 ④   **2** ⑤   **3** 0   **4** 2

5 $\dfrac{1}{2}$ **6** 풀이 참조   **7** ④   **8** 2

9 12   **10** ②

1 $\displaystyle\lim_{x \to 3-} f(x) = \lim_{x \to 3-}(x+k) = k+3$

$\displaystyle\lim_{x \to 3+} f(x) = \lim_{x \to 3+}(-x^2+k^2) = k^2-9$

$\displaystyle\lim_{x \to 3} f(x)$의 값이 존재하려면 $\displaystyle\lim_{x \to 3-} f(x) = \lim_{x \to 3+} f(x)$이어야 하므로

$k+3 = k^2-9$에서 $k^2-k-12 = 0$

$(k+3)(k-4) = 0 \qquad \therefore k = 4\ (\because k > 0)$

2 $\displaystyle\lim_{x \to -1-} f(x) = \lim_{x \to -1-}(-x+3) = 4 = a$

$\displaystyle\lim_{x \to 0+} f(x) = \lim_{x \to 0+}(x^2-x) = 0 = b$

$\therefore a+b = 4+0 = 4$

3 $x \to 3$일 때 $f(x) \to 5$이므로 $f(x) = t$로 놓으면

$\displaystyle\lim_{x \to 3} g(f(x)) = \lim_{t \to 5} g(t)$

$t \to 5$일 때 $g(t) \to 0$이므로 $\displaystyle\lim_{t \to 5} g(t) = 0$

$\therefore \displaystyle\lim_{x \to 3} g(f(x)) = 0$

4 $2f(x)-5g(x) = h(x)$로 놓으면

$g(x) = \dfrac{2f(x)-h(x)}{5}$이고 $\displaystyle\lim_{x \to 1} h(x) = 2$이다.

$\therefore \displaystyle\lim_{x \to 1} g(x) = \lim_{x \to 1} \frac{2f(x)-h(x)}{5} = \frac{2 \times 6-2}{5} = 2$

5 $\displaystyle\lim_{x \to 3} \frac{3}{x-3} \left(1-\frac{6}{x+3}\right) = \lim_{x \to 3} \left(\frac{3}{x-3} \times \frac{x+3-6}{x+3}\right)$

$\qquad\qquad\qquad\qquad\qquad = \displaystyle\lim_{x \to 3} \frac{3}{x+3} = \frac{1}{2}$

6 유찬: $\displaystyle\lim_{x\to\infty}\frac{4x}{5x^2+1}=\lim_{x\to\infty}\frac{\dfrac{4}{x}}{5+\dfrac{1}{x^2}}=0$

세은: $\displaystyle\lim_{x\to\infty}\frac{8x^2+x}{2x^2-3}=\lim_{x\to\infty}\frac{8+\dfrac{1}{x}}{2-\dfrac{3}{x^2}}=4$

수아: $\displaystyle\lim_{x\to\infty}\frac{4x}{\sqrt{x^2-2}+x}=\lim_{x\to\infty}\frac{4}{\sqrt{1-\dfrac{2}{x^2}}+1}=2$

민호: $x=-t$로 놓으면 $x\to-\infty$일 때 $t\to\infty$이므로

$$\lim_{x\to-\infty}\frac{3x-1}{\sqrt{x^2-3x}+2x}=\lim_{t\to\infty}\frac{-3t-1}{\sqrt{t^2+3t}-2t}$$
$$=\lim_{t\to\infty}\frac{-3-\dfrac{1}{t}}{\sqrt{1+\dfrac{3}{t}}-2}=3$$

따라서 극한값을 잘못 구한 사람은 유찬, 민호이다.
바르게 고치면 다음과 같다.

유찬: $\displaystyle\lim_{x\to\infty}\frac{4x}{5x^2+1}=0$

민호: $\displaystyle\lim_{x\to-\infty}\frac{3x-1}{\sqrt{x^2-3x}+2x}=3$

7 $\displaystyle\lim_{x\to1}\frac{x-1}{\sqrt{x+a}+b}=2$에서 $2\neq0$이고

$\displaystyle\lim_{x\to1}(x-1)=0$이므로

$\displaystyle\lim_{x\to1}(\sqrt{x+a}+b)=\sqrt{1+a}+b=0$

$\therefore b=-\sqrt{1+a}$　　　　　……㉠

㉠을 주어진 등식에 대입하면

$$\lim_{x\to1}\frac{x-1}{\sqrt{x+a}-\sqrt{1+a}}$$
$$=\lim_{x\to1}\frac{(x-1)(\sqrt{x+a}+\sqrt{1+a})}{(\sqrt{x+a}-\sqrt{1+a})(\sqrt{x+a}+\sqrt{1+a})}$$
$$=\lim_{x\to1}\frac{(x-1)(\sqrt{x+a}+\sqrt{1+a})}{x-1}$$
$$=\lim_{x\to1}(\sqrt{x+a}+\sqrt{1+a})$$
$$=2\sqrt{1+a}=2$$

따라서 $a=0$, $b=-1$이므로

$a-b=0-(-1)=1$

8 $\displaystyle\lim_{x\to a}\frac{x^3-a^3}{x^2-a^2}=\lim_{x\to a}\frac{(x-a)(x^2+ax+a^2)}{(x+a)(x-a)}$
$$=\lim_{x\to a}\frac{x^2+ax+a^2}{x+a}$$
$$=\frac{3a^2}{2a}=\frac{3a}{2}=\frac{3}{2}$$

$\therefore a=1$

중간

$a=1$을 주어진 식에 대입하면
$$\lim_{x\to1}\frac{x^3-x^2+x-1}{x-1}=\lim_{x\to1}\frac{(x-1)(x^2+1)}{x-1}$$
$$=\lim_{x\to1}(x^2+1)=2$$

9 $\displaystyle\lim_{x\to\infty}\frac{f(x)}{x^2-4}=2$에서 $f(x)$는 이차항의 계수가 2인 이차함수임을 알 수 있다.

$f(x)=2x^2+ax+b$ $(a, b$는 상수$)$로 놓으면

$f(1)=3$이므로 $2+a+b=3$

$\therefore a+b=1$　　　　　……㉠

$f(-1)=-3$이므로 $2-a+b=-3$

$\therefore a-b=5$　　　　　……㉡

㉠, ㉡을 연립하여 풀면 $a=3$, $b=-2$

따라서 $f(x)=2x^2+3x-2$이므로 $f(2)=8+6-2=12$

10 임의의 양의 실수 x에 대하여 $x^3>0$이므로

$2ax^3+x^2-2<x^3f(x)<2ax^3+x^2+4$

의 각 변을 x^3으로 나누면

$$\frac{2ax^3+x^2-2}{x^3}<f(x)<\frac{2ax^3+x^2+4}{x^3}$$

이때, $\displaystyle\lim_{x\to\infty}\frac{2ax^3+x^2-2}{x^3}=\lim_{x\to\infty}\frac{2ax^3+x^2+4}{x^3}=2a$이므로

$\displaystyle\lim_{x\to\infty}f(x)=2a=4$　　　$\therefore a=2$

2일 시험지 속 개념 문제　　　　19, 21쪽

1 (1) 연속　(2) 연속　(3) 불연속　(4) 연속　(5) 불연속
2 (1) $(0, 4]$　(2) $(-\infty, -1]$　(3) $(2, \infty)$
3 (1) $(-\infty, \infty)$　(2) $(-\infty, -2)$, $(-2, \infty)$
　(3) $[2, \infty)$　(4) $(-\infty, \infty)$
4 (1) 최댓값: 5, 최솟값: 1　(2) 최댓값: 2, 최솟값: $\dfrac{1}{2}$
　(3) 최댓값: 2, 최솟값: 0
5 (1) ✕　(2) ✕　(3) ✕　(4) ◯
6 ㈎ 연속　㈏ $f(2)$
7 풀이 참조

1 (1) $f(3)=0$, $\displaystyle\lim_{x\to3}f(x)=0$이고 $\displaystyle\lim_{x\to3}f(x)=f(3)$이므로 함수 $f(x)$는 $x=3$에서 연속이다.

(2) $f(3)=0$, $\displaystyle\lim_{x\to3}f(x)=0$이고 $\displaystyle\lim_{x\to3}f(x)=f(3)$이므로 함수 $f(x)$는 $x=3$에서 연속이다.

(3) $x=3$에서의 함숫값 $f(3)$이 정의되지 않으므로 함수 $f(x)$는 $x=3$에서 불연속이다.

(4) $f(3)=3$, $\lim\limits_{x\to 3}f(x)=3$이고 $\lim\limits_{x\to 3}f(x)=f(3)$이므로 함수 $f(x)$는 $x=3$에서 연속이다.

(5) $\lim\limits_{x\to 3-}f(x)=\lim\limits_{x\to 3-}x=3$, $\lim\limits_{x\to 3+}f(x)=\lim\limits_{x\to 3+}(x-3)=0$
$\therefore \lim\limits_{x\to 3-}f(x)\neq\lim\limits_{x\to 3+}f(x)$
따라서 $\lim\limits_{x\to 3}f(x)$의 값이 존재하지 않으므로 함수 $f(x)$는 $x=3$에서 불연속이다.

3 (1) 함수 $f(x)=x^2-x$는 모든 실수 x에서 연속이므로 함수 $f(x)$가 연속인 구간은 $(-\infty, \infty)$이다.

(2) 함수 $f(x)=\dfrac{x-1}{x+2}$은 $x+2\neq 0$, 즉 $x\neq -2$인 모든 실수 x에서 연속이므로 함수 $f(x)$가 연속인 구간은 $(-\infty, -2)$, $(-2, \infty)$이다.

(3) 함수 $f(x)=\sqrt{3x-6}$은 $3x-6\geq 0$, 즉 $x\geq 2$인 모든 실수 x에서 연속이므로 함수 $f(x)$가 연속인 구간은 $[2, \infty)$이다.

(4) 함수 $f(x)=|x+3|$은 모든 실수 x에서 연속이므로 함수 $f(x)$가 연속인 구간은 $(-\infty, \infty)$이다.

4 (1) 함수 $f(x)=x^2-2x+2$는 닫힌구간 $[-1, 2]$에서 연속이고, 이 구간에서 $y=f(x)$의 그래프는 오른쪽 그림과 같다.
따라서 함수 $f(x)$는 주어진 구간에서 $x=-1$일 때 최댓값 5, $x=1$일 때 최솟값 1을 갖는다.

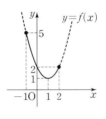

(2) 함수 $f(x)=\dfrac{2}{x-1}$는 닫힌구간 $[2, 5]$에서 연속이고, 이 구간에서 $y=f(x)$의 그래프는 오른쪽 그림과 같다.
따라서 함수 $f(x)$는 주어진 구간에서 $x=2$일 때 최댓값 2, $x=5$일 때 최솟값 $\dfrac{1}{2}$을 갖는다.

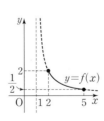

(3) 함수 $f(x)=\sqrt{2-x}$는 닫힌구간 $[-2, 2]$에서 연속이고, 이 구간에서 $y=f(x)$의 그래프는 오른쪽 그림과 같다.
따라서 함수 $f(x)$는 주어진 구간에서 $x=-2$일 때 최댓값 2, $x=2$일 때 최솟값 0을 갖는다.

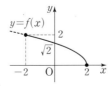

5 (1) 불연속이 되는 x의 값은 $x=0$, $x=2$로 2개이다.

(2) 닫힌구간 $[-1, 2]$에서 최솟값은 **없다.**

(3) $\lim\limits_{x\to 2-}f(x)=3$, $\lim\limits_{x\to 2+}f(x)=2$이므로
$\lim\limits_{x\to 2-}f(x)\neq\lim\limits_{x\to 2+}f(x)$
따라서 $\lim\limits_{x\to 2}f(x)$의 값은 존재하지 **않는다.**

(4) 열린구간 $(0, 3)$에서 최댓값 3을 갖는다.

7 $f(x)=2x^3-x-3$으로 놓으면 함수 $f(x)$는 닫힌구간 $[1, 3]$에서 연속이고 $f(1)=-2<0$, $f(3)=48>0$이므로 사잇값의 정리에 의하여 $f(c)=0$인 c가 열린구간 $(1, 3)$에 적어도 하나 존재한다.
즉, 방정식 $2x^3-x-3=0$은 열린구간 $(1, 3)$에서 적어도 하나의 실근을 갖는다.

2일 교과서 기출 베스트 **1**회 22~23쪽

1 (1) 불연속 (2) 불연속 **2** 4 **3** ④
4 4 **5** 5 **6** ④
7 최댓값: 없다, 최솟값: -1 **8** ②

1 (1) $x=2$에서의 함숫값 $f(2)$가 정의되지 않으므로 함수 $f(x)$는 $x=2$에서 불연속이다.

(2) $\lim\limits_{x\to 2-}f(x)=\lim\limits_{x\to 2-}\dfrac{|x-2|}{x-2}=\lim\limits_{x\to 2-}\dfrac{-(x-2)}{x-2}=-1$
$\lim\limits_{x\to 2+}f(x)=\lim\limits_{x\to 2+}\dfrac{|x-2|}{x-2}=\lim\limits_{x\to 2+}\dfrac{x-2}{x-2}=1$
$\therefore \lim\limits_{x\to 2-}f(x)\neq\lim\limits_{x\to 2+}f(x)$
따라서 $\lim\limits_{x\to 2}f(x)$의 값이 존재하지 않으므로 함수 $f(x)$는 $x=2$에서 불연속이다.

2 (i) $f(-1)=0$, $\lim\limits_{x\to -1}f(x)=2$이므로 $\lim\limits_{x\to -1}f(x)\neq f(-1)$
따라서 $f(x)$는 $x=-1$에서 불연속이다.

(ii) $\lim\limits_{x\to 0-}f(x)=2$, $\lim\limits_{x\to 0+}f(x)=-1$이므로
$\lim\limits_{x\to 0-}f(x)\neq\lim\limits_{x\to 0+}f(x)$
따라서 $\lim\limits_{x\to 0}f(x)$의 값이 존재하지 않으므로 $f(x)$는 $x=0$에서 불연속이다.

(iii) $f(1)=-2$, $\lim\limits_{x \to 1}f(x)=0$이므로 $\lim\limits_{x \to 1}f(x)\neq f(1)$

따라서 $f(x)$는 $x=1$에서 불연속이다.

(i), (ii), (iii)에서 극한값이 존재하지 않는 x의 값은 $x=0$이고,
불연속이 되는 x의 값은 $x=-1$, $x=0$, $x=1$이므로
$a=1$, $b=3$ $\therefore a+b=4$

3 함수 $f(x)$가 모든 실수 x에서 연속이려면 $x=1$에서 연속이어야 하므로

$\lim\limits_{x \to 1-}(3x^2+bx)=\lim\limits_{x \to 1+}(ax-5)=f(1)$

$3+b=a-5$ $\therefore a-b=8$

4 함수 $f(x)$가 $x=2$에서 연속이므로

$\lim\limits_{x \to 2}f(x)=f(2)$ $\therefore \lim\limits_{x \to 2}\dfrac{x^2-ax-2}{x-2}=b$ ······ ㉠

㉠에서 $\lim\limits_{x \to 2}(x-2)=0$이므로

$\lim\limits_{x \to 2}(x^2-ax-2)=4-2a-2=0$ $\therefore a=1$

$a=1$을 ㉠에 대입하면

$\lim\limits_{x \to 2}\dfrac{x^2-x-2}{x-2}=\lim\limits_{x \to 2}\dfrac{(x-2)(x+1)}{x-2}$
$=\lim\limits_{x \to 2}(x+1)=3=b$

$\therefore a+b=1+3=4$

5 $x\neq 1$일 때, $f(x)=\dfrac{x^2+3x+a}{x-1}$

함수 $f(x)$가 $x=1$에서 연속이므로

$f(1)=\lim\limits_{x \to 1}f(x)=\lim\limits_{x \to 1}\dfrac{x^2+3x+a}{x-1}$ ······ ㉠

㉠에서 $\lim\limits_{x \to 1}(x-1)=0$이므로

$\lim\limits_{x \to 1}(x^2+3x+a)=1+3+a=0$ $\therefore a=-4$

$a=-4$를 ㉠에 대입하면

$f(1)=\lim\limits_{x \to 1}\dfrac{x^2+3x-4}{x-1}=\lim\limits_{x \to 1}\dfrac{(x-1)(x+4)}{x-1}$
$=\lim\limits_{x \to 1}(x+4)=5$

6 ①, ②, ③ $2f(x)=2x^2+2$, $\{g(x)\}^2=4x^2$,
$f(x)+g(x)=x^2+2x+1$은 모두 다항함수이므로 모든 실수 x에서 연속이다.

④ $\dfrac{f(x)}{g(x)}=\dfrac{x^2+1}{2x}$은 $x=0$일 때 분모가 $g(0)=0$이다.

즉, $x=0$에서 정의되지 않으므로 함수 $\dfrac{f(x)}{g(x)}$는 $x=0$에서 불연속이다.

⑤ $\dfrac{g(x)}{f(x)}=\dfrac{2x}{x^2+1}$에서 모든 실수 x에 대하여 $x^2+1\neq 0$이므로 함수 $\dfrac{g(x)}{f(x)}$는 모든 실수 x에서 연속이다.

따라서 모든 실수 x에서 연속함수라 할 수 없는 것은 ④이다.

7 함수 $f(x)$는 닫힌구간 $[-2, 2]$에서 최댓값은 없고, $x=0$일 때 최솟값 -1을 갖는다.

8 $f(x)=2x^3+x-4$로 놓으면 $f(x)$는 모든 실수 x에서 연속이고

$f(0)=-4<0$, $f(1)=-1<0$, $f(2)=14>0$,
$f(3)=53>0$, $f(4)=128>0$, $f(5)=251>0$

따라서 $f(1)f(2)<0$이므로 사잇값의 정리에 의하여 주어진 방정식의 실근이 존재하는 구간은 ②이다.

2일 교과서 기출 베스트 2회 24~25쪽

1 ④	**2** ③	**3** ③	**4** ④
5 ③	**6** ⑤	**7** ㄱ, ㄷ	**8** 준수, 나래
9 ③			

1 함수 $f(x)=\dfrac{x+2}{x-a}$가 $x=a$에서 정의되지 않으므로 $f(x)$는 $x=a$에서 불연속이다. $\therefore a=1$

따라서 $f(x)=\dfrac{x+2}{x-1}$이므로

$\lim\limits_{x \to 2}f(x)=\lim\limits_{x \to 2}\dfrac{x+2}{x-1}=4$

2 (i) $f(-2)=0$, $\lim\limits_{x \to -2}f(x)=2$이므로 $\lim\limits_{x \to -2}f(x)\neq f(-2)$

따라서 $f(x)$는 $x=-2$에서 불연속이다.

(ii) $\lim\limits_{x \to -1-}f(x)=1$, $\lim\limits_{x \to -1+}f(x)=-1$이므로

$\lim\limits_{x \to -1-}f(x)\neq \lim\limits_{x \to -1+}f(x)$

따라서 $\lim\limits_{x \to -1}f(x)$의 값이 존재하지 않으므로 $f(x)$는 $x=-1$에서 불연속이다.

(iii) $f(0)=0$, $\lim\limits_{x \to 0}f(x)=1$이므로 $\lim\limits_{x \to 0}f(x)\neq f(0)$

따라서 $f(x)$는 $x=0$에서 불연속이다.

(i), (ii), (iii)에서 불연속이 되는 x의 값은 $x=-2$, $x=-1$, $x=0$이고, 극한값이 존재하지 않는 x의 값은 $x=-1$이므로
$a=3$, $b=1$ $\therefore ab=3$

3 ㄱ. $\lim_{x \to 0-} f(g(x)) = f(1) = 1$

ㄴ. $\lim_{x \to 0+} f(g(x)) = f(-1) = -1$이므로

$\lim_{x \to 0-} f(g(x)) \neq \lim_{x \to 0+} f(g(x))$

따라서 $\lim_{x \to 0} f(g(x))$의 값이 존재하지 않으므로 함수

$f(g(x))$는 $x = 0$에서 불연속이다.

ㄷ. $\lim_{x \to 0-} g(f(x)) = g(-1) = 1$

$\lim_{x \to 0+} g(f(x)) = g(1) = -1$

$\therefore \lim_{x \to 0-} g(f(x)) \neq \lim_{x \to 0+} g(f(x))$

따라서 $\lim_{x \to 0} g(f(x))$의 값이 존재하지 않으므로 함수

$g(f(x))$는 $x = 0$에서 **불연속**이다.

따라서 옳은 것은 ㄱ, ㄴ이다.

4 $f(0) = 1$이므로 $0 + b = 1$ $\therefore b = 1$

함수 $f(x)$가 실수 전체의 집합에서 연속이므로 $x = -1$, $x = 2$에서도 연속이다.

함수 $f(x)$가 $x = -1$에서 연속이려면

$\lim_{x \to -1-} (x^2 + c) = \lim_{x \to -1+} (x+1) = f(-1)$

$1 + c = -1 + 1$ $\therefore c = -1$

또, 함수 $f(x)$가 $x = 2$에서 연속이려면

$\lim_{x \to 2-} (x+1) = \lim_{x \to 2+} (ax+5) = f(2)$

$2 + 1 = 2a + 5$ $\therefore a = -1$

$\therefore abc = (-1) \times 1 \times (-1) = 1$

5 함수 $f(x)$가 $x = 1$에서 연속이려면 $\lim_{x \to 1} f(x) = f(1)$이어야

하므로

$\lim_{x \to 1} \dfrac{x^3 - a}{x - 1} = b$ ······ ㉠

㉠에서 $\lim_{x \to 1} (x-1) = 0$이므로

$\lim_{x \to 1} (x^3 - a) = 1 - a = 0$ $\therefore a = 1$

$a = 1$을 ㉠에 대입하면

$\lim_{x \to 1} \dfrac{x^3 - 1}{x - 1} = \lim_{x \to 1} \dfrac{(x-1)(x^2+x+1)}{x-1}$

$= \lim_{x \to 1} (x^2 + x + 1) = 3 = b$

$\therefore a + b = 1 + 3 = 4$

6 $(x^2 - 1)f(x) = x^3 + 2x^2 - x - 2$에서

$(x+1)(x-1)f(x) = (x+2)(x+1)(x-1)$이므로

$x \neq -1$이고 $x \neq 1$일 때

$f(x) = \dfrac{(x+2)(x+1)(x-1)}{(x+1)(x-1)} = x + 2$

함수 $f(x)$가 $x = -1$, $x = 1$에서 연속이므로

$f(-1)f(1) = \lim_{x \to -1} f(x) \times \lim_{x \to 1} f(x)$

$= \lim_{x \to -1} (x+2) \times \lim_{x \to 1} (x+2)$

$= 1 \times 3 = 3$

7 ㄱ. $f(x)$, $2g(x)$가 $x = a$에서 연속이므로 함수 $f(x) + 2g(x)$도 $x = a$에서 연속이다.

ㄴ. $f(g(x))$가 $x = a$에서 연속이려면 $\lim_{x \to a} f(g(x)) = f(g(a))$

이어야 한다.

따라서 함수 $f(x)$가 $x = g(a)$에서 연속이라는 조건이 필요하다.

ㄷ. $2f(x)$, $g(x)$가 $x = a$에서 연속이므로 함수 $2f(x)g(x)$도 $x = a$에서 연속이다.

ㄹ. $g(a) = 0$이면 함수 $\dfrac{1}{3g(x)}$은 $x = a$에서 정의되지 않으므로 함수 $f(x) + \dfrac{1}{3g(x)}$은 $x = a$에서 불연속이다.

따라서 $x = a$에서 항상 연속인 것은 ㄱ, ㄷ이다.

8 준수: $\lim_{x \to 0-} f(x) = 0$, $\lim_{x \to 0+} f(x) = 0$이므로

$\lim_{x \to 0-} f(x) = \lim_{x \to 0+} f(x)$

따라서 함수 $f(x)$는 $x = 0$에서 극한값이 존재한다.

은주: 함수 $f(x)$는 닫힌구간 $[1, 3]$에서 최솟값을 **갖지 않는다.**

나래: 함수 $y = f(x)$의 그래프가 $x = 0$, $x = 3$에서 끊어져 있으므로 함수 $f(x)$가 불연속이 되는 x의 값은 $x = 0$, $x = 3$의 2개이다.

지아: 함수 $f(x)$는 오른쪽 그림과 같이 열린구간 $(2, 4)$에서 최댓값을 갖지 **않는다.**

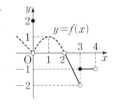

따라서 옳은 말을 한 사람은 준수, 나래이다.

9 함수 $f(x)$는 닫힌구간 $[0, 4]$에서 연속이고 $f(0)f(1) < 0$, $f(3)f(4) < 0$이므로 사잇값의 정리에 의하여 방정식 $f(x) = 0$은 열린구간 $(0, 1)$, $(3, 4)$에서 각각 적어도 하나의 실근을 갖는다.

따라서 방정식 $f(x) = 0$은 열린구간 $(0, 4)$에서 최소 2개의 실근을 갖는다.

1 (1) 5 (2) $4+\Delta x$ **2** (1) 12 (2) 17

3 ④   **4** (1) 2 (2) 3 (3) 탈출구 2

5 (1) 6 (2) 2   **6** ①

7 (1) 연속이다. (2) 미분가능하지 않다.

8 (1) 불연속이다. (2) 미분가능하지 않다.

1 (1) $\dfrac{\Delta y}{\Delta x}=\dfrac{f(4)-f(-1)}{4-(-1)}$

$\qquad =\dfrac{(4^2+2\times4)-\{(-1)^2+2\times(-1)\}}{5}$

$\qquad =5$

(2) $\dfrac{\Delta y}{\Delta x}=\dfrac{f(1+\Delta x)-f(1)}{(1+\Delta x)-1}$

$\qquad =\dfrac{\{(1+\Delta x)^2+2(1+\Delta x)\}-(1^2+2\times1)}{\Delta x}$

$\qquad =\dfrac{4\Delta x+(\Delta x)^2}{\Delta x}$

$\qquad =4+\Delta x$

2 (1) $f'(3)=\lim\limits_{\Delta x\to0}\dfrac{f(3+\Delta x)-f(3)}{\Delta x}$

$\qquad =\lim\limits_{\Delta x\to0}\dfrac{\{2(3+\Delta x)^2+3\}-(2\times3^2+3)}{\Delta x}$

$\qquad =\lim\limits_{\Delta x\to0}\dfrac{12\Delta x+2(\Delta x)^2}{\Delta x}$

$\qquad =\lim\limits_{\Delta x\to0}(12+2\Delta x)=12$

(2) $f'(3)=\lim\limits_{\Delta x\to0}\dfrac{f(3+\Delta x)-f(3)}{\Delta x}$

$\qquad =\lim\limits_{\Delta x\to0}\dfrac{\{3(3+\Delta x)^2-(3+\Delta x)\}-(3\times3^2-3)}{\Delta x}$

$\qquad =\lim\limits_{\Delta x\to0}\dfrac{17\Delta x+3(\Delta x)^2}{\Delta x}$

$\qquad =\lim\limits_{\Delta x\to0}(17+3\Delta x)=17$

3 $f'(1)=\lim\limits_{\Delta x\to0}\dfrac{f(1+\Delta x)-f(1)}{\Delta x}$

$\qquad =\lim\limits_{\Delta x\to0}\dfrac{\{(1+\Delta x)^2+2(1+\Delta x)-1\}-(1^2+2\times1-1)}{\Delta x}$

$\qquad =\lim\limits_{\Delta x\to0}\dfrac{4\Delta x+(\Delta x)^2}{\Delta x}$

$\qquad =\lim\limits_{\Delta x\to0}(4+\Delta x)=4$

4 (1) 닫힌구간 $[0, 3]$에서의 평균변화율은

$\qquad \dfrac{f(3)-f(0)}{3-0}=\dfrac{(3^2-3)-0}{3}=2$

(2) $x=2$에서의 미분계수는

$\qquad f'(2)=\lim\limits_{\Delta x\to0}\dfrac{f(2+\Delta x)-f(2)}{\Delta x}$

$\qquad\quad =\lim\limits_{\Delta x\to0}\dfrac{\{(2+\Delta x)^2-(2+\Delta x)\}-(2^2-2)}{\Delta x}$

$\qquad\quad =\lim\limits_{\Delta x\to0}\dfrac{3\Delta x+(\Delta x)^2}{\Delta x}=\lim\limits_{\Delta x\to0}(3+\Delta x)=3$

(3) 선택해야 할 탈출구는 탈출구 2이다.

5 (1) $f(x)=3x^2-1$이라 하면 구하는 접선의 기울기는 $f'(1)$

이므로

$\qquad f'(1)=\lim\limits_{\Delta x\to0}\dfrac{f(1+\Delta x)-f(1)}{\Delta x}$

$\qquad\quad =\lim\limits_{\Delta x\to0}\dfrac{\{3(1+\Delta x)^2-1\}-(3\times1^2-1)}{\Delta x}$

$\qquad\quad =\lim\limits_{\Delta x\to0}\dfrac{6\Delta x+3(\Delta x)^2}{\Delta x}$

$\qquad\quad =\lim\limits_{\Delta x\to0}(6+3\Delta x)=6$

(2) $f(x)=x^2+2x-3$이라 하면 구하는 접선의 기울기는

$\qquad f'(0)$이므로

$\qquad f'(0)=\lim\limits_{\Delta x\to0}\dfrac{f(0+\Delta x)-f(0)}{\Delta x}$

$\qquad\quad =\lim\limits_{\Delta x\to0}\dfrac{\{(\Delta x)^2+2\Delta x-3\}-(0^2+2\times0-3)}{\Delta x}$

$\qquad\quad =\lim\limits_{\Delta x\to0}\dfrac{(\Delta x)^2+2\Delta x}{\Delta x}$

$\qquad\quad =\lim\limits_{\Delta x\to0}(\Delta x+2)=2$

6 $f(x)=-2x^2+1$이라 하면 구하는 접선의 기울기는 $f'(2)$이

므로

$\qquad f'(2)=\lim\limits_{\Delta x\to0}\dfrac{f(2+\Delta x)-f(2)}{\Delta x}$

$\qquad\quad =\lim\limits_{\Delta x\to0}\dfrac{\{-2(2+\Delta x)^2+1\}-(-2\times2^2+1)}{\Delta x}$

$\qquad\quad =\lim\limits_{\Delta x\to0}\dfrac{-8\Delta x-2(\Delta x)^2}{\Delta x}$

$\qquad\quad =\lim\limits_{\Delta x\to0}(-8-2\Delta x)=-8$

7 (1) $f(1)=0$이고 $\lim\limits_{x\to1}f(x)=\lim\limits_{x\to1}|x-1|=0$이므로

$\qquad \lim\limits_{x\to1}f(x)=f(1)$

$\qquad$ 따라서 함수 $f(x)$는 $x=1$에서 연속이다.

(2) $\lim\limits_{h\to0-}\dfrac{f(1+h)-f(1)}{h}=\lim\limits_{h\to0-}\dfrac{|h|-0}{h}$

$\qquad\qquad\qquad\qquad\qquad =\lim\limits_{h\to0-}\dfrac{-h}{h}=-1$

$$\lim_{h \to 0+} \frac{f(1+h)-f(1)}{h} = \lim_{h \to 0+} \frac{|h|-0}{h}$$
$$= \lim_{h \to 0+} \frac{h}{h} = 1$$

따라서 $\lim_{h \to 0} \frac{f(1+h)-f(1)}{h}$이 존재하지 않으므로 함수

$f(x)$는 $x=1$에서 미분가능하지 않다.

8 (1) $\lim_{x \to -1-} f(x) = \lim_{x \to -1-} (-x) = 1$

$\lim_{x \to -1+} f(x) = \lim_{x \to -1+} x = -1$

$\therefore \lim_{x \to -1-} f(x) \neq \lim_{x \to -1+} f(x)$

따라서 $\lim_{x \to -1} f(x)$가 존재하지 않으므로 함수 $f(x)$는

$x=-1$에서 불연속이다.

(2) 함수 $f(x)$가 $x=-1$에서 불연속이므로 미분가능하지 않다.

3일 교과서 기출 베스트 1회 32~33쪽

1 ④　　**2** 2　　**3** ⑤　　**4** ⑤

5 ①　　**6** ㄱ

7 연속이지만 미분가능하지 않다.　　**8** ③

1 함수 $f(x)$에서 x의 값이 a에서 $a+1$까지 변할 때의 평균변화율은

$$\frac{\Delta y}{\Delta x} = \frac{f(a+1)-f(a)}{(a+1)-a}$$
$$= \frac{\{(a+1)^2 - 5(a+1)\} - (a^2 - 5a)}{1}$$
$$= 2a - 4 = 2$$

$\therefore a = 3$

2 함수 $f(x)$에서 x의 값이 1에서 3까지 변할 때의 평균변화율은

$$\frac{\Delta y}{\Delta x} = \frac{f(3)-f(1)}{3-1}$$
$$= \frac{(3^2 - 3 \times 3 + 4) - (1^2 - 3 \times 1 + 4)}{2}$$
$$= \frac{4-2}{2} = 1$$

또, 함수 $f(x)$의 $x=a$에서의 미분계수는

$$f'(a) = \lim_{h \to 0} \frac{f(a+h)-f(a)}{h}$$
$$= \lim_{h \to 0} \frac{\{(a+h)^2 - 3(a+h) + 4\} - (a^2 - 3a + 4)}{h}$$
$$= \lim_{h \to 0} \frac{(2a-3)h + h^2}{h}$$
$$= \lim_{h \to 0} (2a - 3 + h) = 2a - 3$$

즉, $2a - 3 = 1$에서 $a = 2$

3 $\lim_{h \to 0} \frac{f(1+h)-f(1)}{h} = \lim_{h \to 0} \frac{\{(1+h)^2 + (1+h)\} - (1^2 + 1)}{h}$
$$= \lim_{h \to 0} \frac{3h + h^2}{h}$$
$$= \lim_{h \to 0} (3 + h) = 3$$

4 $\lim_{h \to 0} \frac{f(1+h)-f(1-h)}{h}$

$$= \lim_{h \to 0} \frac{f(1+h) - f(1) + f(1) - f(1-h)}{h}$$
$$= \lim_{h \to 0} \frac{\{f(1+h) - f(1)\} - \{f(1-h) - f(1)\}}{h}$$
$$= \lim_{h \to 0} \frac{f(1+h) - f(1)}{h} + \lim_{h \to 0} \frac{f(1-h) - f(1)}{-h}$$

$\quad\quad\quad\quad\quad\quad\quad\quad\quad\quad\quad \longmapsto h \to 0$일 때, $-h \to 0$

$$= f'(1) + f'(1) = 2f'(1)$$
$$= 2 \times 3 = 6$$

5 $\lim_{x \to 1} \frac{f(x^2)-f(1)}{x-1} = \lim_{x \to 1} \left\{ \frac{f(x^2)-f(1)}{x^2-1} \times (x+1) \right\}$

$$= \lim_{x \to 1} \frac{f(x^2)-f(1)}{x^2-1} \times \lim_{x \to 1} (x+1)$$

$\quad\quad\quad\quad \longmapsto x \to 1$일 때, $x^2 \to 1$

$$= 2f'(1)$$
$$= 2 \times (-1) = -2$$

6 ㄱ. 점 $(a, f(a))$에서의 접선의 기울기가 점 $(b, f(b))$에서의 접선의 기울기보다 크므로 $f'(a) > f'(b)$

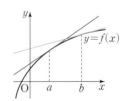

　ㄴ. 두 점 $(a, f(a))$, $(b, f(b))$를 지나는 직선의 기울기가 점 $(a, f(a))$에서의 접선의 기울기보다 작으므로

$$\frac{f(b)-f(a)}{b-a} < f'(a)$$

따라서 옳은 것은 ㄱ이다.

7 (i) $f(1) = 0$이고 $\lim_{x \to 1} f(x) = \lim_{x \to 1} |x^2 - 1| = 0$이므로

$\lim_{x \to 1} f(x) = f(1)$

따라서 함수 $f(x)$는 $x=1$에서 연속이다.

(ii) $\displaystyle\lim_{h \to 0-} \frac{f(1+h)-f(1)}{h} = \lim_{h \to 0-} \frac{|h^2+2h|}{h}$

$\qquad\qquad\qquad\qquad = \lim_{h \to 0-} \frac{|h(h+2)|}{h}$

$\qquad\qquad\qquad\qquad = \lim_{h \to 0-} \frac{-h(h+2)}{h}$

$\qquad\qquad\qquad\qquad = \lim_{h \to 0-} (-h-2) = -2$

$\displaystyle\lim_{h \to 0+} \frac{f(1+h)-f(1)}{h} = \lim_{h \to 0+} \frac{|h^2+2h|}{h}$

$\qquad\qquad\qquad\qquad = \lim_{h \to 0+} \frac{|h(h+2)|}{h}$

$\qquad\qquad\qquad\qquad = \lim_{h \to 0+} \frac{h(h+2)}{h}$

$\qquad\qquad\qquad\qquad = \lim_{h \to 0+} (h+2) = 2$

따라서 $\displaystyle\lim_{h \to 0} \frac{f(1+h)-f(1)}{h}$이 존재하지 않으므로 함수

$f(x)$는 $x=1$에서 미분가능하지 않다.

(i), (ii)에서 함수 $f(x)=|x^2-1|$은 $x=1$에서 연속이지만 미분가능하지 않다.

8 (i) 함수 $y=f(x)$의 그래프에서 불연속인 점은 그래프가 연결되어 있지 않고 끊어져 있는 점이다.

따라서 불연속인 점은 $x=2$, $x=3$, $x=4$일 때이므로

$a=3$

(ii) 함수 $y=f(x)$의 그래프에서 미분가능하지 않은 점은 불연속인 점과 꺾인 점이다.

따라서 미분가능하지 않은 점은 $x=1$, $x=2$, $x=3$, $x=4$일 때이므로 $b=4$

(i), (ii)에서 $a+b=3+4=7$

3일 교과서 기출 베스트 2회   34~35쪽

1 ⑤	**2** ④	**3** ②	**4** ⑤
5 ③	**6** ②	**7** ⑤	**8** ㄱ
9 ②			

1 함수 $f(x)$에서 x의 값이 -1에서 3까지 변할 때의 평균변화율은

$\dfrac{\Delta y}{\Delta x} = \dfrac{f(3)-f(-1)}{3-(-1)}$

$\qquad = \dfrac{(2 \times 3^2+7)-\{2 \times (-1)^2+7\}}{4}$

$\qquad = \dfrac{25-9}{4} = 4$

또, 함수 $f(x)$에서 x의 값이 -3에서 a까지 변할 때의 평균변화율은

$\dfrac{\Delta y}{\Delta x} = \dfrac{f(a)-f(-3)}{a-(-3)}$

$\qquad = \dfrac{(2a^2+7)-\{2 \times (-3)^2+7\}}{a+3}$

$\qquad = \dfrac{2a^2-18}{a+3} = \dfrac{2(a+3)(a-3)}{a+3}$

$\qquad = 2a-6$

즉, $2a-6=4$에서 $a=5$

2 섭씨온도 C와 화씨온도 F 사이에 $F=\dfrac{9}{5}C+32$인 관계가 성립하므로

섭씨온도가 0 ℃일 때 ➡ $\dfrac{9}{5} \times 0+32=32\,°\mathrm{F}$

섭씨온도가 10 ℃일 때 ➡ $\dfrac{9}{5} \times 10+32=50\,°\mathrm{F}$

이때, 섭씨온도 C에 대한 화씨온도 F의 평균변화율은

$\dfrac{50-32}{10-0} = \dfrac{18}{10} = \dfrac{9}{5}$

3 함수 $f(x)$에서 x의 값이 1에서 k까지 변할 때의 평균변화율은

$\dfrac{\Delta y}{\Delta x} = \dfrac{f(k)-f(1)}{k-1}$

$\qquad = \dfrac{(k^2-k+5)-(1^2-1+5)}{k-1}$

$\qquad = \dfrac{k^2-k}{k-1} = \dfrac{k(k-1)}{k-1} = k$

또, 함수 $f(x)$의 $x=3$에서의 미분계수는

$f'(3) = \displaystyle\lim_{h \to 0} \frac{f(3+h)-f(3)}{h}$

$\qquad = \displaystyle\lim_{h \to 0} \frac{\{(3+h)^2-(3+h)+5\}-(3^2-3+5)}{h}$

$\qquad = \displaystyle\lim_{h \to 0} \frac{5h+h^2}{h} = \lim_{h \to 0} (5+h) = 5$

$\therefore k=5$

4 $\displaystyle\lim_{h \to 0} \frac{f(2+h)-f(2)}{h}$

$= \displaystyle\lim_{h \to 0} \frac{\{5(2+h)^2-(2+h)\}-(5 \times 2^2-2)}{h}$

$= \displaystyle\lim_{h \to 0} \frac{19h+5h^2}{h} = \lim_{h \to 0} (19+5h) = 19$

5 $\displaystyle\lim_{h\to 0}\frac{f(2+h)-f(2-2h)}{5h}$

$\displaystyle=\lim_{h\to 0}\frac{f(2+h)-f(2)+f(2)-f(2-2h)}{5h}$

$\displaystyle=\lim_{h\to 0}\frac{f(2+h)-f(2)}{5h}+\lim_{h\to 0}\frac{f(2-2h)-f(2)}{-5h}$

$\displaystyle=\lim_{h\to 0}\frac{f(2+h)-f(2)}{h}\times\frac{1}{5}+\lim_{h\to 0}\frac{f(2-2h)-f(2)}{-2h}\times\frac{2}{5}$

$\qquad\qquad\qquad\qquad\qquad\qquad\qquad\underset{\rightarrow\ h\to 0일\ 때,\ -2h\to 0}{}$

$\displaystyle=f'(2)\times\frac{1}{5}+f'(2)\times\frac{2}{5}$

$\displaystyle=\frac{3}{5}f'(2)=\frac{3}{5}\times 10=6$

6 $\displaystyle\lim_{x\to 2}\frac{f(x)-f(2)}{x^2-4}=\lim_{x\to 2}\frac{f(x)-f(2)}{(x-2)(x+2)}$

$\displaystyle\qquad\qquad\qquad=\lim_{x\to 2}\frac{f(x)-f(2)}{x-2}\times\lim_{x\to 2}\frac{1}{x+2}$

$\displaystyle\qquad\qquad\qquad=f'(2)\times\frac{1}{4}=-8\times\frac{1}{4}=-2$

7 ㄱ. $\dfrac{f(b)-f(a)}{b-a}$ 는 두 점 $(a,\ f(a))$, $(b,\ f(b))$를 지나는 직선의 기울기와 같고, 이 직선의 기울기가 직선 $y=x$의 기울기보다 작으므로

$\qquad\dfrac{f(b)-f(a)}{b-a}<1$

ㄴ. $\dfrac{f(a)}{a}=\dfrac{f(a)-0}{a-0}$, $\dfrac{f(b)}{b}=\dfrac{f(b)-0}{b-0}$

두 점 $(0,\ 0)$, $(a,\ f(a))$를 지나는 직선의 기울기가 두 점 $(0,\ 0)$, $(b,\ f(b))$를 지나는 직선의 기울기보다 크므로

$\qquad\dfrac{f(a)}{a}>\dfrac{f(b)}{b}$

ㄷ. 점 $(a,\ f(a))$에서의 접선의 기울기가 점 $(b,\ f(b))$에서의 접선의 기울기보다 크므로

$\qquad f'(a)>f'(b)$

따라서 옳은 것은 ㄴ, ㄷ이다.

8 ㄱ. $\displaystyle\lim_{x\to 0}f(x)=f(0)=0$이므로 함수 $f(x)$는 $x=0$에서 연속이다.

$\displaystyle\lim_{h\to 0-}\frac{f(h)-f(0)}{h}=\lim_{h\to 0-}\frac{-h}{h}=-1$

$\displaystyle\lim_{h\to 0+}\frac{f(h)-f(0)}{h}=\lim_{h\to 0+}\frac{h^2}{h}=\lim_{h\to 0+}h=0$

따라서 $\displaystyle\lim_{h\to 0}\frac{f(h)-f(0)}{h}$이 존재하지 않으므로 함수 $f(x)$는 $x=0$에서 미분가능하지 않다.

ㄴ. $\displaystyle\lim_{x\to 0-}g(x)=\lim_{x\to 0-}\left(\frac{-x}{x}+1\right)=0$

$\displaystyle\lim_{x\to 0+}g(x)=\lim_{x\to 0+}\left(\frac{x}{x}+1\right)=2$

따라서 $\displaystyle\lim_{x\to 0}g(x)$가 존재하지 않으므로 함수 $g(x)$는 $x=0$에서 불연속이다.

ㄷ. $\displaystyle\lim_{x\to 0}l(x)=l(0)=1$이므로 함수 $l(x)$는 $x=0$에서 연속이다.

$\displaystyle\lim_{h\to 0-}\frac{l(h)-l(0)}{h}=\lim_{h\to 0-}\frac{(-2h+1)-1}{h}=-2$

$\displaystyle\lim_{h\to 0+}\frac{l(h)-l(0)}{h}=\lim_{h\to 0+}\frac{(h-1)^2-1}{h}=\lim_{h\to 0+}\frac{h^2-2h}{h}$

$\displaystyle\qquad\qquad\qquad\qquad\qquad=\lim_{h\to 0+}(h-2)=-2$

따라서 $\displaystyle\lim_{h\to 0}\frac{l(h)-l(0)}{h}$이 존재하므로 함수 $l(x)$는 $x=0$에서 미분가능하다.

따라서 $x=0$에서 연속이지만 미분가능하지 않은 함수는 ㄱ이다.

9 (i) 함수 $y=f(x)$의 그래프에서 불연속인 점은 그래프가 연결되어 있지 않고 끊어져 있는 점이다.

따라서 불연속인 점은 $x=-1$, $x=0$, $x=2$일 때이므로 $a=3$

(ii) 함수 $y=f(x)$의 그래프에서 미분가능하지 않은 점은 불연속인 점과 꺾인 점이다.

따라서 미분가능하지 않은 점은 $x=-1$, $x=0$, $x=1$, $x=2$일 때이므로 $b=4$

(i), (ii)에서 $b-a=4-3=1$

4일 **시험지 속 개념 문제** 39, 41쪽

1 (가) $2xh+h^2$ (나) $2x$

2 (1) $f'(x)=-4x,\ f'(1)=-4$ (2) $f'(x)=2x+5,\ f'(1)=7$

3 (1) $f'(x)=1$ (2) $f'(x)=100x^{99}$ (3) $f'(x)=0$

4 ③

5 (1) $y'=-6x^2+2x$ (2) $y'=2x^5-x^3+2x$

(3) $y'=-6x^2+20x-12$ (4) $y'=4x^3-6x^2-6x-2$

(5) $y'=10(2x-1)^4$

6 ⑤

7 -10

2 (1) $f'(x) = \lim\limits_{h \to 0} \dfrac{f(x+h)-f(x)}{h}$

$\quad\quad = \lim\limits_{h \to 0} \dfrac{\{-2(x+h)^2+1\}-(-2x^2+1)}{h}$

$\quad\quad = \lim\limits_{h \to 0} \dfrac{-4xh-2h^2}{h}$

$\quad\quad = \lim\limits_{h \to 0} (-4x-2h) = -4x$

$\quad\therefore f'(1) = -4 \times 1 = -4$

(2) $f'(x) = \lim\limits_{h \to 0} \dfrac{f(x+h)-f(x)}{h}$

$\quad\quad = \lim\limits_{h \to 0} \dfrac{\{(x+h)^2+5(x+h)+7\}-(x^2+5x+7)}{h}$

$\quad\quad = \lim\limits_{h \to 0} \dfrac{h^2+(2x+5)h}{h}$

$\quad\quad = \lim\limits_{h \to 0} (h+2x+5) = 2x+5$

$\quad\therefore f'(1) = 2 \times 1 + 5 = 7$

4 함수 $f(x)=x^n$에 대하여 $f'(x)=nx^{n-1}$이므로 $f'(1)=n$
이때, 주어진 조건에서 $f'(1)=57$이므로 $n=57$

5 (1) $y' = -2(x^3)'+(x^2)'-(5)'$

$\quad\quad = -2 \times 3x^2 + 2x = -6x^2 + 2x$

(2) $y' = \dfrac{1}{3}(x^6)' - \dfrac{1}{4}(x^4)' + (x^2)' + (1)'$

$\quad\quad = \dfrac{1}{3} \times 6x^5 - \dfrac{1}{4} \times 4x^3 + 2x$

$\quad\quad = 2x^5 - x^3 + 2x$

(3) $y' = (-2x+4)'(x^2-3x) + (-2x+4)(x^2-3x)'$

$\quad\quad = -2(x^2-3x) + (-2x+4)(2x-3)$

$\quad\quad = (-2x^2+6x) + (-4x^2+14x-12)$

$\quad\quad = -6x^2 + 20x - 12$

(4) $y' = (x^2+1)'(x^2-2x-4) + (x^2+1)(x^2-2x-4)'$

$\quad\quad = 2x(x^2-2x-4) + (x^2+1)(2x-2)$

$\quad\quad = (2x^3-4x^2-8x) + (2x^3-2x^2+2x-2)$

$\quad\quad = 4x^3 - 6x^2 - 6x - 2$

(5) $y' = \{(2x-1)^5\}' = 5(2x-1)^4(2x-1)'$

$\quad\quad = 5(2x-1)^4 \times 2 = 10(2x-1)^4$

6 $f'(x) = (x-1)'(2x-1)(3x-1)$

$\quad\quad\quad\quad\quad + (x-1)(2x-1)'(3x-1)$

$\quad\quad\quad\quad\quad + (x-1)(2x-1)(3x-1)'$

$\quad\quad = (2x-1)(3x-1) + 2(x-1)(3x-1)$

$\quad\quad\quad\quad\quad + 3(x-1)(2x-1)$

$\quad\quad = (6x^2-5x+1) + (6x^2-8x+2) + (6x^2-9x+3)$

$\quad\quad = 18x^2 - 22x + 6$

따라서 $a=18$, $b=-22$, $c=6$이므로 $a+b+c=2$

7 [민석이의 방법]

$f(x) = (x^3+x)(x-1) = x^4-x^3+x^2-x$이므로

$f'(x) = (x^4)' - (x^3)' + (x^2)' - (x)'$

$\quad\quad = 4x^3 - 3x^2 + 2x - 1$

$\therefore f'(-1) = -4-3-2-1 = -10$

[희진이의 방법]

$f'(x) = (x^3+x)'(x-1) + (x^3+x)(x-1)'$

$\quad\quad = (3x^2+1)(x-1) + (x^3+x) \times 1$

$\therefore f'(-1) = 4 \times (-2) + (-2) \times 1 = -10$

4일 교과서 기출 베스트 1회 · 42~43쪽

1 ④   **2** ②   **3** ⑤

4 $a=-2$, $b=3$ **5** ①   **6** $a=2$, $b=0$

7 $f'(x)=x+2$ **8** ⑤

1 함수 $f(x)=x^3+ax^2-2x+4$에서

$f'(x) = 3x^2 + 2ax - 2$

이때, $f'(1)=5$이므로 $2a+1=5$

$\therefore a=2$

2 $f(x)=(x+1)(2x^2-1)$에서

$f'(x) = (x+1)'(2x^2-1) + (x+1)(2x^2-1)'$

$\quad\quad = (2x^2-1) + 4x(x+1)$ ······ ㉠

$g(x) = (2x^2-5x+1)^2$에서

$g'(x) = 2(2x^2-5x+1)(2x^2-5x+1)'$

$\quad\quad = 2(2x^2-5x+1)(4x-5)$ ······ ㉡

이때, $h(x)=f(x)-g(x)$에서 $h'(x)=f'(x)-g'(x)$이므로 함수 $h(x)$의 $x=1$에서의 미분계수는

$h'(1) = f'(1) - g'(1)$

㉠, ㉡에서 $f'(1)=9$, $g'(1)=4$

$\therefore h'(1) = f'(1) - g'(1) = 9-4 = 5$

3 $\lim\limits_{h \to 0} \dfrac{f(-1+3h)-f(-1)}{2h}$

$= \lim\limits_{h \to 0} \dfrac{f(-1+3h)-f(-1)}{3h} \times \dfrac{3}{2}$

$\underrightarrow{\quad h \to 0 \text{일 때, } 3h \to 0 \quad}$

$= \dfrac{3}{2}f'(-1)$

이때, $f(x)=x^6+4x^3-1$에서 $f'(x)=6x^5+12x^2$이므로

$f'(-1) = -6+12 = 6$

$\therefore \dfrac{3}{2}f'(-1) = \dfrac{3}{2} \times 6 = 9$

4 $\lim\limits_{x \to 1} \dfrac{f(x)}{x-1}=7$에서 $\lim\limits_{x \to 1}(x-1)=0$이므로 $\lim\limits_{x \to 1}f(x)=0$이다.

즉, $f(1)=0$이므로

$$\lim_{x \to 1} \frac{f(x)}{x-1}=\lim_{x \to 1}\frac{f(x)-f(1)}{x-1}=f'(1)=7$$

한편, $f(x)=x^3+2ax^2+4bx-3b$에서

$f'(x)=3x^2+4ax+4b$이므로

$f(1)=1+2a+4b-3b=0$　∴ $2a+b=-1$ ······ ㉠

$f'(1)=3+4a+4b=7$　∴ $a+b=1$ ······ ㉡

㉠, ㉡을 연립하여 풀면

$a=-2,\ b=3$

5 점 $(1, 1)$이 함수 $y=f(x)$의 그래프 위의 점이므로

$f(1)=1+a+b=1$　∴ $a+b=0$ ······ ㉠

또, 점 $(1, 1)$에서의 접선의 기울기가 5이므로

$f'(1)=5$

이때, $f'(x)=2x+a$이므로

$f'(1)=2+a=5$　∴ $a=3$

$a=3$을 ㉠에 대입하면 $b=-3$

∴ $ab=3 \times (-3)=-9$

6 $g(x)=x^2+1,\ h(x)=ax+b$라 하면

$g'(x)=2x,\ h'(x)=a$

함수 $f(x)$가 $x=1$에서 연속이므로 $g(1)=h(1)$

∴ $a+b=2$ ······ ㉠

함수 $f(x)$가 $x=1$에서 미분가능하므로 $g'(1)=h'(1)$

∴ $a=2$

$a=2$를 ㉠에 대입하면 $b=0$

다른 풀이

함수 $f(x)$가 $x=1$에서 미분가능하므로 $x=1$에서 연속이다.

즉, $\lim\limits_{x \to 1-}f(x)=f(1)$이므로 $a+b=2$ ······ ㉠

또, $f'(1)$이 존재하므로

$$\lim_{h \to 0-}\frac{f(1+h)-f(1)}{h}=\lim_{h \to 0-}\frac{\{a(1+h)+b\}-(a+b)}{h}$$
$$=\lim_{h \to 0-}\frac{ah}{h}=a$$
$$\lim_{h \to 0+}\frac{f(1+h)-f(1)}{h}=\lim_{h \to 0+}\frac{\{(1+h)^2+1\}-(1^2+1)}{h}$$
$$=\lim_{h \to 0+}\frac{2h+h^2}{h}$$
$$=\lim_{h \to 0+}(2+h)=2$$

∴ $a=2$

$a=2$를 ㉠에 대입하면 $b=0$

7 $f(x+y)=f(x)+f(y)+xy$의 양변에 $x=0,\ y=0$을 대입하면

$f(0)=f(0)+f(0)$　∴ $f(0)=0$

$$\therefore f'(x)=\lim_{h \to 0}\frac{f(x+h)-f(x)}{h}$$
$$=\lim_{h \to 0}\frac{f(x)+f(h)+xh-f(x)}{h}$$
$$=\lim_{h \to 0}\frac{f(h)+xh}{h}$$
$$=\lim_{h \to 0}\frac{f(h)}{h}+x$$
$$=\lim_{h \to 0}\frac{f(h)-f(0)}{h}+x\ (\because f(0)=0)$$
$$=f'(0)+x$$
$$=x+2$$

8 다항식 $x^3-3ax+b$를 $(x+a)^2$으로 나누었을 때의 몫을 $Q(x)$라 하면

$x^3-3ax+b=(x+a)^2Q(x)$ ······ ㉠

㉠의 양변에 $x=-a$를 대입하면

$-a^3+3a^2+b=0$　∴ $b=a^3-3a^2$ ······ ㉡

㉠의 양변을 x에 대하여 미분하면

$3x^2-3a=2(x+a)Q(x)+(x+a)^2Q'(x)$

이 식의 양변에 $x=-a$를 대입하면

$3a^2-3a=0,\ 3a(a-1)=0$

∴ $a=1\ (\because a>0)$

$a=1$을 ㉡에 대입하면

$b=1-3=-2$

∴ $a-b=1-(-2)=3$

4일 **교과서 기출 베스트** ②회 　　44~45쪽

1 (1) $f(x)=x^2,\ g(x)=60x$　(2) 220　　**2** ④

3 ③　　**4** ②　　**5** ⑤　　**6** ⑤

7 ①　　**8** ②　　**9** ③　　**10** ③

1 (1) $f(x)=x \times x=x^2,\ g(x)=60 \times x=60x$

(2) $\{f(x)+g(x)\}'=f'(x)+g'(x)=2x+60$

이므로 $x=80$일 때

$2 \times 80+60=220$

2 $f(-1)=1$에서 $a-b+c=1$ $\qquad$ ……㉠

$f'(x)=2ax+b$이므로

$f'(1)=4$에서 $2a+b=4$ $\qquad$ ……㉡

$f'(2)=6$에서 $4a+b=6$ $\qquad$ ……㉢

㉠, ㉡, ㉢을 연립하여 풀면 $a=1$, $b=2$, $c=2$

$\therefore abc=1\times2\times2=4$

3 주어진 식의 우변을 인수분해하면

$(x^2+x+1)f(x)=(x-1)(x^2+x+1)(x^3+2)$

$f(x)=(x-1)(x^3+2)$ $(\because x^2+x+1>0)$

$f'(x)=(x-1)'(x^3+2)+(x-1)(x^3+2)'$

$\qquad=1\times(x^3+2)+(x-1)\times3x^2$

$\therefore f'(1)=3$

4 $\displaystyle\lim_{x\to1}\frac{\{f(x)\}^2-\{f(1)\}^2}{x-1}$

$\displaystyle=\lim_{x\to1}\left[\frac{f(x)-f(1)}{x-1}\times\{f(x)+f(1)\}\right]$

$\displaystyle=\lim_{x\to1}\frac{f(x)-f(1)}{x-1}\times\lim_{x\to1}\{f(x)+f(1)\}$

$=f'(1)\times2f(1)$

이때, $f(x)=3x^3+x^2-5x+2$에서 $f(1)=1$

또, $f'(x)=9x^2+2x-5$이므로 $f'(1)=6$

$\therefore f'(1)\times2f(1)=6\times2\times1=12$

5 $f(1)=1+a+b=-2$ $\quad\therefore a+b=-3$ $\quad$ ……㉠

$\displaystyle\lim_{x\to1}\frac{f(x)-f(1)}{\sqrt{x}-1}=\lim_{x\to1}\left\{\frac{f(x)-f(1)}{x-1}\times(\sqrt{x}+1)\right\}$

$\displaystyle\qquad=\lim_{x\to1}\frac{f(x)-f(1)}{x-1}\times\lim_{x\to1}(\sqrt{x}+1)$

$\qquad=2f'(1)$

즉, $2f'(1)=10$이므로 $f'(1)=5$

한편, $f(x)=x^2+ax+b$에서

$f'(x)=2x+a$이므로

$f'(1)=2+a=5$ $\quad\therefore a=3$

$a=3$을 ㉠에 대입하면 $b=-6$

$\therefore a-b=3-(-6)=9$

6 $f(x)=(2x-1)^2(5x-a)$로 놓으면

$f'(x)=\{(2x-1)^2\}'(5x-a)+(2x-1)^2(5x-a)'$

$\qquad=\{2(2x-1)\times2\}(5x-a)+(2x-1)^2\times5$

$\qquad=4(2x-1)(5x-a)+5(2x-1)^2$

$\qquad=(2x-1)(30x-4a-5)$

이때, 곡선 $y=f(x)$ 위의 $x=1$인 점에서의 접선의 기울기가 5이므로

$f'(1)=1\times(25-4a)=5$

$\therefore a=5$

7 $g(x)=ax^2+bx$, $h(x)=x^2+2$라 하면

$g'(x)=2ax+b$

$h'(x)=2x$

함수 $f(x)$가 $x=2$에서 연속이므로

$g(2)=h(2)$

$4a+2b=6$ $\quad\therefore 2a+b=3$ $\qquad$ ……㉠

함수 $f(x)$가 $x=2$에서 미분가능하므로

$g'(2)=h'(2)$ $\quad\therefore 4a+b=4$ $\qquad$ ……㉡

㉠, ㉡을 연립하여 풀면 $a=\dfrac{1}{2}$, $b=2$

$\therefore ab=1$

8 $f(x+y)=f(x)+f(y)-xy$의 양변에 $x=0$, $y=0$을 대입하면

$f(0)=f(0)+f(0)$

$\therefore f(0)=0$

이때, $\displaystyle f'(0)=\lim_{h\to0}\frac{f(h)-f(0)}{h}=\lim_{h\to0}\frac{f(h)}{h}=3$이므로

$\displaystyle f'(1)=\lim_{h\to0}\frac{f(1+h)-f(1)}{h}$

$\displaystyle\qquad=\lim_{h\to0}\frac{f(1)+f(h)-h-f(1)}{h}$

$\displaystyle\qquad=\lim_{h\to0}\frac{f(h)-h}{h}$

$\displaystyle\qquad=\lim_{h\to0}\frac{f(h)}{h}-1=3-1=2$

9 다항식 x^5-5x+a를 $(x-b)^2$으로 나누었을 때의 몫을 $Q(x)$라 하면

$x^5-5x+a=(x-b)^2Q(x)$ $\qquad$ ……㉠

㉠의 양변에 $x=b$를 대입하면

$b^5-5b+a=0$ $\qquad$ ……㉡

㉠의 양변을 x에 대하여 미분하면

$5x^4-5=2(x-b)Q(x)+(x-b)^2Q'(x)$

이 식의 양변에 $x=b$를 대입하면

$5b^4-5=0$, $b^4=1$ $\quad\therefore b=1$ $(\because b>0)$

$b=1$을 ㉡에 대입하면

$1-5+a=0$ $\quad\therefore a=4$

$\therefore a+b=4+1=5$

10 다항식 x^4+ax^2+b를 $(x+1)^2$으로 나누었을 때의 몫을 $Q(x)$라 하면

$x^4+ax^2+b=(x+1)^2Q(x)+4x-1$ ……㉠

㉠의 양변에 $x=-1$을 대입하면

$1+a+b=-5$ $\therefore a+b=-6$ ……㉡

㉠의 양변을 x에 대하여 미분하면

$4x^3+2ax=2(x+1)Q(x)+(x+1)^2Q'(x)+4$

이 식의 양변에 $x=-1$을 대입하면

$-4-2a=4$ $\therefore a=-4$

$a=-4$를 ㉡에 대입하면 $b=-2$

$\therefore ab=(-4)\times(-2)=8$

5일 시험지 속 개념 문제   49, 51쪽

1 (1) 3   (2) 8

2 (1) $y=-4x+5$ (2) $y=x+5$

3 $y=x$ **4** ①, ④

5 은수, 영은   **6** $y=2x-1$

7 ④   **8** (1) 0   (2) $\dfrac{2\sqrt{3}}{3}$ 또는 $-\dfrac{2\sqrt{3}}{3}$

1 (1) $f(x)=x^2-x+2$로 놓으면 $f'(x)=2x-1$이므로

점 $(2, 4)$에서의 접선의 기울기는

$f'(2)=3$

(2) $f(x)=x^3-2x^2+x+7$로 놓으면 $f'(x)=3x^2-4x+1$이므로 점 $(-1, 3)$에서의 접선의 기울기는

$f'(-1)=8$

2 (1) $f(x)=-x^2+1$로 놓으면 $f'(x)=-2x$이므로

점 $(2, -3)$에서의 접선의 기울기는 $f'(2)=-4$

따라서 구하는 접선의 방정식은

$y-(-3)=-4(x-2)$ $\therefore y=-4x+5$

(2) $f(x)=x^3-2x+3$으로 놓으면 $f'(x)=3x^2-2$이므로

점 $(-1, 4)$에서의 접선의 기울기는 $f'(-1)=1$

따라서 구하는 접선의 방정식은

$y-4=1\times\{x-(-1)\}$ $\therefore y=x+5$

3 $f(x)=x^2-3x+4$로 놓으면 $f'(x)=2x-3$

접점의 좌표를 (a, a^2-3a+4)라 하면 접선의 기울기가 1이므로

$f'(a)=2a-3=1$에서 $a=2$

따라서 접점의 좌표는 $(2, 2)$이므로 구하는 접선의 방정식은

$y-2=x-2$ $\therefore y=x$

4 $f(x)=-x^3+5x^2$으로 놓으면 $f'(x)=-3x^2+10x$

접점의 좌표를 $(a, -a^3+5a^2)$이라 하면 접선의 기울기가 3이므로

$f'(a)=-3a^2+10a=3$에서

$3a^2-10a+3=0$, $(3a-1)(a-3)=0$

$\therefore a=\dfrac{1}{3}$ 또는 $a=3$

따라서 접점의 좌표는 $\left(\dfrac{1}{3}, \dfrac{14}{27}\right)$ 또는 $(3, 18)$이므로 구하는

접선의 방정식은

$y-\dfrac{14}{27}=3\left(x-\dfrac{1}{3}\right)$ 또는 $y-18=3(x-3)$

$\therefore y=3x-\dfrac{13}{27}$ 또는 $y=3x+9$

5 $f(x)=x^2+x$로 놓으면 $f'(x)=2x+1$

접점의 좌표를 (a, a^2+a)라 하면 이 점에서의 접선의 기울기는 $f'(a)=2a+1$이므로 접선의 방정식은

$y-(a^2+a)=(2a+1)(x-a)$

$\therefore y=(2a+1)x-a^2$ ……㉠

이 직선이 점 $(-1, -1)$을 지나므로

$-1=(2a+1)\times(-1)-a^2$, $a^2+2a=0$

$a(a+2)=0$ $\therefore a=0$ 또는 $a=-2$

$a=0$, $a=-2$를 ㉠에 각각 대입하면 구하는 접선의 방정식은

$y=x$ 또는 $y=-3x-4$

따라서 점 $(-1, -1)$에서 곡선 $y=x^2+x$에 그은 접선의 방정식이 적힌 카드를 들고 있는 사람은 은수, 영은이다.

6 $f(x)=x^3-x+1$로 놓으면 $f'(x)=3x^2-1$

접점의 좌표를 (a, a^3-a+1)이라 하면 이 점에서의 접선의 기울기는 $f'(a)=3a^2-1$이므로 접선의 방정식은

$y-(a^3-a+1)=(3a^2-1)(x-a)$

$\therefore y=(3a^2-1)x-2a^3+1$ ……㉠

이 직선이 점 $(0, -1)$을 지나므로

$-1=-2a^3+1$, $a^3=1$ $\therefore a=1$ ($\because a$는 실수)

$a=1$을 ㉠에 대입하면 구하는 접선의 방정식은

$y=2x-1$

7 함수 $f(x)=x^3-12x-16$은 닫힌구간 $[-2, 4]$에서 연속이고 열린구간 $(-2, 4)$에서 미분가능하며 $f(-2)=f(4)=0$이다.

따라서 롤의 정리에 의하여 $f'(c)=0$인 c가 열린구간 $(-2, 4)$에 적어도 하나 존재한다.

이때, $f'(x)=3x^2-12$이므로

$f'(c)=3c^2-12=0, \ c^2=4$

$\therefore c=2 \ (\because -2<c<4)$

8 (1) 함수 $f(x)=3x^2-2x+3$은 닫힌구간 $[-1, 1]$에서 연속이고 열린구간 $(-1, 1)$에서 미분가능하므로 평균값 정리에 의하여

$\dfrac{f(1)-f(-1)}{1-(-1)}=\dfrac{4-8}{2}=-2=f'(c)$

인 c가 열린구간 $(-1, 1)$에 적어도 하나 존재한다.

이때, $f'(x)=6x-2$이므로

$f'(c)=6c-2=-2$

$\therefore c=0$

(2) 함수 $f(x)=x^3-2x+1$은 닫힌구간 $[-2, 2]$에서 연속이고 열린구간 $(-2, 2)$에서 미분가능하므로 평균값 정리에 의하여

$\dfrac{f(2)-f(-2)}{2-(-2)}=\dfrac{5-(-3)}{4}=2=f'(c)$

인 c가 열린구간 $(-2, 2)$에 적어도 하나 존재한다.

이때, $f'(x)=3x^2-2$이므로

$f'(c)=3c^2-2=2, \ c^2=\dfrac{4}{3}$

$\therefore c=\dfrac{2\sqrt{3}}{3}$ 또는 $c=-\dfrac{2\sqrt{3}}{3}$

5일 교과서 기출 베스트 1회   52~53쪽

1 $y=-\dfrac{1}{7}x+\dfrac{13}{7}$ **2** ①   **3** ①

4 ④   **5** 4   **6** ⑤   **7** ③

8 1

1 $f(x)=x^3-2x^2+5$로 놓으면 $f'(x)=3x^2-4x$

점 $(-1, 2)$에서의 접선의 기울기가 $f'(-1)=7$이므로 이 점에서의 접선과 수직인 직선의 기울기는 $-\dfrac{1}{7}$이다.

따라서 구하는 직선의 방정식은

$y-2=-\dfrac{1}{7}\{x-(-1)\}$

$\therefore y=-\dfrac{1}{7}x+\dfrac{13}{7}$

2 $f(x)=x^3+2x^2+7x-5$로 놓으면 $f'(x)=3x^2+4x+7$이므로 점 $(0, -5)$에서의 접선의 기울기는 $f'(0)=7$

즉, 접선의 방정식은

$y-(-5)=7(x-0)$ $\therefore y=7x-5$

직선 $y=7x-5$가 곡선 $y=f(x)$와 다시 만나는 점의 x좌표는

$x^3+2x^2+7x-5=7x-5$에서

$x^2(x+2)=0$ $\therefore x=-2 \ (\because x\neq 0)$

따라서 다시 만나는 점의 좌표가 $(-2, -19)$이므로

$a=-2, \ b=-19$

$\therefore a-b=-2-(-19)=17$

3 $x-3y+4=0$에서 $y=\dfrac{1}{3}x+\dfrac{4}{3}$이므로 이 직선에 수직인 직선의 기울기는 -3이다.

$f(x)=x^3+3x^2+3$으로 놓으면 $f'(x)=3x^2+6x$

접점의 좌표를 (a, a^3+3a^2+3)이라 하면 접선의 기울기가 -3이므로

$f'(a)=3a^2+6a=-3$에서

$3a^2+6a+3=0, \ a^2+2a+1=0$

$(a+1)^2=0$ $\therefore a=-1$

즉, 접점의 좌표는 $(-1, 5)$이므로 구하는 직선의 방정식은

$y-5=-3\{x-(-1)\}$ $\therefore y=-3x+2$

따라서 $m=-3, \ n=2$이므로

$mn=-3\times 2=-6$

4 점 $(1, b)$가 곡선 $y=x^2+ax-1$ 위의 점이므로

$b=1+a-1$ $\therefore a=b$ …… ㉠

또, 점 $(1, b)$가 직선 $y=5x+c$ 위의 점이므로

$b=5+c$ …… ㉡

$f(x)=x^2+ax-1$로 놓으면 $f'(x)=2x+a$이고

점 $(1, b)$에서의 접선의 기울기가 5이므로

$f'(1)=2+a=5$에서 $a=3$

$a=3$을 ㉠에 대입하면 $b=3$
$b=3$을 ㉡에 대입하면 $c=-2$
$\therefore a+b+c=3+3+(-2)=4$

5 $f(x)=x^3$으로 놓으면 $f'(x)=3x^2$
접점의 좌표를 (a, a^3)이라 하면 이 점에서의 접선의 기울기는 $f'(a)=3a^2$이므로 접선의 방정식은
$y-a^3=3a^2(x-a)$ $\therefore y=3a^2x-2a^3$ ……㉠
이 직선이 점 $(0, 16)$을 지나므로
$16=-2a^3$, $a^3=-8$ $\therefore a=-2$ ($\because a$는 실수)
$a=-2$를 ㉠에 대입하면 접선의 방정식은
$y=12x+16$
이때, 이 직선이 점 $(-1, k)$를 지나므로 $k=4$

6 $f(x)=x^2+ax$, $g(x)=bx^3+c$에서
$f'(x)=2x+a$, $g'(x)=3bx^2$
두 함수 $y=f(x)$, $y=g(x)$의 그래프가 점 $(1, 5)$를 지나므로
$f(1)=5$에서 $1+a=5$ ……㉠
$g(1)=5$에서 $b+c=5$ ……㉡
점 $(1, 5)$에서 두 곡선의 접선의 기울기가 같으므로
$f'(1)=g'(1)$에서 $2+a=3b$ ……㉢
㉠, ㉡, ㉢을 연립하여 풀면 $a=4$, $b=2$, $c=3$
$\therefore abc=4\times2\times3=24$

7 함수 $f(x)=(x+3)^2(x-2)$는 닫힌구간 $[-3, 2]$에서 연속이고 열린구간 $(-3, 2)$에서 미분가능하며 $f(-3)=f(2)=0$이다.
따라서 롤의 정리에 의하여 $f'(c)=0$인 c가 열린구간 $(-3, 2)$에 적어도 하나 존재한다. 이때,
$f'(x)=2(x+3)(x-2)+(x+3)^2$
        $=(x+3)(3x-1)$
이므로
$f'(c)=(c+3)(3c-1)=0$
$\therefore c=\dfrac{1}{3}$ ($\because -3<c<2$)

8 함수 $g(x)=f'(x)=x^2-x+3$은 닫힌구간 $[0, 2]$에서 연속이고 열린구간 $(0, 2)$에서 미분가능하므로 평균값 정리에 의하여
$\dfrac{g(2)-g(0)}{2-0}=\dfrac{5-3}{2}=1=g'(c)$
인 c가 열린구간 $(0, 2)$에 적어도 하나 존재한다.
이때, $g'(x)=2x-1$이므로
$g'(c)=2c-1=1$ $\therefore c=1$

1 $\dfrac{1}{2}$, 1   **2** ④   **3** ①   **4** $3\sqrt{2}$
5 $y=-3x-2$ **6** ⑤   **7** ③   **8** ②
9 ④   **10** ③

1 $f(x)=\dfrac{1}{8}x^2+5$ 위의 점 $\left(2, \dfrac{11}{2}\right)$에서의 접선의 기울기는 $f'(2)$이고, $g(x)=\dfrac{1}{8}x^2$ 위의 점 $(4, 2)$에서의 접선의 기울기는 $g'(4)$이다.
이때, $f'(x)=\dfrac{1}{4}x$, $g'(x)=\dfrac{1}{4}x$이므로
$f'(2)=\dfrac{1}{2}$, $g'(4)=1$

2 $f(x)=(x^2+1)(3x-1)$로 놓으면
$f'(x)=2x(3x-1)+3(x^2+1)=9x^2-2x+3$
이므로 점 $(1, 4)$에서의 접선의 기울기는 $f'(1)=10$
즉, 접선의 방정식은
$y-4=10(x-1)$ $\therefore y=10x-6$
따라서 $a=10$, $b=-6$이므로
$a-b=10-(-6)=16$

3 $f(x)=x^3-4x^2+3x-1$로 놓으면 $f'(x)=3x^2-8x+3$
점 $(1, -1)$에서의 접선의 기울기는 $f'(1)=-2$이므로 이 점에서의 접선과 수직인 직선의 기울기는 $\dfrac{1}{2}$이다.
즉, 접선과 수직인 직선의 방정식은
$y-(-1)=\dfrac{1}{2}(x-1)$ $\therefore y=\dfrac{1}{2}x-\dfrac{3}{2}$
따라서 $a=\dfrac{1}{2}$, $b=-\dfrac{3}{2}$이므로
$4ab=4\times\dfrac{1}{2}\times\left(-\dfrac{3}{2}\right)=-3$

4 $f(x)=x^3-2x+1$로 놓으면 $f'(x)=3x^2-2$이므로
점 $P(1, 0)$에서의 접선의 기울기는 $f'(1)=1$
즉, 접선의 방정식은
$y-0=1\times(x-1)$ $\therefore y=x-1$
직선 $y=x-1$이 곡선 $y=f(x)$와 다시 만나는 점의 x좌표는
$x^3-2x+1=x-1$에서 $x^3-3x+2=0$
$(x+2)(x-1)^2=0$ $\therefore x=-2$ 또는 $x=1$

따라서 점 Q의 좌표는 $(-2, -3)$이므로 구하는 선분 PQ의 길이는

$$\sqrt{(-2-1)^2+(-3-0)^2}=3\sqrt{2}$$

5 $f(x)=-x^3$으로 놓으면 $f'(x)=-3x^2$
점 $(1, -1)$에서의 접선 l의 기울기는 $f'(1)=-3$이므로 직선 l에 평행한 직선 m의 기울기는 -3이다.
이때, 곡선 $y=f(x)$와 직선 m의 접점의 좌표를 $(a, -a^3)$이라 하면
$f'(a)=-3a^2=-3$에서 $a^2=1$
$(a+1)(a-1)=0$ $\therefore a=-1$ 또는 $a=1$
그런데 $a=1$이면 두 직선 l, m은 일치하므로
$a=-1$
따라서 접점의 좌표는 $(-1, 1)$이므로 구하는 직선 m의 방정식은
$y-1=-3\{x-(-1)\}$
$\therefore y=-3x-2$

6 점 $(1, f(1))$이 함수 $f(x)=x^3+ax^2+7x-3$의 그래프 위의 점이므로
$f(1)=1+a+7-3$ $\therefore f(1)=a+5$ ······㉠
또, 점 $(1, f(1))$이 직선 $y=4x+b$ 위의 점이므로
$f(1)=4+b$ ······㉡
$f'(x)=3x^2+2ax+7$이고 점 $(1, f(1))$에서의 접선의 기울기가 4이므로
$f'(1)=3+2a+7=4$ $\therefore a=-3$
$a=-3$을 ㉠에 대입하면 $f(1)=2$
$f(1)=2$를 ㉡에 대입하면 $b=-2$
$\therefore ab=(-3)\times(-2)=6$

7 $f(x)=x^2+1$로 놓으면 $f'(x)=2x$
접점의 좌표를 (a, a^2+1)이라 하면 이 점에서의 접선의 기울기는 $f'(a)=2a$이므로 접선의 방정식은
$y-(a^2+1)=2a(x-a)$ $\therefore y=2ax-a^2+1$
이 직선이 점 $(0, -3)$을 지나므로
$-3=-a^2+1, a^2=4$
$\therefore a=-2$ 또는 $a=2$
따라서 두 접선의 기울기의 합은
$f'(-2)+f'(2)=-4+4=0$

점 $(0, -3)$을 지나는 직선의 방정식을
$y-(-3)=m(x-0)$, 즉 $y=mx-3$
이라 하면 이 직선이 곡선 $y=x^2+1$에 접하므로 두 식을 연립하면
$x^2+1=mx-3$ $\therefore x^2-mx+4=0$
이 이차방정식의 판별식을 D라 하면
$D=m^2-4\times1\times4=0, m^2-16=0$
$\therefore m=-4$ 또는 $m=4$
따라서 두 접선의 기울기의 합은 0이다.

8 $f(x)=x^2+ax, g(x)=x^3+1$로 놓으면
$f'(x)=2x+a, g'(x)=3x^2$
두 곡선이 $x=t$인 점에서 접한다고 하면
$f(t)=g(t)$에서 $t^2+at=t^3+1$ ······㉠
$f'(t)=g'(t)$에서 $2t+a=3t^2$ ······㉡
㉡에서 $a=3t^2-2t$이므로 이것을 ㉠에 대입하여 정리하면
$2t^3-t^2-1=0, (t-1)(2t^2+t+1)=0$
$\therefore t=1 (\because 2t^2+t+1>0)$
$t=1$을 ㉡에 대입하면 $a=1$

9 함수 $f(x)=\dfrac{1}{2}x^3+x^2-2x-1$이 닫힌구간 $[-a, a]$에서 롤의 정리를 만족시키려면 $f(-a)=f(a)$이어야 하므로
$-\dfrac{1}{2}a^3+a^2+2a-1=\dfrac{1}{2}a^3+a^2-2a-1, a^3-4a=0$
$a(a+2)(a-2)=0$ $\therefore a=2 (\because a>0)$
$f'(x)=\dfrac{3}{2}x^2+2x-2$에서 $f'(c)=0$이므로
$\dfrac{3}{2}c^2+2c-2=0, 3c^2+4c-4=0$
$(3c-2)(c+2)=0$ $\therefore c=\dfrac{2}{3} (\because -2<c<2)$
$\therefore 3ac=3\times2\times\dfrac{2}{3}=4$

10 닫힌구간 $[a, b]$에서 $\dfrac{f(b)-f(a)}{b-a}=f'(c)$를 만족시키는 상수 c는 두 점 $(a, f(a)), (b, f(b))$를 이은 직선의 기울기와 같은 미분계수를 갖는 점의 x좌표이다.
함수 $y=f(x)$의 그래프는 오른쪽 그림과 같으므로 두 점 $(a, f(a))$, $(b, f(b))$를 이은 직선과 평행한 접선을 세 점 A, B, C에서 각각 그을 수 있다. 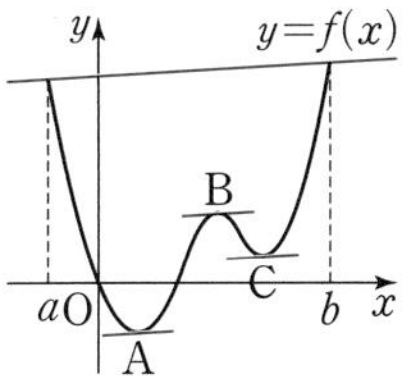
따라서 상수 c의 개수는 3이다.

1 ㄱ. $\lim\limits_{x \to 0-}(x^2-1)=-1$, $\lim\limits_{x \to 0+}(x^2-1)=-1$이므로

$\lim\limits_{x \to 0}(x^2-1)=-1$

ㄴ. $\lim\limits_{x \to 0-}\dfrac{3}{x}=-\infty$, $\lim\limits_{x \to 0+}\dfrac{3}{x}=\infty$이므로 $\lim\limits_{x \to 0}\dfrac{3}{x}$의 값은 존재하지 않는다.

ㄷ. $\lim\limits_{x \to 0-}\dfrac{|x|}{x}=\lim\limits_{x \to 0-}\dfrac{-x}{x}=-1$, $\lim\limits_{x \to 0+}\dfrac{|x|}{x}=\lim\limits_{x \to 0+}\dfrac{x}{x}=1$이

므로 $\lim\limits_{x \to 0}\dfrac{|x|}{x}$의 값은 존재하지 않는다.

따라서 $\lim\limits_{x \to 0}f(x)$의 값이 존재하는 것은 ㄱ이다.

2 $\lim\limits_{x \to \infty}f(x)=2$, $\lim\limits_{x \to \infty}g(x)=a$이므로

$\lim\limits_{x \to \infty}\dfrac{f(x)-g(x)}{4f(x)-3g(x)}=\dfrac{2-a}{4 \times 2-3a}=1$

$2-a=8-3a$ ∴ $a=3$

3 (1) $\lim\limits_{x \to 3}\dfrac{x^2+x-12}{x^2-5x+6}=\lim\limits_{x \to 3}\dfrac{(x+4)(x-3)}{(x-2)(x-3)}$

$=\lim\limits_{x \to 3}\dfrac{x+4}{x-2}=7$

(2) 분모, 분자를 x로 각각 나누면

$\lim\limits_{x \to \infty}\dfrac{\sqrt{4x^2-1}-3}{x+1}=\lim\limits_{x \to \infty}\dfrac{\sqrt{4-\dfrac{1}{x^2}}-\dfrac{3}{x}}{1+\dfrac{1}{x}}=2$

4 $\lim\limits_{x \to 1}\dfrac{x^2-1}{2x^2+x-a}=b$에서 $b \neq 0$이고 $\lim\limits_{x \to 1}(x^2-1)=0$이므로

$\lim\limits_{x \to 1}(2x^2+x-a)=3-a=0$ ∴ $a=3$

$a=3$을 주어진 등식에 대입하면

$\lim\limits_{x \to 1}\dfrac{x^2-1}{2x^2+x-3}=\lim\limits_{x \to 1}\dfrac{(x+1)(x-1)}{(2x+3)(x-1)}$

$=\lim\limits_{x \to 1}\dfrac{x+1}{2x+3}=\dfrac{2}{5}=b$

따라서 구하는 로그인 암호는

$100a+50b=100 \times 3+50 \times \dfrac{2}{5}=320$

5 $\lim\limits_{x \to 0}\dfrac{f(x)}{x}=4$에서 $\lim\limits_{x \to 0}x=0$이므로

$\lim\limits_{x \to 0}f(x)=0$ ∴ $f(0)=0$

또, $\lim\limits_{x \to 2}\dfrac{f(x)}{x-2}=4$에서 $\lim\limits_{x \to 2}(x-2)=0$이므로

$\lim\limits_{x \to 2}f(x)=0$ ∴ $f(2)=0$

즉, $f(x)=x(x-2)(ax+b)$ (a, b는 상수, $a \neq 0$)로 놓을 수 있으므로

$\lim\limits_{x \to 0}\dfrac{f(x)}{x}=\lim\limits_{x \to 0}(x-2)(ax+b)=-2b=4$

∴ $b=-2$

$\lim\limits_{x \to 2}\dfrac{f(x)}{x-2}=\lim\limits_{x \to 2}x(ax-2)=2(2a-2)=4$

∴ $a=2$

따라서 $f(x)=x(x-2)(2x-2)$이므로

$\lim\limits_{x \to 1}\dfrac{f(x)}{x-1}=\lim\limits_{x \to 1}\dfrac{2x(x-1)(x-2)}{x-1}$

$=\lim\limits_{x \to 1}2x(x-2)=-2$

6 (i) 함숫값 $f(-2)$가 정의되지 않으므로 $f(x)$는 $x=-2$에서 불연속이다.

(ii) $\lim\limits_{x \to -1-}f(x)=0$, $\lim\limits_{x \to -1+}f(x)=2$이므로

$\lim\limits_{x \to -1-}f(x) \neq \lim\limits_{x \to -1+}f(x)$

따라서 $\lim\limits_{x \to -1}f(x)$의 값이 존재하지 않으므로 $f(x)$는 $x=-1$에서 불연속이다.

(iii) $f(2)=1$, $\lim\limits_{x \to 2}f(x)=-1$이므로 $\lim\limits_{x \to 2}f(x) \neq f(2)$

따라서 $f(x)$는 $x=2$에서 불연속이다.

(i), (ii), (iii)에서 $f(x)$가 불연속이 되는 x의 값은 $x=-2$, $x=-1$, $x=2$이므로 구하는 합은 -1이다.

7 함수 $f(x)$가 $x=2$에서 연속이려면

$\lim\limits_{x \to 2-}(x^2+x+b)=\lim\limits_{x \to 2+}(4x-a)=f(2)$

$4+2+b=8-a$ ∴ $a+b=2$

8 함수 $f(x)$가 모든 실수 x에서 연속이므로 $x=-1$에서도 연속이다.

즉, $\lim\limits_{x \to -1}f(x)=f(-1)$이므로 $\lim\limits_{x \to -1}\dfrac{x^2-1}{x+1}=a$

이때,

$\lim\limits_{x \to -1}\dfrac{x^2-1}{x+1}=\lim\limits_{x \to -1}\dfrac{(x+1)(x-1)}{x+1}$

$=\lim\limits_{x \to -1}(x-1)=-2$

이므로 $a=-2$

9 ㄱ, ㄴ. $f(x)+g(x)=2x^2-x+2$, $f(x)-g(x)=x+2$는 모두 다항함수이므로 모든 실수 x에서 연속이다.

ㄷ. $\dfrac{f(x)}{g(x)}=\dfrac{x^2+2}{x^2-x}$ 는 $x=0$, $x=1$일 때 분모가 0이다.

　즉, $x=0$, $x=1$에서 정의되지 않으므로 함수 $\dfrac{f(x)}{g(x)}$ 는

　$x=0$, $x=1$에서 불연속이다.

ㄹ. $\dfrac{g(x)}{f(x)}=\dfrac{x^2-x}{x^2+2}$ 에서 모든 실수 x에 대하여 $x^2+2\neq0$이므

　로 함수 $\dfrac{g(x)}{f(x)}$ 는 모든 실수 x에서 연속이다.

따라서 모든 실수 x에서 연속함수인 것은 ㄱ, ㄴ, ㄹ이다.

6일 **누구나 100점 테스트 2회**　　　58~59쪽

1 ②	**2** ④	**3** 199	**4** ⑤
5 ③	**6** ②	**7** $y=x-1$	**8** ⑤
9 ④	**10** ②		

1 함수 $f(x)=2x^2+x-1$에서 x의 값이 1에서 2까지 변할 때의 평균변화율은

$\dfrac{f(2)-f(1)}{2-1}=9-2=7$

2 ①, ③ $x=a$에서 꺾인 점이므로 미분가능하지 않다.
②, ⑤ $x=a$에서 불연속이므로 미분가능하지 않다.

3 함수 $f(x)=x^{100}+x^{99}$의 도함수는 $f'(x)=100x^{99}+99x^{98}$이
므로 $f'(1)=199$

4 $f'(x)=(x-2)'(x^3+3)+(x-2)(x^3+3)'$
　　$=(x^3+3)+(x-2)\times3x^2$
　　$=(x^3+3)+3x^2(x-2)$
$\therefore f'(2)=2^3+3+0=11$

5 $\displaystyle\lim_{h\to0}\dfrac{f(1+2h)-f(1)}{h}$

$=\displaystyle\lim_{h\to0}\dfrac{f(1+2h)-f(1)}{2h}\times2$　　$2h\to0$

$=2f'(1)$

이때, $f(x)=x^8+x^4+1$에서 $f'(x)=8x^7+4x^3$이므로
$f'(1)=12$
$\therefore 2f'(1)=2\times12=24$

---

6 다항식 x^4+ax^3+b를 $(x-1)^2$으로 나누었을 때의 몫을 $Q(x)$라 하면

$x^4+ax^3+b=(x-1)^2Q(x)$　　　　　……㉠

㉠의 양변에 $x=1$을 대입하면

$1+a+b=0$　　$\therefore a+b=-1$　　　　……㉡

㉠의 양변을 x에 대하여 미분하면

$4x^3+3ax^2=2(x-1)Q(x)+(x-1)^2Q'(x)$

이 식의 양변에 $x=1$을 대입하면

$4+3a=0$　　$\therefore a=-\dfrac{4}{3}$

$a=-\dfrac{4}{3}$를 ㉡에 대입하면 $b=\dfrac{1}{3}$

$\therefore 9ab=9\times\left(-\dfrac{4}{3}\right)\times\dfrac{1}{3}=-4$

7 점 $(1, a)$가 곡선 $y=x^2-x$ 위의 점이므로
$a=0$
$f(x)=x^2-x$로 놓으면 $f'(x)=2x-1$
점 $(1, 0)$에서의 접선의 기울기가 $f'(1)=1$이므로 구하는 접선의 방정식은
$y-0=1\times(x-1)$　　$\therefore y=x-1$

8 $f(x)=3x^2-2x+5$로 놓으면 $f'(x)=6x-2$
접점의 좌표를 $(t, 3t^2-2t+5)$라 하면 직선 $y=4x-3$에 평행한 직선의 기울기는 4이므로
$f'(t)=6t-2=4$　　$\therefore t=1$
즉, 접점의 좌표는 $(1, 6)$이므로 구하는 직선의 방정식은
$y-6=4(x-1)$　　$\therefore y=4x+2$
따라서 $a=4$, $b=2$이므로
$a-b=4-2=2$

9 $f(x)=-x^3+1$로 놓으면 $f'(x)=-3x^2$
접점의 좌표를 $(t, -t^3+1)$이라 하면 이 점에서 접선의 기울기는 $f'(t)=-3t^2$이므로 접선의 방정식은
$y-(-t^3+1)=-3t^2(x-t)$
$\therefore y=-3t^2x+2t^3+1$　　　　……㉠
이 직선이 점 $(0, 3)$을 지나므로
$3=2t^3+1$
$t^3=1$　　$\therefore t=1$ ($\because t$는 실수)
$t=1$을 ㉠에 대입하면 구하는 접선의 방정식은
$y=-3x+3$
따라서 $a=-3$, $b=3$이므로 $ab=-3\times3=-9$

정답과 해설　**21**

10 함수 $f(x)=(x+1)^2(x+4)$는 닫힌구간 $[-4,\,-1]$에서 연속이고 열린구간 $(-4,\,-1)$에서 미분가능하며 $f(-4)=f(-1)=0$이다.

따라서 롤의 정리에 의하여 $f'(c)=0$인 c가 열린구간 $(-4,\,-1)$에 적어도 하나 존재한다.

이때,
$$f'(x)=2(x+1)(x+4)+(x+1)^2$$
$$=(x+1)(3x+9)$$
이므로
$$f'(c)=(c+1)(3c+9)=0$$
$$\therefore c=-3\ (\because -4<c<-1)$$

6일 서술형·사고력 테스트 60~61쪽

1 $\dfrac{2}{5}$ **2** 24 **3** 2 **4** 3

5 0 **6** 2

7 (1) $C'(x)=0.04x+15$(천 원), $P'(x)=0.3x^2+10x+200$(원)

(2) 한계 비용: 55000원, 한계 수익: 310200원

1 $x-2=t$로 놓으면 $x\to2$일 때 $t\to0$이므로
$$\lim_{x\to2}\frac{f(x-2)}{x-2}=\lim_{t\to0}\frac{f(t)}{t}=3 \qquad\cdots\cdots\text{[3점]}$$
$$\therefore \lim_{x\to0}\frac{2f(x)+5x^2}{5f(x)-2x^2}=\lim_{x\to0}\frac{2\times\dfrac{f(x)}{x}+5x}{5\times\dfrac{f(x)}{x}-2x}$$
$$=\frac{2\times3+0}{5\times3-0}=\frac{2}{5} \qquad\cdots\cdots\text{[4점]}$$

2 $\lim_{x\to1}\dfrac{a\sqrt{x+8}+b}{x-1}=1$에서 $\lim_{x\to1}(x-1)=0$이므로
$$\lim_{x\to1}(a\sqrt{x+8}+b)=3a+b=0$$
$$\therefore b=-3a \qquad\cdots\cdots\text{㉠}\qquad\cdots\cdots\text{[2점]}$$
㉠을 주어진 등식에 대입하면
$$\lim_{x\to1}\frac{a\sqrt{x+8}-3a}{x-1}=\lim_{x\to1}\frac{a(\sqrt{x+8}-3)(\sqrt{x+8}+3)}{(x-1)(\sqrt{x+8}+3)}$$
$$=\lim_{x\to1}\frac{a(x-1)}{(x-1)(\sqrt{x+8}+3)}$$
$$=\lim_{x\to1}\frac{a}{\sqrt{x+8}+3}=\frac{a}{6}=1 \qquad\cdots\cdots\text{[4점]}$$

따라서 $a=6,\ b=-18$이므로
$$a-b=6-(-18)=24 \qquad\cdots\cdots\text{[1점]}$$

3 함수 $f(x)$가 모든 실수 x에서 연속이려면 $x=1$에서도 연속이어야 하므로
$$\lim_{x\to1}f(x)=f(1)$$
$$\therefore \lim_{x\to1}\frac{x^2+ax-b}{x-1}=a+b \qquad\cdots\cdots\text{㉠}\qquad\cdots\cdots\text{[2점]}$$
㉠에서 $\lim_{x\to1}(x-1)=0$이므로
$$\lim_{x\to1}(x^2+ax-b)=1+a-b=0$$
$$\therefore b=a+1 \qquad\cdots\cdots\text{㉡}\qquad\cdots\cdots\text{[2점]}$$
㉡을 ㉠에 대입하면
$$\lim_{x\to1}\frac{x^2+ax-(a+1)}{x-1}=\lim_{x\to1}\frac{(x-1)(x+a+1)}{x-1}$$
$$=\lim_{x\to1}(x+a+1)$$
$$=a+2=a+b$$
$$\therefore b=2$$
$b=2$를 ㉡에 대입하면 $a=1$ $\qquad\cdots\cdots\text{[3점]}$
$$\therefore ab=1\times2=2 \qquad\cdots\cdots\text{[1점]}$$

4
$$\lim_{x\to3}\frac{x^2-9}{f(x)-f(3)}$$
$$=\lim_{x\to3}\left\{\frac{x-3}{f(x)-f(3)}\times(x+3)\right\}$$
$$=\lim_{x\to3}\left\{\frac{1}{\dfrac{f(x)-f(3)}{x-3}}\times(x+3)\right\} \qquad\cdots\cdots\text{[4점]}$$
$$=\frac{1}{f'(3)}\times6=\frac{1}{2}\times6=3 \qquad\cdots\cdots\text{[3점]}$$

5 $g(x)=x+a,\ h(x)=bx^2+1$이라 하면
$$g'(x)=1,\ h'(x)=2bx \qquad\cdots\cdots\text{[2점]}$$
함수 $f(x)$가 $x=2$에서 연속이므로
$$g(2)=h(2)$$
$$a+2=4b+1$$
$$\therefore a-4b=-1 \qquad\cdots\cdots\text{㉠}\qquad\cdots\cdots\text{[2점]}$$
함수 $f(x)$가 $x=2$에서 미분가능하므로
$$g'(2)=h'(2)$$
$$4b=1 \qquad \therefore b=\frac{1}{4}$$
$b=\dfrac{1}{4}$을 ㉠에 대입하면 $a=0$ $\qquad\cdots\cdots\text{[2점]}$
$$\therefore ab=0\times\frac{1}{4}=0 \qquad\cdots\cdots\text{[1점]}$$

6 함수 $f(x)=x^2-5x+3$에 대하여 닫힌구간 $[-1, a]$에서 평균값 정리를 만족시키는 상수 c의 값이 $\frac{1}{2}$이므로

$\frac{f(a)-f(-1)}{a-(-1)}=f'\left(\frac{1}{2}\right)$인 $\frac{1}{2}$이 열린구간 $(-1, a)$에 존재한다. ...... [4점]

$f'(x)=2x-5$이므로 $f'\left(\frac{1}{2}\right)=-4$ ...... [2점]

따라서 $\frac{a^2-5a-6}{a+1}=-4$에서

$a^2-5a-6=-4a-4$, $a^2-a-2=0$

$(a+1)(a-2)=0$

$\therefore a=2$ ($\because a>-1$) ...... [2점]

7 (1) 이 공장의 비용 함수는 $C(x)=400+15x+0.02x^2$(천 원)
이므로 한계 비용은

$C'(x)=0.04x+15$(천 원)

또, 이 공장의 수익 함수는 $P(x)=200x+5x^2+0.1x^3$(원)
이므로 한계 수익은

$P'(x)=0.3x^2+10x+200$(원)

(2) $C'(1000)=0.04\times1000+15=55$(천 원)

$P'(1000)=0.3\times1000000+10\times1000+200$

$\qquad\qquad =310200$(원)

따라서 구하는 한계 비용은 55000원, 한계 수익은 310200원이다.

6일 ▽ **창의·융합·코딩** 62~63쪽

1 풀이 참조 **2** 6000원 **3** 풀이 참조
4 (1) $a=-8, b=2$ (2) $(-8, 2)$ **5** $(-2, -5)$

1 $x\to s-$일 때, $f(x)$의 값이 일정한 값 a에 한없이 가까워지므로

$\lim_{x\to s-}f(x)=a$

$x\to s+$일 때, $f(x)$의 값이 일정한 값 b에 한없이 가까워지므로

$\lim_{x\to s+}f(x)=b$

따라서 $\lim_{x\to s-}f(x)\neq\lim_{x\to s+}f(x)$이므로 $\lim_{x\to s}f(x)$의 값은 존재하지 않는다.

2 $\lim_{x\to1}\frac{f(x^3)-f(1)}{x-1}$

$=\lim_{x\to1}\left\{\frac{f(x^3)-f(1)}{(x-1)(x^2+x+1)}\times(x^2+x+1)\right\}$

$=\lim_{x\to1}\frac{f(x^3)-f(1)}{x^3-1}\times\lim_{x\to1}(x^2+x+1)$

$\xrightarrow{\qquad} x\to1$일 때, $x^3\to1$

$=3f'(1)=3\times2=6$

따라서 $k=6$이므로 김치찌개 1인분의 가격은
$1000k=1000\times6=6000$(원)

3 $f(x)=\frac{x+1}{x-1}-1$이라 하면 함수 $f(x)$는 $x=1$에서 정의되지 않으므로 $x=1$에서 불연속입니다.

따라서 닫힌구간 $[-1, 2]$에서 사잇값의 정리를 적용할 수 없습니다.

실제로 방정식 $\frac{x+1}{x-1}=1$을 풀면 $x+1=x-1$에서

$0\times x=-2$가 되어 실근을 갖지 않습니다.

4 (1) 다항식 x^6-ax+b를 $(x+1)^2$으로 나누었을 때의 몫을 $Q(x)$라 하면

$x^6-ax+b=(x+1)^2Q(x)+2x-3$ ...... ㉠

㉠의 양변에 $x=-1$을 대입하면

$1+a+b=-5$ $\therefore a+b=-6$ ...... ㉡

㉠의 양변을 x에 대하여 미분하면

$6x^5-a=2(x+1)Q(x)+(x+1)^2Q'(x)+2$

이 식의 양변에 $x=-1$을 대입하면

$-6-a=2$ $\therefore a=-8$

$a=-8$을 ㉡에 대입하면 $b=2$

(2) 보물이 묻혀 있는 장소는 지도상에서의 좌표 $(-8, 2)$이다.

5 $f(x)=x^3+3$으로 놓으면 $f'(x)=3x^2$

점 $P(1, 4)$에서의 접선의 기울기는 $f'(1)=3$이므로 점 P에서의 접선의 방정식은

$y-4=3(x-1)$ $\therefore y=3x+1$

곡선 $y=x^3+3$과 접선 $y=3x+1$이 다시 만나는 점 Q의 x좌표는 방정식 $x^3+3=3x+1$에서 1이 아닌 실근이다.

$x^3-3x+2=0$에서

$(x-1)^2(x+2)=0$

즉, 점 Q의 x좌표는 -2이고

$f(-2)=-5$

이므로 구하는 점 Q의 좌표는
$(-2, -5)$

1	1	0	-3	2
		1	1	-2
1	1	1	-2	0
		1	2	
	1	2	0	

1 유리	**2** ②	**3** ⑤	**4** ①
5 −120	**6** ③, ④	**7** ⑤	**8** ④
9 ③	**10** 3	**11** ④	**12** ②
13 ①	**14** ③	**15** ②	**16** ⑤
17 2	**18** ③	**19** ③	**20** ②

1 은수: $\lim\limits_{x \to -3-} f(x)=0$, $\lim\limits_{x \to -3+} f(x)=0$이므로 $\lim\limits_{x \to -3} f(x)=0$

정우: $\lim\limits_{x \to -2-} f(x)=4$

영은: $\lim\limits_{x \to -2-} f(x)=4$, $\lim\limits_{x \to -2+} f(x)=4$이므로 $\lim\limits_{x \to -2} f(x)=4$

시후: $\lim\limits_{x \to 1-} f(x)=2$, $\lim\limits_{x \to 1+} f(x)=2$이므로 $\lim\limits_{x \to 1} f(x)=2$

유리: $\lim\limits_{x \to 0-} f(x)=2$, $\lim\limits_{x \to 0+} f(x)=0$이므로 $\lim\limits_{x \to 0} f(x)$의 값은 존재하지 않는다.

따라서 극한값이 존재하지 않는 카드를 들고 있는 사람은 유리이다.

2 $2f(x)+3g(x)=h(x)$로 놓으면

$g(x)=\dfrac{h(x)-2f(x)}{3}$이고 $\lim\limits_{x \to 0} h(x)=1$이다.

$\therefore \lim\limits_{x \to 0} g(x)=\lim\limits_{x \to 0}\dfrac{h(x)-2f(x)}{3}$

$\qquad =\dfrac{1-2\times2}{3}=-1$

3 $\lim\limits_{x \to 1}\dfrac{\{f(x)\}^2+f(x)}{x^2 f(x)-f(x)}=\lim\limits_{x \to 1}\dfrac{f(x)\{f(x)+1\}}{f(x)(x^2-1)}$

$\qquad =\lim\limits_{x \to 1}\dfrac{f(x)+1}{(x+1)(x-1)}$

$\qquad =\lim\limits_{x \to 1}\dfrac{1}{x+1}\times\lim\limits_{x \to 1}\dfrac{f(x)+1}{x-1}$

$\qquad =\dfrac{1}{2}\times4=2$

4 $\lim\limits_{x \to 2}\dfrac{x^3-x^2+ax+b+1}{x-2}=5$에서 $\lim\limits_{x \to 2}(x-2)=0$이므로

$\lim\limits_{x \to 2}(x^3-x^2+ax+b+1)=2a+b+5=0$

$\therefore b=-2a-5$ 　　　　　 …… ㉠

㉠을 주어진 등식에 대입하면

$\lim\limits_{x \to 2}\dfrac{x^3-x^2+ax-2a-4}{x-2}=\lim\limits_{x \to 2}\dfrac{(x-2)(x^2+x+a+2)}{x-2}$

$\qquad =\lim\limits_{x \to 2}(x^2+x+a+2)$

$\qquad =a+8=5$

따라서 $a=-3$, $b=1$이므로

$a-b=-3-1=-4$

5 $\lim\limits_{x \to \infty}\dfrac{f(x)}{3x^2+2x+1}=1$에서 $f(x)$는 이차항의 계수가 3인 이차 함수임을 알 수 있다. 　　　　　 …… [2점]

또, $\lim\limits_{x \to 6}\dfrac{f(x)}{x^2-5x-6}=6$에서 $\lim\limits_{x \to 6}(x^2-5x-6)=0$이므로

$\lim\limits_{x \to 6} f(x)=0$ 　 $\therefore f(6)=0$ 　　　 …… [2점]

즉, $f(x)=3(x-6)(x+a)$ (a는 상수)로 놓을 수 있으므로

$\lim\limits_{x \to 6}\dfrac{f(x)}{x^2-5x-6}=\lim\limits_{x \to 6}\dfrac{3(x-6)(x+a)}{(x+1)(x-6)}$

$\qquad =\lim\limits_{x \to 6}\dfrac{3(x+a)}{x+1}$

$\qquad =\dfrac{18+3a}{7}=6$

$\therefore a=8$

따라서 $f(x)=3(x-6)(x+8)$이므로

$f(2)=3\times(-4)\times10=-120$ 　　　 …… [4점]

6 ① $\lim\limits_{x \to 0-} f(x)=\lim\limits_{x \to 0-}\dfrac{x^2+5x}{x}$

$\qquad =\lim\limits_{x \to 0-}(x+5)=5$

② $\lim\limits_{x \to 0+} f(x)=\lim\limits_{x \to 0+}\dfrac{x^2+5x}{x}$

$\qquad =\lim\limits_{x \to 0+}(x+5)=5$

③ $x=0$에서의 함숫값 $f(0)$이 정의되지 않으므로 함수 $f(x)$는 $x=0$에서 불연속이다.

④ $\lim\limits_{x \to 0-} f(x)=\lim\limits_{x \to 0+} f(x)$이므로 $x \to 0$일 때 함수 $f(x)$의 극한값은 존재한다.

⑤ 함수 $f(x)$는 $x\neq0$인 모든 실수 x에서 연속이다. 이때,

$f(0)=5$로 정의하면 $\lim\limits_{x \to 0} f(x)=5$이고 $\lim\limits_{x \to 0} f(x)=f(0)$ 이므로 함수 $f(x)$는 $x=0$에서 연속이다.

따라서 함수 $f(x)$는 실수 전체의 집합에서 연속함수이다.

따라서 옳지 않은 것은 ③, ④이다.

7 ㄱ. $\lim\limits_{x \to -1-} f(x)=-1$, $\lim\limits_{x \to -1+} f(x)=-1$이므로

$\lim\limits_{x \to -1} f(x)=-1$

ㄴ, ㄷ. (i) $f(-1)=2$, $\lim\limits_{x \to -1} f(x)=-1$이므로

$\lim\limits_{x \to -1} f(x)\neq f(-1)$

따라서 $f(x)$는 $x=-1$에서 불연속이다.

(ii) $\lim_{x \to 0-} f(x) = 0$, $\lim_{x \to 0+} f(x) = 1$이므로

$\quad \lim_{x \to 0-} f(x) \neq \lim_{x \to 0+} f(x)$

따라서 $\lim_{x \to 0} f(x)$의 값이 존재하지 않으므로 $f(x)$는

$x = 0$에서 불연속이다.

(iii) $\lim_{x \to 1-} f(x) = 1$, $\lim_{x \to 1+} f(x) = 0$이므로

$\quad \lim_{x \to 1-} f(x) \neq \lim_{x \to 1+} f(x)$

따라서 $\lim_{x \to 1} f(x)$의 값이 존재하지 않으므로 $f(x)$는

$x = 1$에서 불연속이다.

(i), (ii), (iii)에서 극한값이 존재하지 않는 x의 값의 개수는

$x = 0$, $x = 1$의 2이고, 불연속이 되는 x의 값의 개수는

$x = -1$, $x = 0$, $x = 1$의 3이다.

따라서 옳은 것은 ㄱ, ㄴ, ㄷ이다.

8 함수 $f(x)$가 $x = -2$에서 연속이므로

$\quad \lim_{x \to -2} f(x) = f(-2)$ $\quad \therefore \lim_{x \to -2} \dfrac{\sqrt{x+a}-b}{x+2} = \dfrac{1}{4}$ $\quad$ ······ ㉠

㉠에서 $\lim_{x \to -2}(x+2) = 0$이므로

$\quad \lim_{x \to -2}(\sqrt{x+a}-b) = \sqrt{-2+a}-b = 0$

$\quad \therefore b = \sqrt{a-2}$ $\quad$ ······ ㉡

㉡을 ㉠에 대입하면

$\quad \lim_{x \to -2} \dfrac{\sqrt{x+a}-\sqrt{a-2}}{x+2}$

$\quad = \lim_{x \to -2} \dfrac{(\sqrt{x+a}-\sqrt{a-2})(\sqrt{x+a}+\sqrt{a-2})}{(x+2)(\sqrt{x+a}+\sqrt{a-2})}$

$\quad = \lim_{x \to -2} \dfrac{x+2}{(x+2)(\sqrt{x+a}+\sqrt{a-2})}$

$\quad = \lim_{x \to -2} \dfrac{1}{\sqrt{x+a}+\sqrt{a-2}}$

$\quad = \dfrac{1}{2\sqrt{a-2}} = \dfrac{1}{4}$

$\quad \therefore a = 6$

$a = 6$을 ㉡에 대입하면 $b = 2$

$\quad \therefore a+b = 6+2 = 8$

9 두 함수 $f(x)$, $g(x)$는 모든 실수 x에서 연속이므로 함수

$h(x) = \dfrac{f(x)}{g(x)}$가 모든 실수 x에서 연속이 되려면 임의의 실수

x에 대하여 $g(x) = x^2 - 2ax + 4a \neq 0$이어야 한다.

이차방정식 $x^2 - 2ax + 4a = 0$의 판별식을 D라 하면

$\quad \dfrac{D}{4} = a^2 - 4a < 0$에서 $a(a-4) < 0$

$\quad \therefore 0 < a < 4$

따라서 정수 a는 1, 2, 3이므로 구하는 a의 값의 합은

$\quad 1+2+3 = 6$

10 함수 $f(x)$에서 x의 값이 1에서 k까지 변할 때의 평균변화율은

$\quad \dfrac{\Delta y}{\Delta x} = \dfrac{f(k)-f(1)}{k-1}$

$\quad = \dfrac{(k^2+2k+7)-(1^2+2\times1+7)}{k-1}$

$\quad = \dfrac{k^2+2k-3}{k-1} = \dfrac{(k+3)(k-1)}{k-1} = k+3$ $\quad$ ······ [3점]

또, $f'(x) = 2x+2$이므로 함수 $f(x)$의 $x = 2$에서의 미분계

수는

$\quad f'(2) = 2\times2+2 = 6$ $\quad$ ······ [3점]

즉, $k+3 = 6$에서 $k = 3$ $\quad$ ······ [1점]

11 ① 함수 $y = f(x)$의 그래프는 $x = b$, $x = d$에서 끊어져 있으

므로 불연속인 점은 2개이다.

② $\lim_{x \to b-} f(x) = \lim_{x \to b+} f(x)$이므로 $\lim_{x \to b} f(x)$의 값이 존재한다.

③ $f'(x) = 0$인 점은 $a < x < b$, $b < x < c$, $c < x < d$에서 각

각 한 개씩 존재하고, $d < x < e$에서 함수 $f(x)$는 상수함수

이므로 $f'(x) = 0$이다.

④ 불연속인 점과 꺾인 점에서는 미분가능하지 않으므로 함수

$f(x)$가 미분가능하지 않은 점은 $x = b$, $x = c$, $x = d$의 3개

이다.

⑤ 함수 $f(x)$는 $x = c$에서 연속이지만 미분가능하지 않다.

따라서 옳지 않은 것은 ④이다.

12 $\lim_{h \to 0} \dfrac{f(3+5h)-f(3-7h)}{h}$

$\quad = \lim_{h \to 0} \dfrac{f(3+5h)-f(3)+f(3)-f(3-7h)}{h}$

$\quad = \lim_{h \to 0} \dfrac{f(3+5h)-f(3)}{h} + \lim_{h \to 0} \dfrac{f(3-7h)-f(3)}{-h}$

$\quad = \lim_{h \to 0} \dfrac{f(3+5h)-f(3)}{5h} \times 5 + \lim_{h \to 0} \dfrac{f(3-7h)-f(3)}{-7h} \times 7$

$\quad = 5f'(3)+7f'(3) = 12f'(3)$

$\quad = 12 \times \dfrac{1}{4} = 3$

13 $\lim_{x \to 1} \dfrac{x-1}{f(\sqrt{x})-f(1)} = \lim_{x \to 1} \dfrac{(\sqrt{x}-1)(\sqrt{x}+1)}{f(\sqrt{x})-f(1)}$

$\quad = \lim_{x \to 1} \dfrac{\sqrt{x}-1}{f(\sqrt{x})-f(1)} \times \lim_{x \to 1}(\sqrt{x}+1)$

$\quad = \lim_{x \to 1} \dfrac{1}{\dfrac{f(\sqrt{x})-f(1)}{\sqrt{x}-1}} \times \lim_{x \to 1}(\sqrt{x}+1)$

$\quad = \dfrac{1}{f'(1)} \times 2$

$\quad = 2 \times 2 = 4$

14 $f(x)=(x-a)^3$에서 $f'(x)=3(x-a)^2$

$g(x)=-3x$에서 $g'(x)=-3$

$y=f(x)+g(x)$에서 $y'=f'(x)+g'(x)$이고 곡선

$y=f(x)+g(x)$ 위의 $x=3$인 점에서의 접선의 기울기가 9

이므로 $f'(3)+g'(3)=9$

$3(3-a)^2-3=9$, $(3-a)^2=4$, $3-a=\pm2$

$\therefore a=1$ 또는 $a=5$

따라서 구하는 실수 a의 값의 합은

$1+5=6$

15 $g(x)=x^3+a$, $h(x)=ax^2+a+b$라 하면

$g'(x)=3x^2$, $h'(x)=2ax$

함수 $f(x)$가 $x=2$에서 연속이므로 $g(2)=h(2)$

$8+a=5a+b$ $\therefore 4a+b=8$ $\qquad\cdots\cdots$ ㉠

함수 $f(x)$가 $x=2$에서 미분가능하므로 $g'(2)=h'(2)$

$12=4a$ $\therefore a=3$

$a=3$을 ㉠에 대입하면 $b=-4$

$\therefore a-b=3-(-4)=7$

16 $f(x+y)=f(x)+f(y)+axy$에 $x=0$, $y=0$을 대입하면

$f(0)=f(0)+f(0)$ $\therefore f(0)=0$

$\begin{aligned}\therefore f'(x)&=\lim_{h\to0}\frac{f(x+h)-f(x)}{h}\\&=\lim_{h\to0}\frac{f(x)+f(h)+axh-f(x)}{h}\\&=\lim_{h\to0}\frac{f(h)+axh}{h}\\&=\lim_{h\to0}\frac{f(h)}{h}+ax\\&=\lim_{h\to0}\frac{f(h)-f(0)}{h}+ax\;(\because f(0)=0)\\&=f'(0)+ax\\&=ax-3\end{aligned}$

따라서 $ax-3=5x-3$이므로 $a=5$

17 다항식 x^6-2x+3을 $(x-1)^2$으로 나누었을 때의 몫을 $Q(x)$,

나머지를 $R(x)=ax+b\,(a,\,b$는 상수)라 하면

$x^6-2x+3=(x-1)^2Q(x)+ax+b$ $\quad\cdots\cdots$ ㉠

㉠의 양변에 $x=1$을 대입하면

$1-2+3=a+b$ $\therefore a+b=2$ $\quad\cdots\cdots$ ㉡ $\quad\cdots\cdots$ [3점]

㉠의 양변을 x에 대하여 미분하면

$6x^5-2=2(x-1)Q(x)+(x-1)^2Q'(x)+a$

이 식의 양변에 $x=1$을 대입하면

$6-2=a$ $\therefore a=4$

$a=4$를 ㉡에 대입하면 $b=-2$ $\qquad\cdots\cdots$ [3점]

따라서 $R(x)=4x-2$이므로

$R(1)=4-2=2$ $\qquad\cdots\cdots$ [2점]

18 $\displaystyle\lim_{x\to2}\frac{f(x)-3}{x-2}=3$에서 $\displaystyle\lim_{x\to2}(x-2)=0$이므로

$\displaystyle\lim_{x\to2}\{f(x)-3\}=0$

$\therefore f(2)=3$

$\displaystyle\lim_{x\to2}\frac{f(x)-3}{x-2}=\lim_{x\to2}\frac{f(x)-f(2)}{x-2}=f'(2)=3$

즉, 곡선 $y=f(x)$ 위의 $x=2$인 점에서의 접선의 기울기는 3

이므로 점 $(2,\,3)$에서의 접선의 방정식은

$y-3=3(x-2)$

$\therefore y=3x-3$

따라서 $m=3$, $n=-3$이므로

$m+n=3+(-3)=0$

19 $f(x)=-\dfrac{1}{3}x^3+x^2+\dfrac{4}{3}$로 놓으면

$f'(x)=-x^2+2x$

접점의 좌표를 $\left(t,\,-\dfrac{1}{3}t^3+t^2+\dfrac{4}{3}\right)$라 하면 접선의 기울기가

$\tan45°=1$이므로 $f'(t)=-t^2+2t=1$에서

$t^2-2t+1=0$, $(t-1)^2=0$

$\therefore t=1$

즉, 접점의 좌표는 $(1,\,2)$이므로 구하는 접선의 방정식은

$y-2=1\times(x-1)$

$\therefore y=x+1$

따라서 $a=1$, $b=1$이므로

$ab=1\times1=1$

20 ㄱ. 함수 $f(x)=x^2+x$는 닫힌구간 $[-1,\,2]$에서 연속이고 열린구간 $(-1,\,2)$에서 미분가능하지만 $f(-1)\neq f(2)$이므로 롤의 정리가 성립하지 않는다.

ㄴ. 함수 $f(x)=|x|$는 닫힌구간 $[-2,\,2]$에서 연속이고 $f(-2)=f(2)=2$이지만 $x=0$에서 미분가능하지 않으므로 롤의 정리가 성립하지 않는다.

ㄷ. 함수 $f(x)$는 닫힌구간 $[-1,\,1]$에서 연속이고 열린구간 $(-1,\,1)$에서 미분가능하며 $f(-1)=f(1)=3$이므로 $f'(c)=0$인 c가 열린구간 $(-1,\,1)$에 적어도 하나 존재한다. 즉, 롤의 정리가 성립한다.

따라서 롤의 정리가 성립하는 것은 ㄷ이다.

1 ⑤	**2** ④	**3** ①	**4** -3
5 ③	**6** ③	**7** 4	**8** ①
9 ②	**10** ②	**11** 세은	**12** ④
13 ③	**14** ⑤	**15** ④	**16** ①
17 ③	**18** ①	**19** $5\sqrt{2}$	**20** ②

1 (i) $x>3$일 때, $f(x)=\dfrac{(x+3)(x-3)}{x-3}=x+3$

(ii) $x=3$일 때, $f(x)=1$

(iii) $x<3$일 때,

$$f(x)=\dfrac{(x+3)(x-3)}{-(x-3)}=-x-3$$

(i), (ii), (iii)에서 $y=f(x)$의 그래프는
오른쪽 그림과 같다.

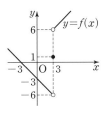

⑤ $\displaystyle\lim_{x\to3+}f(x)=6$, $\displaystyle\lim_{x\to3-}f(x)=-6$이
므로 $\displaystyle\lim_{x\to3}f(x)$의 값은 존재하지 않
는다.

따라서 옳지 않은 것은 ⑤이다.

2 $3f(x)-g(x)=h(x)$로 놓으면 $g(x)=3f(x)-h(x)$이고
$\displaystyle\lim_{x\to\infty}h(x)=2$이다.

$$\begin{aligned}\therefore \lim_{x\to\infty}\dfrac{8f(x)-g(x)}{2f(x)+g(x)}&=\lim_{x\to\infty}\dfrac{8f(x)-\{3f(x)-h(x)\}}{2f(x)+\{3f(x)-h(x)\}}\\&=\lim_{x\to\infty}\dfrac{5f(x)+h(x)}{5f(x)-h(x)}\\&=\lim_{x\to\infty}\dfrac{5+\dfrac{h(x)}{f(x)}}{5-\dfrac{h(x)}{f(x)}}\\&=\dfrac{5}{5}=1\left(\because \lim_{x\to\infty}\dfrac{h(x)}{f(x)}=0\right)\end{aligned}$$

다른 풀이

$\displaystyle\lim_{x\to\infty}f(x)=\infty$, $\displaystyle\lim_{x\to\infty}\{3f(x)-g(x)\}=2$이므로

$$\lim_{x\to\infty}\dfrac{3f(x)-g(x)}{f(x)}=0$$

즉, $\displaystyle\lim_{x\to\infty}\left\{3-\dfrac{g(x)}{f(x)}\right\}=3-\lim_{x\to\infty}\dfrac{g(x)}{f(x)}=0$이므로

$$\lim_{x\to\infty}\dfrac{g(x)}{f(x)}=3$$

$$\therefore \lim_{x\to\infty}\dfrac{8f(x)-g(x)}{2f(x)+g(x)}=\lim_{x\to\infty}\dfrac{8-\dfrac{g(x)}{f(x)}}{2+\dfrac{g(x)}{f(x)}}=\dfrac{8-3}{2+3}=1$$

3
$$\begin{aligned}\lim_{x\to1}\dfrac{2(x^4-1)}{(x^2-1)f(x)}&=\lim_{x\to1}\dfrac{2(x^2+1)(x^2-1)}{(x^2-1)f(x)}\\&=\lim_{x\to1}\dfrac{2(x^2+1)}{f(x)}\\&=\dfrac{4}{f(1)}\end{aligned}$$

즉, $\dfrac{4}{f(1)}=-2$이므로

$$f(1)=-2$$

4 $\displaystyle\lim_{x\to-2}\dfrac{x+2}{\sqrt{x^2-a}+b}=-\dfrac{1}{2}$에서 $-\dfrac{1}{2}\neq0$이고 $\displaystyle\lim_{x\to-2}(x+2)=0$
이므로

$$\lim_{x\to-2}(\sqrt{x^2-a}+b)=\sqrt{4-a}+b=0$$

$\therefore b=-\sqrt{4-a}$ ...... ㉠ ...... [2점]

㉠을 주어진 등식에 대입하면

$$\begin{aligned}&\lim_{x\to-2}\dfrac{x+2}{\sqrt{x^2-a}-\sqrt{4-a}}\\&=\lim_{x\to-2}\dfrac{(x+2)(\sqrt{x^2-a}+\sqrt{4-a})}{(\sqrt{x^2-a}-\sqrt{4-a})(\sqrt{x^2-a}+\sqrt{4-a})}\\&=\lim_{x\to-2}\dfrac{(x+2)(\sqrt{x^2-a}+\sqrt{4-a})}{x^2-4}\\&=\lim_{x\to-2}\dfrac{(x+2)(\sqrt{x^2-a}+\sqrt{4-a})}{(x+2)(x-2)}\\&=\lim_{x\to-2}\dfrac{\sqrt{x^2-a}+\sqrt{4-a}}{x-2}\\&=-\dfrac{\sqrt{4-a}}{2}=-\dfrac{1}{2}\end{aligned}$$

$\therefore a=3$

$a=3$을 ㉠에 대입하면 $b=-1$ ...... [4점]

$\therefore ab=3\times(-1)=-3$ ...... [1점]

5 $\displaystyle\lim_{x\to\infty}\dfrac{x^2-x+3}{f(x)}=1$에서 $f(x)$는 이차항의 계수가 1인 이차함
수임을 알 수 있다.

또, $\displaystyle\lim_{x\to3}\dfrac{f(x)}{x-3}=-1$에서 $\displaystyle\lim_{x\to3}(x-3)=0$이므로

$\displaystyle\lim_{x\to3}f(x)=0$ $\therefore f(3)=0$

즉, $f(x)=(x-3)(x+a)$ (a는 상수)로 놓을 수 있으므로

$$\begin{aligned}\lim_{x\to3}\dfrac{f(x)}{x-3}&=\lim_{x\to3}\dfrac{(x-3)(x+a)}{x-3}\\&=\lim_{x\to3}(x+a)\\&=3+a=-1\end{aligned}$$

$\therefore a=-4$

따라서 $f(x)=(x-3)(x-4)$이므로
$f(1)=-2\times(-3)=6$

6 (i) $f(1)=3$, $\displaystyle\lim_{x\to 1}f(x)=2$이므로
$$\lim_{x\to 1}f(x)\neq f(1)$$
따라서 $f(x)$는 $x=1$에서 불연속이다.

(ii) $\displaystyle\lim_{x\to 2-}f(x)=0$, $\displaystyle\lim_{x\to 2+}f(x)=2$이므로
$$\lim_{x\to 2-}f(x)\neq\lim_{x\to 2+}f(x)$$
따라서 $\displaystyle\lim_{x\to 2}f(x)$의 값이 존재하지 않으므로 $f(x)$는 $x=2$에서 불연속이다.

(i), (ii)에서 함수 $f(x)$는 $x=2$에서 극한이 존재하지 않으므로 $m=1$이고, $x=1$, $x=2$에서 불연속이므로 $n=2$이다.
$$\therefore mn=1\times 2=2$$

7 $f(x)=\begin{cases} ax+b & (|x|\geq 1) \\ x^2+2x+1 & (|x|<1) \end{cases}=\begin{cases} ax+b & (x\geq 1) \\ x^2+2x+1 & (-1<x<1) \\ ax+b & (x\leq -1) \end{cases}$

함수 $f(x)$가 모든 실수 x에 대하여 연속이려면 $x=-1$, $x=1$에서도 연속이어야 한다. ...... [2점]

함수 $f(x)$가 $x=-1$에서 연속이려면
$$\lim_{x\to -1-}(ax+b)=\lim_{x\to -1+}(x^2+2x+1)=f(-1)$$
$-a+b=1-2+1$ $\quad\therefore a=b$ ...... ㉠ ...... [2점]

또, 함수 $f(x)$가 $x=1$에서 연속이려면
$$\lim_{x\to 1-}(x^2+2x+1)=\lim_{x\to 1+}(ax+b)=f(1)$$
$1+2+1=a+b$ $\quad\therefore a+b=4$ ...... ㉡ ...... [2점]
㉠, ㉡을 연립하여 풀면
$a=2$, $b=2$
$$\therefore ab=2\times 2=4$$ ...... [2점]

8 ㄱ. 두 함수 $f(x)$, $f(x)+g(x)$가 $x=a$에서 연속이므로 연속함수의 성질에 의하여 함수 $\{f(x)+g(x)\}-f(x)=g(x)$도 $x=a$에서 연속이다.

ㄴ. [반례] $f(x)=x$, $g(x)=\begin{cases} 1 & (x\geq 0) \\ -1 & (x<0) \end{cases}$이면 두 함수 $f(x)$, $f(x)g(x)$는 $x=0$에서 연속이지만 함수 $g(x)$는 $x=0$에서 **불연속이다**.

ㄷ. [반례] $f(x)=x$, $g(x)=x$이면 두 함수 $f(x)$, $g(x)$는 모두 $x=0$에서 연속이지만 함수 $\dfrac{1}{f(x)g(x)}=\dfrac{1}{x^2}$은 $x=0$에서 **불연속이다**.

따라서 옳은 것은 ㄱ이다.

9 $f(x)=x^3-2x^2+a$로 놓으면 $f(x)$는 모든 실수 x에서 연속이므로 닫힌구간 $[-1, 2]$에서 연속이다.

이때, 사잇값의 정리에 의하여 방정식 $f(x)=0$이 열린구간 $(-1, 2)$에서 적어도 하나의 실근을 가지려면
$f(-1)f(2)<0$이어야 하므로
$(a-3)\times a<0$ $\quad\therefore 0<a<3$
따라서 정수 a는 1, 2이므로 구하는 합은
$1+2=3$

10 오른쪽 그림에서 $f(a)=b$, $f(c)=d$이므로 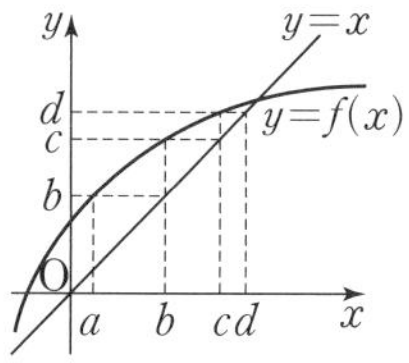
$f^{-1}(b)=a$, $f^{-1}(d)=c$
$\therefore g(b)=a$, $g(d)=c$
따라서 구하는 평균변화율은
$$\frac{g(d)-g(b)}{d-b}=\frac{c-a}{d-b}$$

11 유찬: $\displaystyle\lim_{x\to 0}f(x)=f(0)=0$이므로 함수 $f(x)$는 $x=0$에서 연속이다.
$$f'(0)=\lim_{h\to 0}\frac{f(0+h)-f(0)}{h}$$
$$=\lim_{h\to 0}\frac{h|h|-0}{h}$$
$$=\lim_{h\to 0}|h|=0$$
이므로 함수 $f(x)$는 $x=0$에서 미분가능하다.

세은: $f(x)=\sqrt{x^2}=|x|$이므로 $x=0$에서 연속이지만 미분가능하지 않다.

민호: $f(x)=|x|^2=x^2$이므로 $x=0$에서 연속이고 미분가능하다.

따라서 $x=0$에서 연속이지만 미분가능하지 않은 함수를 들고 있는 사람은 세은이다.

12 함수 $y=f(x)$의 그래프가 점 $(4, 6)$을 지나므로
$f(4)=6$
또, 함수 $y=f(x)$의 그래프 위의 점 $(4, 6)$에서의 접선의 기울기가 -1이므로 $f'(4)=-1$
$$\therefore \lim_{h\to 0}\frac{f(4-3h)-6}{h}=\lim_{h\to 0}\frac{f(4-3h)-f(4)}{h}$$
$$=\lim_{h\to 0}\frac{f(4-3h)-f(4)}{-3h}\times(-3)$$
$$=f'(4)\times(-3)$$
$$=-1\times(-3)=3$$

13 $\displaystyle\lim_{x\to 2}\frac{2f(x)-xf(2)}{x-2}$

$\quad=\displaystyle\lim_{x\to 2}\frac{2f(x)-2f(2)+2f(2)-xf(2)}{x-2}$

$\quad=\displaystyle\lim_{x\to 2}\frac{2\{f(x)-f(2)\}-(x-2)f(2)}{x-2}$

$\quad=2\displaystyle\lim_{x\to 2}\frac{f(x)-f(2)}{x-2}-\lim_{x\to 2}\frac{(x-2)f(2)}{x-2}$

$\quad=2f'(2)-f(2)$

$\quad=2\times 1-(-1)=3$

14 함수 $f(x)=x^3+ax^2+bx+1$에서

$\quad f'(x)=3x^2+2ax+b$

이때, $f'(-1)=-2$이므로 $3-2a+b=-2$

$\quad\therefore 2a-b=5$ $\qquad\qquad\qquad$ ······ ㉠

또, $f'(1)=6$이므로 $3+2a+b=6$

$\quad\therefore 2a+b=3$ $\qquad\qquad\qquad$ ······ ㉡

㉠, ㉡을 연립하여 풀면 $a=2$, $b=-1$

$\quad\therefore ab=2\times(-1)=-2$

15 $\displaystyle\lim_{h\to 0}\frac{f(1+h)-f(1-3h)}{h}$

$\quad=\displaystyle\lim_{h\to 0}\frac{f(1+h)-f(1)+f(1)-f(1-3h)}{h}$

$\quad=\displaystyle\lim_{h\to 0}\frac{\{f(1+h)-f(1)\}-\{f(1-3h)-f(1)\}}{h}$

$\quad=\displaystyle\lim_{h\to 0}\frac{f(1+h)-f(1)}{h}+\lim_{h\to 0}\frac{f(1-3h)-f(1)}{-3h}\times 3$

$\quad=f'(1)+3f'(1)=4f'(1)$

이때, $f(x)=x^3-x^2+2$에서

$\quad f'(x)=3x^2-2x$이므로

$\quad f'(1)=3-2=1$

$\quad\therefore 4f'(1)=4\times 1=4$

16 $f(x+y)=f(x)+f(y)-3xy$의 양변에 $x=0$, $y=0$을 대입

하면

$\quad f(0)=f(0)+f(0)$ $\quad\therefore f(0)=0$

이때, $f'(0)=\displaystyle\lim_{h\to 0}\frac{f(h)-f(0)}{h}=\lim_{h\to 0}\frac{f(h)}{h}=5$이므로

$\quad f'(1)=\displaystyle\lim_{h\to 0}\frac{f(1+h)-f(1)}{h}$

$\qquad=\displaystyle\lim_{h\to 0}\frac{f(1)+f(h)-3h-f(1)}{h}$

$\qquad=\displaystyle\lim_{h\to 0}\frac{f(h)-3h}{h}=\lim_{h\to 0}\frac{f(h)}{h}-3$

$\qquad=5-3=2$

17 다항식 $2x^4+4ax-b$를 $(x-1)^2$으로 나누었을 때의 몫을
$Q(x)$라 하면

$\quad 2x^4+4ax-b=(x-1)^2Q(x)$ $\qquad$ ······ ㉠

㉠의 양변에 $x=1$을 대입하면

$\quad 2+4a-b=0$ $\quad\therefore 4a-b=-2$ $\qquad$ ······ ㉡

㉠의 양변을 x에 대하여 미분하면

$\quad 8x^3+4a=2(x-1)Q(x)+(x-1)^2Q'(x)$

이 식의 양변에 $x=1$을 대입하면

$\quad 8+4a=0$ $\quad\therefore a=-2$

$a=-2$를 ㉡에 대입하면 $b=-6$

$\quad\therefore ab=-2\times(-6)=12$

18 $f(x)=x^3+2x^2-4x-3$으로 놓으면 $f'(x)=3x^2+4x-4$

점 $(1, -4)$에서의 접선의 기울기는

$\quad f'(1)=3+4-4=3$

이므로 접선의 방정식은

$\quad y-(-4)=3(x-1)$ $\quad\therefore y=3x-7$

따라서 $a=3$, $b=-7$이므로

$\quad b-a=-7-3=-10$

19 $f(x)=x^3+4x-2$로 놓으면 $f'(x)=3x^2+4$

접점 P의 좌표를 (t, t^3+4t-2)라 하면 이 점에서의 접선의
기울기는 $f'(t)=3t^2+4$이므로 접선의 방정식은

$\quad y-(t^3+4t-2)=(3t^2+4)(x-t)$

$\quad\therefore y=(3t^2+4)x-2t^3-2$ $\qquad$ ······ [3점]

이 직선이 원점을 지나므로

$\quad 0=-2t^3-2$, $t^3=-1$ $\quad\therefore t=-1$ $\qquad$ ······ [2점]

따라서 점 P의 좌표는 $(-1, -7)$이므로

$\quad\overline{\text{OP}}=\sqrt{(-1)^2+(-7)^2}=\sqrt{50}=5\sqrt{2}$ $\qquad$ ······ [2점]

20 함수 $g(x)=\dfrac{f(x)}{x+3}$는 닫힌구간 $[-1, 2]$에서 연속이고 열린
구간 $(-1, 2)$에서 미분가능하므로 평균값 정리에 의하여

$\quad\dfrac{g(2)-g(-1)}{2-(-1)}=g'(c)$

인 c가 열린구간 $(-1, 2)$에 적어도 하나 존재한다.

이때, $f(-1)=4$, $f(2)=5$이므로

$\quad\dfrac{g(2)-g(-1)}{2-(-1)}=\dfrac{\dfrac{f(2)}{5}-\dfrac{f(-1)}{2}}{3}$

$\qquad\qquad=\dfrac{\dfrac{5}{5}-\dfrac{4}{2}}{3}=-\dfrac{1}{3}$

$\quad\therefore g'(c)=-\dfrac{1}{3}$

1일 시험지 속 개념 문제

9, 11쪽

1 (1) 감소 (2) 증가 **2** ①

3 ① **4** b, d

5 (1) 극댓값: 15, 극솟값: 없다. (2) 극댓값: 22, 극솟값: -10

6 풀이 참조

7 (1) 최댓값: 9, 최솟값: 5 (2) 최댓값: 4, 최솟값: -6

8 ④

1 (1) 열린구간 $(1, \infty)$에 속하는 임의의 두 실수 x_1, x_2에 대하여 $x_1 < x_2$일 때

$$f(x_1) - f(x_2) = (-x_1^2 + 4) - (-x_2^2 + 4)$$
$$= x_2^2 - x_1^2 = (x_2 + x_1)(x_2 - x_1) > 0$$

즉, $f(x_1) > f(x_2)$이므로 함수 $f(x)$는 열린구간 $(1, \infty)$에서 감소한다.

다른 풀이

$f(x) = -x^2 + 4$에서 $f'(x) = -2x$

열린구간 $(1, \infty)$에서 $f'(x) < 0$이므로 함수 $f(x)$는 열린구간 $(1, \infty)$에서 감소한다.

(2) 열린구간 $(1, \infty)$에 속하는 임의의 두 실수 x_1, x_2에 대하여 $x_1 < x_2$일 때

$$f(x_1) - f(x_2) = (2x_1^2 + x_1 - 5) - (2x_2^2 + x_2 - 5)$$
$$= 2(x_1^2 - x_2^2) + (x_1 - x_2)$$
$$= 2(x_1 + x_2)(x_1 - x_2) + (x_1 - x_2)$$
$$= (x_1 - x_2)(2x_1 + 2x_2 + 1) < 0$$

즉, $f(x_1) < f(x_2)$이므로 함수 $f(x)$는 열린구간 $(1, \infty)$에서 증가한다.

다른 풀이

$f(x) = 2x^2 + x - 5$에서 $f'(x) = 4x + 1$

열린구간 $(1, \infty)$에서 $f'(x) > 0$이므로 함수 $f(x)$는 열린구간 $(1, \infty)$에서 증가한다.

2 $f(x) = -x^2 - 6x$에서 $f'(x) = -2x - 6 = -2(x + 3)$

$f'(x) = 0$에서 $x = -3$

함수 $f(x)$의 증가, 감소를 표로 나타내면 다음과 같다.

x	$\cdots$	-3	$\cdots$
$f'(x)$	$+$	0	$-$
$f(x)$	$\nearrow$	9	$\searrow$

따라서 함수 $f(x)$는 반닫힌 구간 $(-\infty, -3]$에서 증가한다.

3 $f(x) = x^2 + 4x - 1$에서

$f'(x) = 2x + 4 = 2(x + 2)$

$f'(x) = 0$에서 $x = -2$

함수 $f(x)$의 증가, 감소를 표로 나타내면 다음과 같다.

x	$\cdots$	-2	$\cdots$
$f'(x)$	$-$	0	$+$
$f(x)$	$\searrow$	-5	$\nearrow$

따라서 함수 $f(x)$는 반닫힌 구간 $(-\infty, -2]$에서 감소한다.

4 함수 $f(x)$는 $x = b$, $x = d$의 좌우에서 각각 증가하다가 감소하므로 함수 $f(x)$가 극댓값을 갖는 점의 x좌표는 b, d이다.

5 (1) $f(x) = -2x^2 + 12x - 3$에서

$f'(x) = -4x + 12 = -4(x - 3)$

$f'(x) = 0$에서 $x = 3$

함수 $f(x)$의 증가, 감소를 표로 나타내면 다음과 같다.

x	$\cdots$	3	$\cdots$
$f'(x)$	$+$	0	$-$
$f(x)$	$\nearrow$	15	$\searrow$

따라서 함수 $f(x)$는

$x = 3$에서 극대이고 극댓값은 $f(3) = 15$,

극솟값은 없다.

(2) $f(x) = x^3 + 6x^2 - 10$에서

$f'(x) = 3x^2 + 12x = 3x(x + 4)$

$f'(x) = 0$에서 $x = -4$ 또는 $x = 0$

함수 $f(x)$의 증가, 감소를 표로 나타내면 다음과 같다.

x	$\cdots$	-4	$\cdots$	0	$\cdots$
$f'(x)$	$+$	0	$-$	0	$+$
$f(x)$	$\nearrow$	22	$\searrow$	-10	$\nearrow$

따라서 함수 $f(x)$는

$x = -4$에서 극대이고 극댓값은 $f(-4) = 22$,

$x = 0$에서 극소이고 극솟값은 $f(0) = -10$이다.

6 (1) $f(x) = x^3 - \dfrac{9}{2}x^2 + 6x - \dfrac{1}{2}$에서

$f'(x) = 3x^2 - 9x + 6 = 3(x^2 - 3x + 2)$
$= 3(x - 1)(x - 2)$

$f'(x) = 0$에서 $x = 1$ 또는 $x = 2$

함수 $f(x)$의 증가, 감소를 표로 나타내면 다음과 같다.

x	$\cdots$	1	$\cdots$	2	$\cdots$
$f'(x)$	$+$	0	$-$	0	$+$
$f(x)$	$\nearrow$	2	$\searrow$	$\dfrac{3}{2}$	$\nearrow$

함수 $y=f(x)$의 그래프와 y축의 교점의 좌표는 $\left(0, -\dfrac{1}{2}\right)$

따라서 함수 $y=f(x)$의 그래프의 개형을 그리면 오른쪽 그림과 같다.

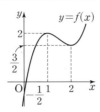

(2) $f(x)=x^3-3x^2+4$에서

$f'(x)=3x^2-6x=3x(x-2)$

$f'(x)=0$에서 $x=0$ 또는 $x=2$

함수 $f(x)$의 증가, 감소를 표로 나타내면 다음과 같다.

x	$\cdots$	0	$\cdots$	2	$\cdots$
$f'(x)$	$+$	0	$-$	0	$+$
$f(x)$	$\nearrow$	4	$\searrow$	0	$\nearrow$

따라서 함수 $y=f(x)$의 그래프의 개형을 그리면 오른쪽 그림과 같다.

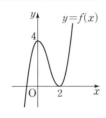

(3) $f(x)=-2x^3+3x^2+12x-7$에서

$f'(x)=-6x^2+6x+12=-6(x^2-x-2)$
$\qquad\ \ =-6(x+1)(x-2)$

$f'(x)=0$에서 $x=-1$ 또는 $x=2$

함수 $f(x)$의 증가, 감소를 표로 나타내면 다음과 같다.

x	$\cdots$	-1	$\cdots$	2	$\cdots$
$f'(x)$	$-$	0	$+$	0	$-$
$f(x)$	$\searrow$	-14	$\nearrow$	13	$\searrow$

함수 $y=f(x)$의 그래프와 y축의 교점의 좌표는 $(0, -7)$

따라서 함수 $y=f(x)$의 그래프의 개형을 그리면 오른쪽 그림과 같다.

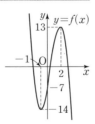

7 (1) $f(x)=x^3+3x^2+5$에서

$f'(x)=3x^2+6x=3x(x+2)$

$f'(x)=0$에서 $x=0$ ($\because -1\leq x\leq 1$)

닫힌구간 $[-1, 1]$에서 함수 $f(x)$의 증가, 감소를 표로 나타내면 다음과 같다.

x	-1	$\cdots$	0	$\cdots$	1
$f'(x)$		$-$	0	$+$	
$f(x)$	7	$\searrow$	5	$\nearrow$	9

따라서 함수 $f(x)$는 $x=1$에서 최댓값 $f(1)=9$, $x=0$에서 최솟값 $f(0)=5$를 갖는다.

(2) $f(x)=x^3-\dfrac{3}{2}x^2-6x+\dfrac{1}{2}$에서

$f'(x)=3x^2-3x-6=3(x^2-x-2)$
$\qquad\ \ =3(x+1)(x-2)$

$f'(x)=0$에서 $x=-1$ ($\because -2\leq x\leq 1$)

닫힌구간 $[-2, 1]$에서 함수 $f(x)$의 증가, 감소를 표로 나타내면 다음과 같다.

x	-2	$\cdots$	-1	$\cdots$	1
$f'(x)$		$+$	0	$-$	
$f(x)$	$-\dfrac{3}{2}$	$\nearrow$	4	$\searrow$	-6

따라서 함수 $f(x)$는 $x=-1$에서 최댓값 $f(-1)=4$, $x=1$에서 최솟값 $f(1)=-6$을 갖는다.

8 $f(x)=-x^3+9x^2-10$에서

$f'(x)=-3x^2+18x=-3x(x-6)$

$f'(x)=0$에서 $x=0$ ($\because -1\leq x\leq 2$)

닫힌구간 $[-1, 2]$에서 함수 $f(x)$의 증가, 감소를 표로 나타내면 다음과 같다.

x	-1	$\cdots$	0	$\cdots$	2
$f'(x)$		$-$	0	$+$	
$f(x)$	0	$\searrow$	-10	$\nearrow$	18

따라서 함수 $f(x)$는 $x=2$에서 최댓값 $f(2)=18$, $x=0$에서 최솟값 $f(0)=-10$을 가지므로 최댓값과 최솟값의 합은 $18+(-10)=8$

1일 교과서 기출 베스트 1회

12~13쪽

1 ④　　**2** -7　　**3** $\dfrac{3}{2}$　　**4** ④

5 -22　　**6** (1) $x>2$　(2) $x=2$　　**7** ②

8 1

1 $f(x)=x^3+kx^2+3x+1$에서

$f'(x)=3x^2+2kx+3$

함수 $f(x)$가 열린구간 $(-\infty,\ \infty)$에서 증가하려면 모든 실수 x에 대하여 $f'(x)\geq0$이어야 한다.

이때, 이차방정식 $f'(x)=0$의 판별식을 D라 하면

$\dfrac{D}{4}=k^2-9\leq0,\ (k+3)(k-3)\leq0$

$\therefore -3\leq k\leq3$

따라서 정수 k의 최댓값은 3이다.

2 $f(x)=-2x^3+3x^2+12x-10$에서

$f'(x)=-6x^2+6x+12=-6(x^2-x-2)$
$\qquad\quad=-6(x+1)(x-2)$

$f'(x)=0$에서 $x=-1$ 또는 $x=2$

함수 $f(x)$의 증가, 감소를 표로 나타내면 다음과 같다.

x	$\cdots$	-1	$\cdots$	2	$\cdots$
$f'(x)$	$-$	0	$+$	0	$-$
$f(x)$	$\searrow$	-17	$\nearrow$	10	$\searrow$

따라서 함수 $f(x)$는 $x=2$에서 극대이고 극댓값은 $f(2)=10$, $x=-1$에서 극소이고 극솟값은 $f(-1)=-17$이므로

$M=10,\ m=-17$

$\therefore M+m=10+(-17)=-7$

3 $f(x)=x^3+ax^2+bx+c$에서

$f'(x)=3x^2+2ax+b$

함수 $f(x)$가 $x=-2$에서 극댓값 15를 가지므로

$f(-2)=15$에서 $-8+4a-2b+c=15$

$\therefore 4a-2b+c=23$ $\qquad\qquad$ $\cdots\cdots$ ㉠

$f'(-2)=0$에서 $12-4a+b=0$

$\therefore 4a-b=12$ $\qquad\qquad\quad$ $\cdots\cdots$ ㉡

또, 함수 $f(x)$가 $x=1$에서 극솟값을 가지므로

$f'(1)=0$에서 $3+2a+b=0$

$\therefore 2a+b=-3$ $\qquad\qquad\quad$ $\cdots\cdots$ ㉢

㉡, ㉢을 연립하여 풀면

$a=\dfrac{3}{2},\ b=-6$

이것을 ㉠에 대입하면 $c=5$

$\therefore f(x)=x^3+\dfrac{3}{2}x^2-6x+5$

따라서 구하는 극솟값은

$f(1)=1+\dfrac{3}{2}-6+5=\dfrac{3}{2}$

다른 풀이

$f(x)=x^3+ax^2+bx+c$에서

$f'(x)=3x^2+2ax+b$

함수 $f(x)$가 $x=-2,\ x=1$에서 극값을 가지므로

$f'(-2)=0,\ f'(1)=0$

즉, 이차방정식 $f'(x)=0$의 두 근이 -2, 1이므로 근과 계수의 관계에 의하여

$-2+1=-\dfrac{2a}{3},\ -2\times1=\dfrac{b}{3}$ $\quad\therefore a=\dfrac{3}{2},\ b=-6$

또, 함수 $f(x)$가 $x=-2$에서 극댓값 15를 가지므로

$f(-2)=-8+4a-2b+c=15$ $\quad\therefore c=5$

$\therefore f(x)=x^3+\dfrac{3}{2}x^2-6x+5$

따라서 구하는 극솟값은

$f(1)=1+\dfrac{3}{2}-6+5=\dfrac{3}{2}$

4 $f(x)=x^3+kx^2-kx+5$에서

$f'(x)=3x^2+2kx-k$

함수 $f(x)$가 극값을 갖지 않으려면 이차방정식 $f'(x)=0$이 중근 또는 허근을 가져야 하므로 이차방정식 $f'(x)=0$의 판별식을 D라 하면

$\dfrac{D}{4}=k^2+3k\leq0,\ k(k+3)\leq0$ $\quad\therefore -3\leq k\leq0$

따라서 정수 k는 $-3,\ -2,\ -1,\ 0$이므로 그 개수는 4이다.

5 도함수 $y=f'(x)$의 그래프가 x축과 만나는 점의 x좌표가 0, 4이므로 $f'(x)=0$에서 $x=0$ 또는 $x=4$

함수 $f(x)$의 증가, 감소를 표로 나타내면 다음과 같다.

x	$\cdots$	0	$\cdots$	4	$\cdots$
$f'(x)$	$+$	0	$-$	0	$+$
$f(x)$	$\nearrow$	극대	$\searrow$	극소	$\nearrow$

$f(x)=x^3+ax^2+bx+c$ $(a,\ b,\ c$는 상수$)$라 하면

$f'(x)=3x^2+2ax+b$

$f'(0)=0,\ f'(4)=0$이므로

$f'(0)=b=0$

$f'(4)=48+8a+b=0$ $\quad\therefore a=-6$

또, $f(x)$의 극댓값이 10이므로 $f(0)=c=10$

따라서 $f(x)=x^3-6x^2+10$이므로 구하는 극솟값은

$f(4)=64-96+10=-22$

6 (1) $f'(x)<0$인 x의 값의 범위를 구하면 $x>2$

(2) $f'(x)$의 부호가 양$(+)$에서 음$(-)$으로 바뀌는 x의 값을 구하면 $x=2$

7 $f(x)=x^3+2x^2+x+1$에서

$f'(x)=3x^2+4x+1=(x+1)(3x+1)$

$f'(x)=0$에서 $x=-1$ 또는 $x=-\dfrac{1}{3}$

닫힌구간 $[-2,\,0]$에서 함수 $f(x)$의 증가, 감소를 표로 나타내면 다음과 같다.

x	-2	$\cdots$	-1	$\cdots$	$-\dfrac{1}{3}$	$\cdots$	0
$f'(x)$		$+$	0	$-$	0	$+$	
$f(x)$	-1	$\nearrow$	1	$\searrow$	$\dfrac{23}{27}$	$\nearrow$	1

따라서 함수 $f(x)$는 닫힌구간 $[-2,\,0]$에서 $x=-1$ 또는 $x=0$일 때 최댓값 1, $x=-2$일 때 최솟값 -1을 가지므로

$M=1$, $m=-1$

$\therefore Mm=1\times(-1)=-1$

8 $f(x)=x^3-6x^2+9x+k$에서

$f'(x)=3x^2-12x+9=3(x^2-4x+3)$

$\qquad\qquad=3(x-1)(x-3)$

$f'(x)=0$에서 $x=1$ 또는 $x=3$

닫힌구간 $[-1,\,4]$에서 함수 $f(x)$의 증가, 감소를 표로 나타내면 다음과 같다.

x	-1	$\cdots$	1	$\cdots$	3	$\cdots$	4
$f'(x)$		$+$	0	$-$	0	$+$	
$f(x)$	$-16+k$	$\nearrow$	$4+k$	$\searrow$	k	$\nearrow$	$4+k$

따라서 함수 $f(x)$는 닫힌구간 $[-1,\,4]$에서 $x=1$ 또는 $x=4$일 때 최댓값 $4+k$, $x=-1$일 때 최솟값 $-16+k$를 갖는다.

이때, 최댓값과 최솟값의 합이 -10이므로

$(4+k)+(-16+k)=-10$

$-12+2k=-10$ $\qquad \therefore k=1$

1일 **교과서 기출 베스트 2**회   **14~15쪽**

1 -3	**2** $a\ge-5$	**3** ③	**4** ⑤
5 ②	**6** -6	**7** ㄴ	**8** ③
9 ⑤	**10** ④		

1 $f(x)=-x^3+kx^2+(k-6)x+3$에서

$f'(x)=-3x^2+2kx+k-6$

함수 $f(x)$가 실수 전체의 집합에서 감소하려면 모든 실수 x에 대하여 $f'(x)\le0$이어야 한다.

이때, 이차방정식 $f'(x)=0$의 판별식을 D라 하면

$\dfrac{D}{4}=k^2+3(k-6)\le0$, $k^2+3k-18\le0$

$(k+6)(k-3)\le0$ $\qquad\therefore -6\le k\le3$

따라서 $a=-6$, $b=3$이므로 $a+b=-3$

> **참고**
>
> 조건을 만족시키는 실수 k의 값의 범위는 $a\le k\le b$이고, a, b는 이차방정식 $k^2+3k-18=0$의 두 근이므로 이차방정식의 근과 계수의 관계에 의하여
>
> $a+b=-3$

2 $f(x)=x^3+x^2+ax-4$에서

$f'(x)=3x^2+2x+a$

함수 $f(x)$가 열린구간 $(1,\,3)$에서 증가하려면 $1<x<3$에서 $f'(x)\ge0$이어야 하므로

$f'(1)=3+2+a\ge0$에서 $a\ge-5$ $\qquad\cdots\cdots$ ㉠

$f'(3)=27+6+a\ge0$에서 $a\ge-33$ $\qquad\cdots\cdots$ ㉡

㉠, ㉡의 공통 범위를 구하면 $a\ge-5$

3 $f(x)=x^4-2x^2+6$에서

$f'(x)=4x^3-4x=4x(x+1)(x-1)$

$f'(x)=0$에서 $x=-1$ 또는 $x=0$ 또는 $x=1$

함수 $f(x)$의 증가, 감소를 표로 나타내면 다음과 같다.

x	$\cdots$	-1	$\cdots$	0	$\cdots$	1	$\cdots$
$f'(x)$	$-$	0	$+$	0	$-$	0	$+$
$f(x)$	$\searrow$	극소	$\nearrow$	극대	$\searrow$	극소	$\nearrow$

따라서 함수 $f(x)$는 $x=-1$, $x=0$, $x=1$에서 극값을 가지므로 구하는 모든 x의 값의 합은

$-1+0+1=0$

4 $f(x)=-x^3+ax^2+bx$에서

$f'(x)=-3x^2+2ax+b$

함수 $f(x)$가 $x=-1$, $x=1$에서 극값을 가지므로

$f'(-1)=-3-2a+b=0$ $\qquad\cdots\cdots$ ㉠

$f'(1)=-3+2a+b=0$ $\qquad\cdots\cdots$ ㉡

㉠, ㉡을 연립하여 풀면 $a=0$, $b=3$

따라서 $f(x)=-x^3+3x$이므로 극댓값은

$f(1)=-1+3=2$

5 $f(x)=\dfrac{1}{3}x^3-kx^2+kx$에서

$f'(x)=x^2-2kx+k$

함수 $f(x)$가 극값을 가지려면 이차방정식 $f'(x)=0$이 서로 다른 두 실근을 가져야 한다.

이때, 이차방정식 $f'(x)=0$의 판별식을 D라 하면

$\dfrac{D}{4}=k^2-k>0,\ k(k-1)>0$ $\therefore k<0$ 또는 $k>1$

따라서 양의 정수 k의 최솟값은 2이다.

6 도함수 $y=f'(x)$의 그래프가 x축과 만나는 점의 x좌표가 -3, 1이므로 $f'(x)=0$에서 $x=-3$ 또는 $x=1$

함수 $f(x)$의 증가, 감소를 표로 나타내면 다음과 같다.

x	$\cdots$	-3	$\cdots$	1	$\cdots$
$f'(x)$	$+$	0	$-$	0	$+$
$f(x)$	$\nearrow$	극대	$\searrow$	극소	$\nearrow$

$f(x)=x^3+ax^2+bx+c$에서

$f'(x)=3x^2+2ax+b$

$f'(-3)=0,\ f'(1)=0$이므로

$f'(-3)=27-6a+b=0$ $\cdots\cdots$ ㉠

$f'(1)=3+2a+b=0$ $\cdots\cdots$ ㉡

㉠, ㉡을 연립하여 풀면

$a=3,\ b=-9$

이때, $f(x)=x^3+3x^2-9x+c$이고 $f(-3)=26$이므로

$f(-3)=-27+27+27+c=26$ $\therefore c=-1$

따라서 $f(x)=x^3+3x^2-9x-1$이므로 구하는 극솟값은

$f(1)=1+3-9-1=-6$

7 도함수 $y=f'(x)$의 그래프가 x축과 만나는 점의 x좌표가 1, 3이므로 $f'(x)=0$에서 $x=1$ 또는 $x=3$

함수 $f(x)$의 증가, 감소를 표로 나타내면 다음과 같다.

x	$\cdots$	1	$\cdots$	3	$\cdots$
$f'(x)$	$+$	0	$-$	0	$+$
$f(x)$	$\nearrow$	극대	$\searrow$	극소	$\nearrow$

ㄱ. 함수 $f(x)$는 구간 $(-\infty,\ 1)$, $(3,\ \infty)$에서 증가하는 함수이다.

ㄴ. $x=1$의 좌우에서 $f'(x)$의 부호가 양($+$)에서 음($-$)으로 바뀌므로 $f(x)$는 $x=1$에서 극댓값을 갖는다.

ㄷ. 함수 $y=f(x)$의 그래프의 개형은 오른쪽 그림과 같으므로 함수 $f(x)$는 최댓값과 최솟값이 존재하지 않는다.

따라서 옳은 것은 ㄴ이다.

8 $f(x)=x^3-12x+10$에서

$f'(x)=3x^2-12=3(x+2)(x-2)$

$f'(x)=0$에서 $x=2$ $(\because 0\le x\le 4)$

닫힌구간 $[0,\ 4]$에서 함수 $f(x)$의 증가, 감소를 표로 나타내면 다음과 같다.

x	0	$\cdots$	2	$\cdots$	4
$f'(x)$		$-$	0	$+$	
$f(x)$	10	$\searrow$	-6	$\nearrow$	26

따라서 함수 $f(x)$는 닫힌구간 $[0,\ 4]$에서 $x=4$일 때 최댓값 26, $x=2$일 때 최솟값 -6을 가지므로

$M=26,\ m=-6$

$\therefore M+m=20$

9 $f(x)=x^3-3x^2+k$에서

$f'(x)=3x^2-6x=3x(x-2)$

$f'(x)=0$에서 $x=2$ $(\because 1\le x\le 4)$

닫힌구간 $[1,\ 4]$에서 함수 $f(x)$의 증가, 감소를 표로 나타내면 다음과 같다.

x	1	$\cdots$	2	$\cdots$	4
$f'(x)$		$-$	0	$+$	
$f(x)$	$-2+k$	$\searrow$	$-4+k$	$\nearrow$	$16+k$

함수 $f(x)$는 닫힌구간 $[1,\ 4]$에서 $x=4$일 때 최댓값 $16+k$, $x=2$일 때 최솟값 $-4+k$를 갖는다.

이때, 최솟값은 -8이므로

$-4+k=-8$ $\therefore k=-4$

따라서 함수 $f(x)$의 최댓값은 $16-4=12$

10 관람 수입을 $f(x)$라 하면

$f(x)=xy=x\left(700+30x-\dfrac{1}{3}x^2\right)$

$\qquad =-\dfrac{1}{3}x^3+30x^2+700x$

$f'(x)=-x^2+60x+700=-(x+10)(x-70)$

$f'(x)=0$에서 $x=70$ $(\because x>0)$

$x>0$에서 함수 $f(x)$의 증가, 감소를 표로 나타내면 다음과 같다.

x	0	$\cdots$	70	$\cdots$
$f'(x)$		$+$	0	$-$
$f(x)$		$\nearrow$	극대	$\searrow$

따라서 $f(x)$는 $x=70$일 때 극대이면서 최대이므로 관람 수입을 최대로 하려면 관람료를 7000원으로 정해야 한다.

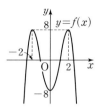

2일 시험지 속 개념 문제

19, 21쪽

1 (1) 2　(2) 3　(3) 4　**2** ②　　**3** (가) 1　(나) 0
4 풀이 참조　　**5** (1) $v=7$, $a=2$　(2) $v=-6$, $a=-12$
6 (1) 11　(2) 9　　**7** (1) 96　(2) 216　　**8** ④

1 (1) $f(x)=x^3-3x^2$으로 놓으면
$$f'(x)=3x^2-6x=3x(x-2)$$
$f'(x)=0$에서 $x=0$ 또는 $x=2$
함수 $f(x)$의 증가, 감소를 표로 나타내면 다음과 같다.

x	$\cdots$	0	$\cdots$	2	$\cdots$
$f'(x)$	+	0	−	0	+
$f(x)$	↗	0	↘	−4	↗

따라서 함수 $y=f(x)$의 그래프는 오른쪽 그림과 같이 x축과 서로 다른 두 점에서 만나므로 주어진 방정식의 서로 다른 실근의 개수는 2이다.

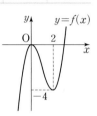

(2) $f(x)=-2x^3+3x^2+12x-10$으로 놓으면
$$f'(x)=-6x^2+6x+12=-6(x^2-x-2)$$
$$=-6(x+1)(x-2)$$
$f'(x)=0$에서 $x=-1$ 또는 $x=2$
함수 $f(x)$의 증가, 감소를 표로 나타내면 다음과 같다.

x	$\cdots$	−1	$\cdots$	2	$\cdots$
$f'(x)$	−	0	+	0	−
$f(x)$	↘	−17	↗	10	↘

따라서 함수 $y=f(x)$의 그래프는 오른쪽 그림과 같이 x축과 서로 다른 세 점에서 만나므로 주어진 방정식의 서로 다른 실근의 개수는 3이다.

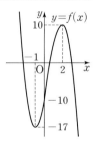

(3) $f(x)=-x^4+8x^2-8$로 놓으면
$$f'(x)=-4x^3+16x=-4x(x^2-4)$$
$$=-4x(x+2)(x-2)$$
$f'(x)=0$에서 $x=-2$ 또는 $x=0$ 또는 $x=2$
함수 $f(x)$의 증가, 감소를 표로 나타내면 다음과 같다.

x	$\cdots$	−2	$\cdots$	0	$\cdots$	2	$\cdots$
$f'(x)$	+	0	−	0	+	0	−
$f(x)$	↗	8	↘	−8	↗	8	↘

2 $f(x)=3x^4-4x^3+1$로 놓으면
$$f'(x)=12x^3-12x^2=12x^2(x-1)$$
$f'(x)=0$에서 $x=0$ 또는 $x=1$
함수 $f(x)$의 증가, 감소를 표로 나타내면 다음과 같다.

x	$\cdots$	0	$\cdots$	1	$\cdots$
$f'(x)$	−	0	−	0	+
$f(x)$	↘	1	↘	0	↗

따라서 함수 $y=f(x)$의 그래프는 오른쪽 그림과 같이 x축과 한 점에서 만나므로 주어진 방정식의 서로 다른 실근의 개수는 1이다.

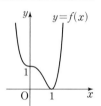

4 $2x^3-6x^2\geq-8$에서 $2x^3-6x^2+8\geq0$
$f(x)=2x^3-6x^2+8$로 놓으면
$$f'(x)=6x^2-12x=6x(x-2)$$
$f'(x)=0$에서 $x=0$ 또는 $x=2$
$x\geq0$에서 함수 $f(x)$의 증가, 감소를 표로 나타내면 다음과 같다.

x	0	$\cdots$	2	$\cdots$
$f'(x)$	0	−	0	+
$f(x)$	8	↘	0	↗

함수 $y=f(x)$의 그래프는 오른쪽 그림과 같고, $x\geq0$일 때 $f(x)$는 $x=2$에서 최솟값 0을 가지므로
$$f(x)=2x^3-6x^2+8\geq0$$
따라서 $x\geq0$일 때, 부등식 $2x^3-6x^2\geq-8$이 성립한다.

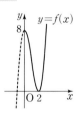

5 (1) $v=\dfrac{dx}{dt}=2t+1$, $a=\dfrac{dv}{dt}=2$이므로 $t=3$에서의 점 P의 속도와 가속도는
$$v=2\times3+1=7, \quad a=2$$
(2) $v=\dfrac{dx}{dt}=-3t^2+6$, $a=\dfrac{dv}{dt}=-6t$이므로 $t=2$에서의 점 P의 속도와 가속도는
$$v=-3\times2^2+6=-6, \quad a=-6\times2=-12$$

6 (1) $\dfrac{dl}{dt}=3t^2+8t$이므로 $t=1$에서의 고무줄의 길이의 변화율

은 $3\times 1^2+8\times 1=11$

(2) $\dfrac{dl}{dt}=6t^2+3$이므로 $t=1$에서의 고무줄의 길이의 변화율은

$6\times 1^2+3=9$

7 (1) 정육면체의 겉넓이를 S라 하면

$$S=6\times(2t)^2=24t^2 \qquad \therefore \dfrac{dS}{dt}=48t$$

따라서 $t=2$에서의 정육면체의 겉넓이의 변화율은

$48\times 2=96$

(2) 정육면체의 부피를 V라 하면

$$V=(2t)^3=8t^3 \qquad \therefore \dfrac{dV}{dt}=24t^2$$

따라서 $t=3$에서의 정육면체의 부피의 변화율은

$24\times 3^2=216$

8 구의 부피를 V라 하면

$$V=\dfrac{4}{3}\pi\times(3t)^3=36\pi t^3 \qquad \therefore \dfrac{dV}{dt}=108\pi t^2$$

따라서 $t=2$에서의 구의 부피의 변화율은

$108\pi\times 2^2=432\pi$

2일 교과서 기출 베스트 1회   22~23쪽

1 $-2<k<2$	**2** ⑤	**3** ①	**4** 28
5 ③	**6** ③	**7** $\dfrac{25}{2}$ m	**8** 96 cm²/s

1 $f(x)=-x^3+3x$로 놓으면

$f'(x)=-3x^2+3=-3(x+1)(x-1)$

$f'(x)=0$에서 $x=-1$ 또는 $x=1$

함수 $f(x)$의 증가, 감소를 표로 나타내면 다음과 같다.

x	$\cdots$	-1	$\cdots$	1	$\cdots$
$f'(x)$	$-$	0	$+$	0	$-$
$f(x)$	$\searrow$	-2	$\nearrow$	2	$\searrow$

따라서 함수 $y=f(x)$의 그래프는 오른쪽 그림과 같고, 주어진 방정식이 서로 다른 세 실근을 가지려면 함수 $y=f(x)$의 그래프와 직선 $y=k$가 서로 다른 세 점에서 만나야 하므로

$-2<k<2$

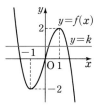

다른 풀이

$-x^3+3x=k$에서 $-x^3+3x-k=0$

$f(x)=-x^3+3x-k$로 놓으면

$f'(x)=-3x^2+3=-3(x+1)(x-1)$

$f'(x)=0$에서 $x=-1$ 또는 $x=1$

삼차방정식 $f(x)=0$이 서로 다른 세 실근을 가지려면

$f(-1)f(1)<0$이어야 하므로

$(-2-k)(2-k)<0$, $(k+2)(k-2)<0$

$\therefore -2<k<2$

2 $f(x)=x^3+3x^2-9x-3a$로 놓으면

$f'(x)=3x^2+6x-9=3(x^2+2x-3)$

$\qquad\quad =3(x+3)(x-1)$

$f'(x)=0$에서 $x=-3$ 또는 $x=1$

삼차방정식 $f(x)=0$이 한 실근과 두 허근을 가지려면

$f(-3)f(1)>0$이어야 하므로

$(27-3a)(-5-3a)>0$, $3(a-9)(3a+5)>0$

$\therefore a<-\dfrac{5}{3}$ 또는 $a>9$

따라서 자연수 a의 최솟값은 10이다.

3 $x^3-3x-a+1=0$에서 $x^3-3x+1=a$

$f(x)=x^3-3x+1$로 놓으면

$f'(x)=3x^2-3=3(x+1)(x-1)$

$f'(x)=0$에서 $x=-1$ 또는 $x=1$

함수 $f(x)$의 증가, 감소를 표로 나타내면 다음과 같다.

x	$\cdots$	-1	$\cdots$	1	$\cdots$
$f'(x)$	$+$	0	$-$	0	$+$
$f(x)$	$\nearrow$	3	$\searrow$	-1	$\nearrow$

함수 $y=f(x)$의 그래프는 오른쪽 그림과 같으므로 함수 $y=f(x)$의 그래프와 직선 $y=a$의 교점의 x좌표가 두 개는 음수이고, 다른 한 개는 양수가 되는 실수 a의 값의 범위는 $1<a<3$

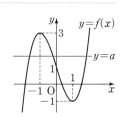

따라서 정수 a는 2이므로 그 개수는 1이다.

4 $f(x)=x^3+3x^2-24x+k$로 놓으면

$f'(x)=3x^2+6x-24=3(x^2+2x-8)$

$\qquad\quad =3(x+4)(x-2)$

$f'(x)=0$에서 $x=2$ ($\because x\geq 0$)

$x\geq 0$에서 함수 $f(x)$의 증가, 감소를 표로 나타내면 다음과 같다.

x	0	$\cdots$	2	$\cdots$
$f'(x)$		$-$	0	$+$
$f(x)$	k	$\searrow$	$k-28$	$\nearrow$

$x \geq 0$에서 함수 $f(x)$는 $x=2$일 때 최소이므로 최솟값은
$f(2)=k-28$
$x \geq 0$일 때 $f(x) \geq 0$이려면 $f(2) \geq 0$이어야 하므로
$k-28 \geq 0$ $\quad \therefore k \geq 28$
따라서 실수 k의 최솟값은 28이다.

5 $x^4-x^2+7x>5x^2-x-a$에서 $x^4-6x^2+8x+a>0$
$f(x)=x^4-6x^2+8x+a$로 놓으면
$\begin{aligned} f'(x) &=4x^3-12x+8=4(x^3-3x+2) \\ &=4(x-1)^2(x+2) \end{aligned}$
$f'(x)=0$에서 $x=-2$ 또는 $x=1$
함수 $f(x)$의 증가, 감소를 표로 나타내면 다음과 같다.

x	$\cdots$	-2	$\cdots$	1	$\cdots$
$f'(x)$	$-$	0	$+$	0	$+$
$f(x)$	$\searrow$	$-24+a$	$\nearrow$	$3+a$	$\nearrow$

함수 $f(x)$는 $x=-2$일 때 최소이므로 최솟값은
$f(-2)=-24+a$
모든 실수 x에 대하여 $f(x)>0$이려면 $f(-2)>0$이어야 하므로 $-24+a>0$ $\quad \therefore a>24$
따라서 정수 a의 최솟값은 25이다.

6 시각 t에서의 점 P의 속도를 v라 하면
$v=\dfrac{dx}{dt}=-6t^2+4t+2$
점 P가 운동 방향을 바꾸는 순간의 속도는 0이므로
$v=-6t^2+4t+2=-2(3t^2-2t-1)$
$\quad =-2(t-1)(3t+1)=0$
에서 $t=1$ $(\because t>0)$
$0<t<1$일 때 $v>0$, $t>1$일 때 $v<0$이므로 점 P는 $t=1$에서 운동 방향을 바꾼다.

7 물체의 t초 후의 속도를 v m/s라 하면
$v=\dfrac{dh}{dt}=-4t+6$
최고 높이에 도달했을 때의 속도는 $v=0$이므로
$v=-4t+6=0$에서 $t=\dfrac{3}{2}$
따라서 물체가 최고 높이에 도달할 때까지 걸린 시간은 $\dfrac{3}{2}$초이므로 구하는 최고 높이는
$h=-2 \times \left(\dfrac{3}{2}\right)^2+6 \times \dfrac{3}{2}+8=\dfrac{25}{2}$ (m)

8 t초 후 이 직사각형의 가로의 길이는 $(20+2t)$ cm, 세로의 길이는 $(30+t)$ cm이므로 t초 후의 직사각형의 넓이를 S cm^{2}라 하면
$S=(20+2t)(30+t)=600+80t+2t^2$
시각 t에 대한 직사각형의 넓이 S의 변화율은
$\dfrac{dS}{dt}=80+4t$
따라서 $t=4$일 때, 구하는 넓이의 변화율은
$80+4 \times 4=96$ (cm^2/s)

2일 교과서 기출 베스트 2회 24~25쪽

1 $k=10$ 또는 $k=-54$ **2** ③ **3** ③
4 $k \geq 16$ **5** ① **6** ㄱ **7** 120 m
8 30 m/s **9** 2번 **10** ③

1 $f(x)=2x^3-6x^2-18x$로 놓으면
$\begin{aligned} f'(x) &=6x^2-12x-18=6(x^2-2x-3) \\ &=6(x+1)(x-3) \end{aligned}$
$f'(x)=0$에서 $x=-1$ 또는 $x=3$
함수 $f(x)$의 증가, 감소를 표로 나타내면 다음과 같다.

x	$\cdots$	-1	$\cdots$	3	$\cdots$
$f'(x)$	$+$	0	$-$	0	$+$
$f(x)$	$\nearrow$	10	$\searrow$	-54	$\nearrow$

따라서 함수 $y=f(x)$의 그래프는 오른쪽 그림과 같고, 주어진 방정식이 서로 다른 두 실근을 가지려면 함수 $y=f(x)$의 그래프와 직선 $y=k$가 서로 다른 두 점에서 만나야 하므로
$k=10$ 또는 $k=-54$

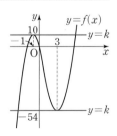

2 $f(x)=x^3-3x^2-9x-1-k$로 놓으면
$\begin{aligned} f'(x) &=3x^2-6x-9=3(x^2-2x-3) \\ &=3(x+1)(x-3) \end{aligned}$
$f'(x)=0$에서 $x=-1$ 또는 $x=3$

삼차방정식 $f(x)=0$이 서로 다른 세 실근을 가지려면

$f(-1)f(3)<0$이어야 하므로

$(4-k)(-28-k)<0$, $(k-4)(k+28)<0$

$\therefore -28<k<4$

따라서 양의 정수 k는 1, 2, 3이므로 그 개수는 3이다.

3 $x^3-6x^2-a=0$에서 $x^3-6x^2=a$

$f(x)=x^3-6x^2$으로 놓으면

$f'(x)=3x^2-12x=3x(x-4)$

$f'(x)=0$에서 $x=0$ 또는 $x=4$

함수 $f(x)$의 증가, 감소를 표로 나타내면 다음과 같다.

x	$\cdots$	0	$\cdots$	4	$\cdots$
$f'(x)$	+	0	−	0	+
$f(x)$	↗	0	↘	−32	↗

함수 $y=f(x)$의 그래프는 오른쪽 그림과 같으므로 함수 $y=f(x)$의 그래프와 직선 $y=a$의 교점의 x좌표가 오직 한 개의 양수가 되는 실수 a의 값의 범위는 $a>0$

따라서 정수 a의 최솟값은 1이다.

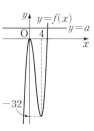

4 $f(x)=x^3-12x+k$로 놓으면

$f'(x)=3x^2-12=3(x+2)(x-2)$

$f'(x)=0$에서 $x=-2$ 또는 $x=2$

$x\geq-2$에서 함수 $f(x)$의 증가, 감소를 표로 나타내면 다음과 같다.

x	−2	$\cdots$	2	$\cdots$
$f'(x)$	0	−	0	+
$f(x)$	$16+k$	↘	$-16+k$	↗

$x\geq-2$에서 함수 $f(x)$는 $x=2$일 때 최솟값이므로 최솟값은

$f(2)=-16+k$

따라서 $x\geq-2$일 때 $f(x)\geq0$이려면 $f(2)\geq0$이어야 하므로

$-16+k\geq0$ $\therefore k\geq16$

5 $f(x)=x^4-4x-a$로 놓으면

$f'(x)=4x^3-4=4(x-1)(x^2+x+1)$

이때, 모든 실수 x에 대하여 $x^2+x+1=\left(x+\dfrac{1}{2}\right)^2+\dfrac{3}{4}>0$이므로 $f'(x)=0$에서 $x=1$

함수 $f(x)$의 증가, 감소를 표로 나타내면 다음과 같다.

x	$\cdots$	1	$\cdots$
$f'(x)$	−	0	+
$f(x)$	↘	$-3-a$	↗

함수 $f(x)$는 $x=1$일 때 최솟값이므로 최솟값은

$f(1)=-3-a$

모든 실수 x에 대하여 $f(x)>0$이려면 $f(1)>0$이어야 하므로

$-3-a>0$ $\therefore a<-3$

따라서 정수 a의 최댓값은 -4이다.

6 시각 t에서의 점 P의 속도를 v라 하면

$v=\dfrac{dx}{dt}=3t^2-18t+24$

$=3(t^2-6t+8)$

$=3(t-2)(t-4)$

ㄱ. 점 P가 출발할 때, 즉 $t=0$에서의 속도는

$v=24$

ㄴ. 점 P가 운동 방향을 바꾸는 순간의 속도는 0이므로 $v=0$에서 $t=2$ 또는 $t=4$

따라서 점 P는 운동 방향을 두 번 바꾼다.

ㄷ. 점 P가 원점을 지나는 순간은 $x=0$일 때이므로

$t^3-9t^2+24t=0$에서 $t(t^2-9t+24)=0$ $\cdots\cdots$ ㉠

이때, 이차방정식 $t^2-9t+24=0$의 판별식을 D라 하면

$D=81-96=-15<0$

이고, $t>0$이어야 하므로 방정식 ㉠을 만족시키는 t의 값이 존재하지 않는다.

즉, 점 P는 다시 원점으로 돌아오지 않는다.

따라서 옳은 것은 ㄱ이다.

참고

ㄷ. $t=1$에서의 위치는 $x=1-9+24=16$

7 브레이크를 밟은 후 t초 후의 자동차의 속도를 v라 하면

$v=\dfrac{dx}{dt}=24-2.4t$

자동차가 정지할 때는 $v=0$이므로

$24-2.4t=0$ $\therefore t=10$

따라서 브레이크를 밟은 후 자동자가 성지할 때까지 움직인 거리는

$24\times10-1.2\times10^2=120\,(\text{m})$

8 물체가 지면에 떨어질 때의 높이는 $h=0$이므로

$-10t^2+30t=0$에서 $-10t(t-3)=0$

$\therefore t=3\,(\because t>0)$

물체의 t초 후의 속도를 v m/s라 하면

$$v=\frac{dh}{dt}=-20t+30$$

$t=3$일 때의 속도는 $-60+30=-30\,(\text{m/s})$

따라서 이 물체가 지면에 떨어지는 순간의 속력은 $30\,\text{m/s}$이다.

9 $t=2$, $t=5$의 좌우에서 $v(t)$의 부호가 바뀌므로 점 P는 운동 방향을 2번 바꾼다.

10 $V=1000\left(1-\dfrac{t}{50}\right)^2$

$\qquad =1000\left(1-\dfrac{1}{25}t+\dfrac{1}{2500}t^2\right)$

$\qquad =\dfrac{2}{5}t^2-40t+1000$

이므로 $\dfrac{dV}{dt}=\dfrac{4}{5}t-40$

따라서 $t=10$일 때 물의 부피의 변화율은

$\dfrac{4}{5}\times10-40=-32\,(\text{L/m})$

> **참고**
> 물을 빼기 시작한 지 10분 후 수족관 안에 남아 있는 물의 부피의 변화율이 -32이므로 그 순간에 물이 $32\,\text{L}$ 감소함을 알 수 있다.

3일 시험지 속 개념 문제 29, 31쪽

1 ②

2 (1) $-3x+C$ (2) $2x^2+C$
$\quad$ (3) $-2x^4+C$ (4) $-x^6+3x^3+C$

3 (1) $f(x)=-3x^2$ (2) $f(x)=8x^3+x$
$\quad$ (3) $f(x)=-3x^4+3x^2$ (4) $f(x)=7x^6+8x^3-10x$

4 (1) $2x^3-x$ (2) $2x^3-x+C$

5 (1) $\dfrac{1}{8}x^8+C$ (2) $\dfrac{1}{7}x^7+C$ (3) $\dfrac{1}{21}x^{21}+C$

6 (1) $-x^7+\dfrac{1}{2}x^2+C$ (2) x^4+2x^3-x+C
$\quad$ (3) $-x^8-3x^2+3x+C$

7 (1) $\dfrac{1}{3}x^3-\dfrac{1}{2}x^2-12x+C$ (2) $\dfrac{1}{4}x^4-x+C$
$\quad$ (3) $\dfrac{4}{3}x^3+2x^2+x+C$ (4) $\dfrac{1}{4}x^4-2x^3+6x^2-8x+C$
$\quad$ (5) $\dfrac{1}{2}x^2+x+C$ (6) x^2-x+C

1 각 함수의 도함수를 구하면

은수: $(x^3)'=3x^2$ $\qquad$ 정우: $(3x^2-1)'=6x$

유리: $(x^3+2)'=3x^2$ $\qquad$ 영진: $(x^3+x)'=3x^2+1$

시후: $(3x^2-x)'=6x-1$

따라서 $3x^2$의 부정적분이 적힌 카드를 들고 있는 사람은 은수, 유리이다.

2 (1) $(-3x)'=-3$이므로 $\displaystyle\int(-3)\,dx=-3x+C$

$\quad$ (2) $(2x^2)'=4x$이므로 $\displaystyle\int 4x\,dx=2x^2+C$

$\quad$ (3) $(-2x^4)'=-8x^3$이므로 $\displaystyle\int(-8x^3)\,dx=-2x^4+C$

$\quad$ (4) $(-x^6+3x^3)'=-6x^5+9x^2$이므로
$\qquad \displaystyle\int(-6x^5+9x^2)\,dx=-x^6+3x^3+C$

3 (1) $f(x)=(-x^3+C)'=-3x^2$

$\quad$ (2) $f(x)=\left(2x^4+\dfrac{1}{2}x^2+C\right)'=8x^3+x$

$\quad$ (3) $f(x)=\left(-\dfrac{3}{5}x^5+x^3+C\right)'=-3x^4+3x^2$

$\quad$ (4) $f(x)=(x^7+2x^4-5x^2+C)'=7x^6+8x^3-10x$

4 (1) $\dfrac{d}{dx}\displaystyle\int f(x)\,dx=f(x)=2x^3-x$

$\quad$ (2) $\displaystyle\int\left\{\dfrac{d}{dx}f(x)\right\}dx=f(x)+C=2x^3-x+C$

5 (1) $\displaystyle\int(x^4\times x^3)\,dx=\int x^7\,dx=\dfrac{1}{8}x^8+C$

$\quad$ (2) $\displaystyle\int(x^3)^2\,dx=\int x^6\,dx=\dfrac{1}{7}x^7+C$

$\quad$ (3) $\displaystyle\int(-x^5)^4\,dx=\int x^{20}\,dx=\dfrac{1}{21}x^{21}+C$

6 (1) $\displaystyle\int(-7x^6+x)\,dx=\int(-7x^6)\,dx+\int x\,dx$

$\qquad\qquad\qquad\qquad =-7\int x^6\,dx+\int x\,dx$

$\qquad\qquad\qquad\qquad =-x^7+\dfrac{1}{2}x^2+C$

$\quad$ (2) $\displaystyle\int(4x^3+6x^2-1)\,dx=\int 4x^3\,dx+\int 6x^2\,dx-\int 1\,dx$

$\qquad\qquad\qquad\qquad\qquad =4\int x^3\,dx+6\int x^2\,dx-\int dx$

$\qquad\qquad\qquad\qquad\qquad =x^4+2x^3-x+C$

(3) $\displaystyle\int(-8x^7-6x+3)\,dx$

$\qquad=\displaystyle\int(-8x^7)\,dx-\int 6x\,dx+\int 3\,dx$

$\qquad=-8\displaystyle\int x^7\,dx-6\int x\,dx+3\int dx$

$\qquad=-x^8-3x^2+3x+C$

7 (1) $\displaystyle\int(x-4)(x+3)\,dx=\int(x^2-x-12)\,dx$

$\qquad\qquad\qquad\qquad=\dfrac{1}{3}x^3-\dfrac{1}{2}x^2-12x+C$

(2) $\displaystyle\int(x-1)(x^2+x+1)\,dx=\int(x^3-1)\,dx$

$\qquad\qquad\qquad\qquad=\dfrac{1}{4}x^4-x+C$

(3) $\displaystyle\int(2x+1)^2\,dx=\int(4x^2+4x+1)\,dx$

$\qquad\qquad\qquad=\dfrac{4}{3}x^3+2x^2+x+C$

(4) $\displaystyle\int(x-2)^3\,dx=\int(x^3-6x^2+12x-8)\,dx$

$\qquad\qquad\qquad=\dfrac{1}{4}x^4-2x^3+6x^2-8x+C$

(5) $\displaystyle\int\dfrac{x^2-1}{x-1}\,dx=\int\dfrac{(x-1)(x+1)}{x-1}\,dx$

$\qquad\qquad\quad=\displaystyle\int(x+1)\,dx$

$\qquad\qquad\quad=\dfrac{1}{2}x^2+x+C$

(6) $\displaystyle\int\dfrac{2x^2+5x-3}{x+3}\,dx=\int\dfrac{(x+3)(2x-1)}{x+3}\,dx$

$\qquad\qquad\qquad\quad=\displaystyle\int(2x-1)\,dx$

$\qquad\qquad\qquad\quad=x^2-x+C$

3일 **교과서 기출 베스트 ①회** 32~33쪽

1 ②   **2** -2 **3** ①   **4** ④
5 8   **6** 22   **7** ③   **8** -22

1 $\displaystyle\int f(x)\,dx=x^3+2x^2-4x+C$에서

$\qquad f(x)=(x^3+2x^2-4x+C)'=3x^2+4x-4$

$\qquad\therefore f(2)=12+8-4=16$

2 $\dfrac{d}{dx}\displaystyle\int(x^3+ax^2+1)\,dx=bx^3-4x^2+c$이므로

$\qquad x^3+ax^2+1=bx^3-4x^2+c$

이 식이 모든 실수 x에 대하여 성립하므로

$a=-4,\ b=1,\ c=1$

$\therefore a+b+c=-2$

3 $f(x)=\displaystyle\int\dfrac{x^3}{x-2}\,dx-\int\dfrac{8}{x-2}\,dx$

$\qquad\quad=\displaystyle\int\dfrac{x^3-8}{x-2}\,dx=\int\dfrac{(x-2)(x^2+2x+4)}{x-2}\,dx$

$\qquad\quad=\displaystyle\int(x^2+2x+4)\,dx=\dfrac{1}{3}x^3+x^2+4x+C$

이때, $f(0)=-1$이므로 $C=-1$

따라서 $f(x)=\dfrac{1}{3}x^3+x^2+4x-1$이므로

$f(-3)=-9+9-12-1=-13$

4 $f(x)=\displaystyle\int f'(x)\,dx=\int(3x^2+6x-1)\,dx$

$\qquad\quad=x^3+3x^2-x+C$

이때, $f(0)=5$이므로 $C=5$

따라서 $f(x)=x^3+3x^2-x+5$이므로

$f(1)=1+3-1+5=8$

5 $F(x)=xf(x)-2x^3+x^2+1$의 양변을 x에 대하여 미분하면

$\qquad f(x)=f(x)+xf'(x)-6x^2+2x$

$\qquad xf'(x)=6x^2-2x \qquad \therefore f'(x)=6x-2$

$\qquad\therefore f(x)=\displaystyle\int(6x-2)\,dx=3x^2-2x+C$

이때, $f(1)=1$이므로 $3-2+C=1 \qquad \therefore C=0$

따라서 $f(x)=3x^2-2x$이므로

$f(2)=12-4=8$

6 $f'(x)=\begin{cases}2x-1 & (x>1)\\ 1 & (x<1)\end{cases}$에서 $f(x)=\begin{cases}x^2-x+C_1 & (x\ge 1)\\ x+C_2 & (x<1)\end{cases}$

이때, $f(0)=1$이므로 $C_2=1$

또, 함수 $f(x)$는 연속함수이므로 $x=1$에서 연속이다.

즉, $\displaystyle\lim_{x\to 1+}(x^2-x+C_1)=\lim_{x\to 1-}(x+1)$에서

$1-1+C_1=1+1 \qquad \therefore C_1=2$

따라서 $f(x)=\begin{cases}x^2-x+2 & (x\ge 1)\\ x+1 & (x<1)\end{cases}$이므로

$f(5)=25-5+2=22$

7 $f'(x)=6x^2-2x-5$이므로

$$f(x)=\int(6x^2-2x-5)\,dx=2x^3-x^2-5x+C$$

$$\therefore f(2)-f(-1)=(16-4-10+C)-(-2-1+5+C)$$
$$=0$$

8 $f'(x)=3x^2-5x+2=(3x-2)(x-1)$이므로

$f'(x)=0$에서 $x=\dfrac{2}{3}$ 또는 $x=1$

함수 $f(x)$의 증가, 감소를 표로 나타내면 다음과 같다.

x	$\cdots$	$\dfrac{2}{3}$	$\cdots$	1	$\cdots$
$f'(x)$	$+$	0	$-$	0	$+$
$f(x)$	↗	극대	↘	극소	↗

함수 $f(x)$는 $x=1$에서 극솟값 $\dfrac{1}{2}$을 가지므로

$$f(1)=\frac{1}{2}$$

이때, $f(x)=\displaystyle\int(3x^2-5x+2)\,dx=x^3-\dfrac{5}{2}x^2+2x+C$이므

로 $f(1)=\dfrac{1}{2}$에서 $1-\dfrac{5}{2}+2+C=\dfrac{1}{2}$ $\therefore C=0$

따라서 $f(x)=x^3-\dfrac{5}{2}x^2+2x$이므로

$$f(-2)=-8-10-4=-22$$

1 ⑤	**2** ①	**3** ③	**4** ②
5 ①	**6** 1	**7** -3	**8** ⑤
9 2	**10** ④		

1 $f(x)=(2x^3+x^2-5x+3)'=6x^2+2x-5$

$$\therefore f(-1)=6-2-5=-1$$

2 $xf(x)=(-x^3+3x^2)'=-3x^2+6x=x(-3x+6)$

$$\therefore f(x)=-3x+6$$

$$\therefore f(3)=-9+6=-3$$

3 $f(x)=\displaystyle\int\left\{\frac{d}{dx}(x^3-x^2+2x)\right\}dx$

$$=x^3-x^2+2x+C$$

이때, $f(0)=-1$이므로 $C=-1$

따라서 $f(x)=x^3-x^2+2x-1$이므로

$$f(2)=8-4+4-1=7$$

4 $f(x)=\displaystyle\int\frac{1}{1-x}\,dx-\int\frac{x^4}{1-x}\,dx$

$$=\int\frac{1-x^4}{1-x}\,dx$$

$$=\int\frac{(1-x)(1+x)(1+x^2)}{1-x}\,dx$$

$$=\int(1+x)(1+x^2)\,dx$$

$$=\int(1+x+x^2+x^3)\,dx$$

$$=x+\frac{1}{2}x^2+\frac{1}{3}x^3+\frac{1}{4}x^4+C$$

이때, $f(0)=1$이므로 $C=1$

따라서 $f(x)=x+\dfrac{1}{2}x^2+\dfrac{1}{3}x^3+\dfrac{1}{4}x^4+1$이므로

$$f(-1)=-1+\frac{1}{2}-\frac{1}{3}+\frac{1}{4}+1=\frac{5}{12}$$

5 $f(x)=\displaystyle\int f'(x)\,dx=\int(6x^2-8x+3)\,dx$

$$=2x^3-4x^2+3x+C$$

이때, $f(2)=-3$이므로

$$16-16+6+C=-3$$

$$\therefore C=-9$$

따라서 $f(x)=2x^3-4x^2+3x-9$이므로

$$f(1)=2-4+3-9=-8$$

6 $F(x)=xf(x)-3x^4-2x^3+4x^2$의 양변을 x에 대하여 미분
하면

$$f(x)=f(x)+xf'(x)-12x^3-6x^2+8x$$

$$xf'(x)=12x^3+6x^2-8x$$

$$\therefore f'(x)=12x^2+6x-8$$

$$\therefore f(x)=\int(12x^2+6x-8)\,dx$$

$$=4x^3+3x^2-8x+C$$

이때, $f(0)=2$이므로 $C=2$

따라서 $f(x)=4x^3+3x^2-8x+2$이므로

$$f(1)=4+3-8+2=1$$

7 $f'(x)=|x|-x=\begin{cases}0 & (x\geq 0)\\ -2x & (x<0)\end{cases}$이므로

$$f(x)=\begin{cases}C_1 & (x\geq 0)\\ -x^2+C_2 & (x<0)\end{cases}$$

이때, $f(0)=1$이므로 $C_1=1$

또, 함수 $f(x)$는 연속함수이므로 $x=0$에서 연속이다.

즉, $\lim\limits_{x\to 0+}1=\lim\limits_{x\to 0-}(-x^2+C_2)$에서 $C_2=1$

따라서 $f(x)=\begin{cases}1 & (x\geq 0) \\ -x^2+1 & (x<0)\end{cases}$이므로

$f(-2)=-4+1=-3$

8 $f'(x)=3x^2-4x+1$이므로

$f(x)=\int(3x^2-4x+1)\,dx=x^3-2x^2+x+C$

이때, 이 곡선이 점 $(0,2)$를 지나므로

$f(0)=2$ ∴ $C=2$

따라서 $f(x)=x^3-2x^2+x+2$이므로

$f(2)=8-8+2+2=4$

9 $\lim\limits_{h\to 0}\dfrac{f(1+h)-f(1-h)}{h}$

$=\lim\limits_{h\to 0}\dfrac{f(1+h)-f(1)-\{f(1-h)-f(1)\}}{h}$

$=\lim\limits_{h\to 0}\dfrac{f(1+h)-f(1)}{h}+\lim\limits_{h\to 0}\dfrac{f(1-h)-f(1)}{-h}$

$=f'(1)+f'(1)=2f'(1)$

$f(x)=\int(3x^2-2x)\,dx$의 양변을 x에 대하여 미분하면

$f'(x)=\dfrac{d}{dx}\int(3x^2-2x)\,dx=3x^2-2x$

∴ $f'(1)=1$

따라서 구하는 값은 $2f'(1)=2$

10 $f'(x)=x^2-1=(x+1)(x-1)$이므로

$f'(x)=0$에서 $x=-1$ 또는 $x=1$

함수 $f(x)$의 증가, 감소를 표로 나타내면 다음과 같다.

x	$\cdots$	-1	$\cdots$	1	$\cdots$
$f'(x)$	$+$	0	$-$	0	$+$
$f(x)$	↗	극대	↘	극소	↗

함수 $f(x)$는 $x=-1$에서 극댓값을 가지므로

$f(-1)=3$

이때, $f(x)=\int(x^2-1)\,dx=\dfrac{1}{3}x^3-x+C$이므로

$f(-1)=3$에서 $-\dfrac{1}{3}+1+C=3$ ∴ $C=\dfrac{7}{3}$

따라서 $f(x)=\dfrac{1}{3}x^3-x+\dfrac{7}{3}$이므로 극솟값은

$f(1)=\dfrac{1}{3}-1+\dfrac{7}{3}=\dfrac{5}{3}$

4일 **시험지 속 개념 문제** 39, 41쪽

1 (1) $\dfrac{15}{4}$ (2) $-\dfrac{1}{2}$ (3) $-\dfrac{32}{3}$ (4) 57

2 ③

3 (1) 82 (2) 18 (3) 0 (4) 240

4 (1) $\dfrac{10}{3}$ (2) $\dfrac{35}{3}$

5 (1) -30 (2) $\dfrac{10}{3}$

6 (1) $2x^3+x+1$ (2) $4x+2$

7 (1) $f(x)=3x^2-2x+1$ (2) $f(x)=3x^2+2x-4$

8 $0,\ 0,\ -5$

1 (1) $\displaystyle\int_1^2 x^3\,dx=\left[\dfrac{1}{4}x^4\right]_1^2=4-\dfrac{1}{4}=\dfrac{15}{4}$

(2) $\displaystyle\int_0^1(-5t^4+t)\,dt=\left[-t^5+\dfrac{1}{2}t^2\right]_0^1$

$=\left(-1+\dfrac{1}{2}\right)-0=-\dfrac{1}{2}$

(3) $\displaystyle\int_{-1}^3(x-3)(x+1)\,dx=\int_{-1}^3(x^2-2x-3)\,dx$

$=\left[\dfrac{1}{3}x^3-x^2-3x\right]_{-1}^3$

$=(9-9-9)-\left(-\dfrac{1}{3}-1+3\right)$

$=-\dfrac{32}{3}$

(4) $\displaystyle\int_{-3}^0(2t-1)^2\,dt=\int_{-3}^0(4t^2-4t+1)\,dt$

$=\left[\dfrac{4}{3}t^3-2t^2+t\right]_{-3}^0$

$=0-(-36-18-3)=57$

3 (1) $\displaystyle\int_1^3(4x^3-3x+2)\,dx+\int_1^3(3x-1)\,dx$

$=\displaystyle\int_1^3(4x^3+1)\,dx=\left[x^4+x\right]_1^3$

$=(81+3)-(1+1)=82$

(2) $\displaystyle\int_{-3}^3(2x^2+x)\,dx+\int_3^{-3}(x^2-x)\,dx$

$=\displaystyle\int_{-3}^3(2x^2+x)\,dx-\int_{-3}^3(x^2-x)\,dx$

$=\displaystyle\int_{-3}^3(x^2+2x)\,dx=\left[\dfrac{1}{3}x^3+x^2\right]_{-3}^3$

$=(9+9)-(-9+9)=18$

(3) $\displaystyle\int_{-1}^1(2x-1)\,dx+\int_1^2(2x-1)\,dx$

$=\displaystyle\int_{-1}^2(2x-1)\,dx=\left[x^2-x\right]_{-1}^2$

$=(4-2)-(1+1)=0$

(4) $\displaystyle\int_0^2 (4x^3-2x)\,dx+\int_4^2 (2x-4x^3)\,dx$

$\quad =\displaystyle\int_0^2 (4x^3-2x)\,dx-\int_2^4 (2x-4x^3)\,dx$

$\quad =\displaystyle\int_0^2 (4x^3-2x)\,dx+\int_2^4 (4x^3-2x)\,dx$

$\quad =\displaystyle\int_0^4 (4x^3-2x)\,dx=\left[x^4-x^2\right]_0^4$

$\quad =(256-16)-0=240$

4 (1) $\displaystyle\int_1^2 f(x)\,dx=\int_1^2 (x^2+1)\,dx=\left[\frac{1}{3}x^3+x\right]_1^2$

$\qquad =\left(\frac{8}{3}+2\right)-\left(\frac{1}{3}+1\right)=\frac{10}{3}$

(2) $\displaystyle\int_0^3 f(x)\,dx=\int_0^1 2x\,dx+\int_1^3 (x^2+1)\,dx$

$\qquad =\left[x^2\right]_0^1+\left[\frac{1}{3}x^3+x\right]_1^3$

$\qquad =1-0+(9+3)-\left(\frac{1}{3}+1\right)=\frac{35}{3}$

5 (1) $\displaystyle\int_{-3}^3 (x^3-x^2+x-2)\,dx=\int_{-3}^3 (-x^2-2)\,dx$

$\qquad =2\displaystyle\int_0^3 (-x^2-2)\,dx$

$\qquad =2\left[-\frac{1}{3}x^3-2x\right]_0^3$

$\qquad =2(-9-6)=-30$

(2) $\displaystyle\int_{-1}^1 (3x^5-4x^3+2x^2+1)\,dx=\int_{-1}^1 (2x^2+1)\,dx$

$\qquad =2\displaystyle\int_0^1 (2x^2+1)\,dx$

$\qquad =2\left[\frac{2}{3}x^3+x\right]_0^1$

$\qquad =2\left(\frac{2}{3}+1\right)=\frac{10}{3}$

6 (2) $\displaystyle\frac{d}{dx}\int_x^{x+2} f(t)\,dt=f(x+2)-f(x)$이므로

$\qquad \displaystyle\frac{d}{dx}\int_x^{x+2} (t^2-t)\,dt=\{(x+2)^2-(x+2)\}-(x^2-x)$

$\qquad =(x^2+3x+2)-(x^2-x)$

$\qquad =4x+2$

7 (1) $\displaystyle\int_1^x f(t)\,dt=x^3-x^2+x-1$의 양변을 x에 대하여 미분하면 $f(x)=3x^2-2x+1$

(2) $\displaystyle\int_{-2}^x f(t)\,dt=(x^2-4)(x+1)$의 양변을 x에 대하여 미분하면

$\quad f(x)=2x(x+1)+(x^2-4)=3x^2+2x-4$

1 ④	**2** ①	**3** ③	**4** 3
5 1	**6** ④	**7** -15	**8** ③

1 $\displaystyle\int_0^1 (9x^2+ax)\,dx=\left[3x^3+\frac{a}{2}x^2\right]_0^1=3+\frac{1}{2}a$

즉, $3+\dfrac{1}{2}a=5$이므로

$\dfrac{1}{2}a=2 \qquad \therefore a=4$

2 $\displaystyle\int_1^2 (x^2-2x)\,dx+\int_1^2 2(x^2+x-3)\,dx$

$\quad =\displaystyle\int_1^2 (x^2-2x)\,dx+\int_1^2 (2x^2+2x-6)\,dx$

$\quad =\displaystyle\int_1^2 (3x^2-6)\,dx=\left[x^3-6x\right]_1^2$

$\quad =(8-12)-(1-6)=1$

3 $|x-2|=\begin{cases} -x+2 & (x\le 2) \\ x-2 & (x\ge 2) \end{cases}$이므로

$\displaystyle\int_0^3 |x-2|\,dx=\int_0^2 (-x+2)\,dx+\int_2^3 (x-2)\,dx$

$\quad =\left[-\dfrac{1}{2}x^2+2x\right]_0^2+\left[\dfrac{1}{2}x^2-2x\right]_2^3$

$\quad =(-2+4)-0+\left(\dfrac{9}{2}-6\right)-(2-4)=\dfrac{5}{2}$

4 $\displaystyle\int_{-a}^a (3x^3-2x^2+x)\,dx=2\int_0^a (-2x^2)\,dx$

$\qquad =2\left[-\dfrac{2}{3}x^3\right]_0^a=-\dfrac{4}{3}a^3$

즉, $-\dfrac{4}{3}a^3=-36$이므로

$a^3=27 \qquad \therefore a=3\ (\because a$는 실수$)$

5 $\displaystyle\int_0^2 f(t)\,dt=k\ (k$는 상수$)$ ······ ㉠

로 놓으면 $f(x)=3x^2-6x+k$

$f(t)=3t^2-6t+k$를 ㉠에 대입하면

$\displaystyle\int_0^2 (3t^2-6t+k)\,dt=k, \left[t^3-3t^2+kt\right]_0^2=k$

$8-12+2k=k \qquad \therefore k=4$

따라서 $f(x)=3x^2-6x+4$이므로

$f(1)=3-6+4=1$

6 $\int_1^x f(t)\,dt = 3x^3 + kx - 5$의 양변에 $x=1$을 대입하면

$\int_1^1 f(t)\,dt = 3+k-5, \ k-2=0 \qquad \therefore k=2$

또, $\int_1^x f(t)\,dt = 3x^3 + 2x - 5$의 양변을 x에 대하여 미분하면

$f(x) = 9x^2 + 2$

$\therefore f(2) = 36 + 2 = 38$

7 $f(x) = \int_0^x (t+1)(t-3)\,dt$의 양변을 x에 대하여 미분하면

$f'(x) = (x+1)(x-3)$

$f'(x) = 0$에서 $x=-1$ 또는 $x=3$

함수 $f(x)$의 증가, 감소를 표로 나타내면 다음과 같다.

x	$\cdots$	-1	$\cdots$	3	$\cdots$
$f'(x)$	$+$	0	$-$	0	$+$
$f(x)$	$\nearrow$	극대	$\searrow$	극소	$\nearrow$

따라서 함수 $f(x)$는 $x=-1$에서 극대, $x=3$에서 극소이므로

$M = f(-1) = \int_0^{-1} (t+1)(t-3)\,dt = \int_0^{-1} (t^2 - 2t - 3)\,dt$

$= \left[\dfrac{1}{3}t^3 - t^2 - 3t\right]_0^{-1} = -\dfrac{1}{3} - 1 + 3 = \dfrac{5}{3}$

$m = f(3) = \int_0^3 (t+1)(t-3)\,dt = \int_0^3 (t^2 - 2t - 3)\,dt$

$= \left[\dfrac{1}{3}t^3 - t^2 - 3t\right]_0^3 = 9 - 9 - 9 = -9$

$\therefore Mm = \dfrac{5}{3} \times (-9) = -15$

8 $f(t)$의 한 부정적분을 $F(t)$라 하면

$\displaystyle\lim_{x\to 2} \dfrac{1}{x-2}\int_2^x f(t)\,dt = \lim_{x\to 2} \dfrac{F(x) - F(2)}{x-2}$

$= F'(2) = f(2)$

$= 8 - 4 + 4 + 3 = 11$

4일 **교과서 기출 베스트 2회**   44~45쪽

1 ①	**2** 8	**3** 13	**4** ③
5 ④	**6** 14	**7** $\dfrac{1}{2}$	**8** ④
9 ④	**10** ③		

1 $\int_{-3}^1 f(x)\,dx + \int_0^{-3} f(x)\,dx = \int_0^{-3} f(x)\,dx + \int_{-3}^1 f(x)\,dx$

$= \int_0^1 f(x)\,dx$

$= \int_0^1 (x^2 - 2x + 4)\,dx$

$= \left[\dfrac{1}{3}x^3 - x^2 + 4x\right]_0^1$

$= \dfrac{1}{3} - 1 + 4 = \dfrac{10}{3}$

2 $\int_0^6 f(x)\,dx = \int_0^3 f(x)\,dx + \int_3^2 f(x)\,dx + \int_2^6 f(x)\,dx$

$= \int_0^3 f(x)\,dx - \int_2^3 f(y)\,dy + \int_2^6 f(t)\,dt$

$= 4 - 2 + 6 = 8$

3 $\int_{-2}^2 f(x)\,dx = \int_{-2}^1 3x^2\,dx + \int_1^2 (2x+1)\,dx$

$= \left[x^3\right]_{-2}^1 + \left[x^2 + x\right]_1^2$

$= 1 - (-8) + 6 - 2 = 13$

4 $|x(x-1)| = \begin{cases} x^2 - x \ (x \le 0 \ \text{또는} \ x \ge 1) \\ -x^2 + x \ (0 \le x \le 1) \end{cases}$ 이므로

$\int_0^2 |x(x-1)|\,dx = \int_0^1 (-x^2 + x)\,dx + \int_1^2 (x^2 - x)\,dx$

$= \left[-\dfrac{1}{3}x^3 + \dfrac{1}{2}x^2\right]_0^1 + \left[\dfrac{1}{3}x^3 - \dfrac{1}{2}x^2\right]_1^2$

$= \left(-\dfrac{1}{3} + \dfrac{1}{2}\right) - 0 + \left(\dfrac{8}{3} - 2\right) - \left(\dfrac{1}{3} - \dfrac{1}{2}\right)$

$= 1$

5 $\int_{-1}^1 f(x)\,dx = \int_{-1}^1 (1 + 2x + 3x^2 + \cdots + 10x^9)\,dx$

$= \int_{-1}^1 (1 + 3x^2 + 5x^4 + 7x^6 + 9x^8)\,dx$

$= 2\int_0^1 (1 + 3x^2 + 5x^4 + 7x^6 + 9x^8)\,dx$

$= 2\left[x + x^3 + x^5 + x^7 + x^9\right]_0^1$

$= 2 \times 5 = 10$

6 $\int_0^2 tf(t)\,dt = k \ (k\text{는 상수}) \qquad\qquad \cdots\cdots\ \bigcirc$

로 놓으면 $f(x) = x^2 - 3x + k$

$f(t) = t^2 - 3t + k$를 $\bigcirc$에 대입하면

$$\int_0^2 t(t^2-3t+k)\,dt=k,\ \int_0^2(t^3-3t^2+kt)\,dt=k$$

$$\left[\frac{1}{4}t^4-t^3+\frac{k}{2}t^2\right]_0^2=k,\ 4-8+2k=k$$

$$\therefore k=4$$

따라서 $f(x)=x^2-3x+4$이므로

$$f(5)=25-15+4=14$$

7 $\displaystyle\int_a^x f(t)\,dt=4x^2-4x+1$의 양변에 $x=a$를 대입하면

$$\int_a^a f(t)\,dt=4a^2-4a+1$$

$$4a^2-4a+1=0,\ (2a-1)^2=0 \qquad \therefore a=\frac{1}{2}$$

8 $\displaystyle\int_1^x f(t)\,dt=2x^3-x^2-kx+3$의 양변에 $x=1$을 대입하면

$$\int_1^1 f(t)\,dt=2-1-k+3,\ 4-k=0 \qquad \therefore k=4$$

또, $\displaystyle\int_1^x f(t)\,dt=2x^3-x^2-4x+3$의 양변을 x에 대하여 미분

하면

$$f(x)=6x^2-2x-4$$

$$\therefore f(-1)=6+2-4=4$$

9 $f(x)=\displaystyle\int_1^x t(t-1)\,dt$의 양변을 x에 대하여 미분하면

$$f'(x)=x(x-1)$$

$f'(x)=0$에서 $x=0$ 또는 $x=1$

함수 $f(x)$의 증가, 감소를 표로 나타내면 다음과 같다.

x	$\cdots$	0	$\cdots$	1	$\cdots$
$f'(x)$	+	0	−	0	+
$f(x)$	↗	극대	↘	극소	↗

따라서 함수 $f(x)$는 $x=0$에서 극대, $x=1$에서 극소이므로

$$M=f(0)=\int_1^0 t(t-1)\,dt=\int_1^0(t^2-t)\,dt$$

$$=\left[\frac{1}{3}t^3-\frac{1}{2}t^2\right]_1^0=\frac{1}{6}$$

$$m=f(1)=\int_1^1 t(t-1)\,dt=0$$

$$\therefore M+m=\frac{1}{6}$$

10 $f(t)$의 한 부정적분을 $F(t)$라 하면

$$\lim_{x\to 0}\frac{1}{x}\int_3^{x+3}f(t)\,dt=\lim_{x\to 0}\frac{F(x+3)-F(3)}{x}$$

$$=F'(3)=f(3)$$

$$=81-6+1=76$$

1 (1) $\dfrac{22}{3}$ (2) 2 **2** (1) $\dfrac{8}{3}$ (2) $\dfrac{32}{3}$ **3** (1) $\dfrac{4}{3}$ (2) $\dfrac{9}{2}$

4 ② **5** (1) $\dfrac{1}{2}$ (2) 4 **6** (1) 6 (2) $\dfrac{10}{3}$

7 (1) 5 (2) 6 **8** 나래

1 (1) 오른쪽 그림에서 구하는 넓이는

$$-\int_{-3}^{-1}(x^2+4x)\,dx$$

$$=-\left[\frac{1}{3}x^3+2x^2\right]_{-3}^{-1}=\frac{22}{3}$$

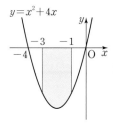

(2) 오른쪽 그림에서 구하는 넓이는

$$\int_0^2 |(x-1)(x-3)|\,dx$$

$$=\int_0^1(x^2-4x+3)\,dx$$

$$\quad -\int_1^2(x^2-4x+3)\,dx$$

$$=\left[\frac{1}{3}x^3-2x^2+3x\right]_0^1-\left[\frac{1}{3}x^3-2x^2+3x\right]_1^2$$

$$=\frac{4}{3}+\frac{2}{3}=2$$

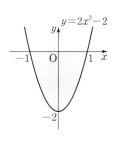

2 (1) 곡선 $y=2x^2-2$와 x축의 교점의

x좌표는 $2x^2-2=0$에서

$$(x+1)(x-1)=0$$

$$\therefore x=-1 \text{ 또는 } x=1$$

따라서 구하는 넓이는

$$-\int_{-1}^1(2x^2-2)\,dx$$

$$=-2\int_0^1(2x^2-2)\,dx$$

$$=-2\left[\frac{2}{3}x^3-2x\right]_0^1=\frac{8}{3}$$

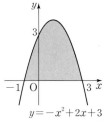

(2) 곡선 $y=-x^2+2x+3$과 x축의

교점의 x좌표는

$$-x^2+2x+3=0$$에서

$$x^2-2x-3=0$$

$$(x+1)(x-3)=0$$

$$\therefore x=-1 \text{ 또는 } x=3$$

따라서 구하는 넓이는

$$\int_{-1}^3(-x^2+2x+3)\,dx$$

$$=\left[-\frac{1}{3}x^3+x^2+3x\right]_{-1}^3=\frac{32}{3}$$

3 (1) 곡선 $y=x^2$과 직선 $y=2x$의 교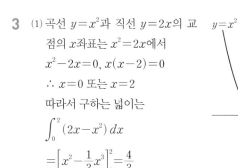
점의 x좌표는 $x^2=2x$에서
$x^2-2x=0$, $x(x-2)=0$
$\therefore x=0$ 또는 $x=2$
따라서 구하는 넓이는
$$\int_0^2 (2x-x^2)\,dx$$
$$=\left[x^2-\frac{1}{3}x^3\right]_0^2=\frac{4}{3}$$

(2) 곡선 $y=-x^2-2x+1$과 직선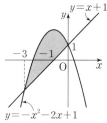
$y=x+1$의 교점의 x좌표는
$-x^2-2x+1=x+1$에서
$x^2+3x=0$, $x(x+3)=0$
$\therefore x=-3$ 또는 $x=0$
따라서 구하는 넓이는
$$\int_{-3}^0 \{(-x^2-2x+1)-(x+1)\}\,dx$$
$$=\int_{-3}^0 (-x^2-3x)\,dx$$
$$=\left[-\frac{1}{3}x^3-\frac{3}{2}x^2\right]_{-3}^0=\frac{9}{2}$$

4 두 곡선 $y=-x^2+2x+3$,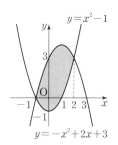
$y=x^2-1$의 교점의 x좌표는
$-x^2+2x+3=x^2-1$에서
$x^2-x-2=0$
$(x+1)(x-2)=0$
$\therefore x=-1$ 또는 $x=2$
따라서 구하는 넓이는
$$\int_{-1}^2 \{(-x^2+2x+3)-(x^2-1)\}\,dx$$
$$=\int_{-1}^2 (-2x^2+2x+4)\,dx$$
$$=\left[-\frac{2}{3}x^3+x^2+4x\right]_{-1}^2=9$$

5 (1) $0+\int_0^1 (3t-1)\,dt=\left[\frac{3}{2}t^2-t\right]_0^1=\frac{1}{2}$

(2) $0+\int_0^2 (3t-1)\,dt=\left[\frac{3}{2}t^2-t\right]_0^2=4$

6 (1) $\int_0^3 (-2t+5)\,dt=\left[-t^2+5t\right]_0^3=6$

(2) $\int_1^2 (t^2+1)\,dt=\left[\frac{1}{3}t^3+t\right]_1^2=\frac{10}{3}$

7 (1) $v(t)=2t-4=2(t-2)=0$에서 $t=2$
이때, $0\le t\le 2$에서 $v(t)\le 0$, $2\le t\le 3$에서 $v(t)\ge 0$이므로
$$\int_0^3 |2t-4|\,dt=-\int_0^2 (2t-4)\,dt+\int_2^3 (2t-4)\,dt$$
$$=-\left[t^2-4t\right]_0^2+\left[t^2-4t\right]_2^3$$
$$=4+1=5$$

(2) $v(t)=-3t^2+3=-3(t^2-1)=-3(t+1)(t-1)=0$
에서 $t=1$ $(\because t\ge 0)$
이때, $0\le t\le 1$에서 $v(t)\ge 0$, $1\le t\le 2$에서 $v(t)\le 0$이므로
$$\int_0^2 |-3t^2+3|\,dt$$
$$=\int_0^1 (-3t^2+3)\,dt-\int_1^2 (-3t^2+3)\,dt$$
$$=\left[-t^3+3t\right]_0^1-\left[-t^3+3t\right]_1^2$$
$$=2-(-4)=6$$

8 준수: $-2+\int_0^1 (t^2-2t)\,dt=-2+\left[\frac{1}{3}t^3-t^2\right]_0^1$
$$=-2-\frac{2}{3}=-\frac{8}{3}$$

은주: $-2+\int_0^2 (t^2-2t)\,dt=-2+\left[\frac{1}{3}t^3-t^2\right]_0^2$
$$=-2-\frac{4}{3}=-\frac{10}{3}$$

나래: $v(t)=t^2-2t=t(t-2)=0$에서 $t=0$ 또는 $t=2$
이때, $1\le t\le 2$에서 $v(t)\le 0$, $2\le t\le 3$에서 $v(t)\ge 0$이
므로 구하는 거리는
$$\int_1^3 |t^2-2t|\,dt=-\int_1^2 (t^2-2t)\,dt+\int_2^3 (t^2-2t)\,dt$$
$$=-\left[\frac{1}{3}t^3-t^2\right]_1^2+\left[\frac{1}{3}t^3-t^2\right]_2^3$$
$$=-\left(-\frac{2}{3}\right)+\frac{4}{3}=2$$

지아: $\int_1^3 (t^2-2t)\,dt=\left[\frac{1}{3}t^3-t^2\right]_1^3=\frac{2}{3}$

따라서 옳은 말을 한 학생은 나래이다.

5일 **교과서 기출 베스트** **1회** 52~53쪽

1 ⑤ **2** $\frac{27}{4}$ **3** $\frac{1}{6}$ **4** 3

5 ① **6** ④ **7** 20 m **8** 8

1 곡선 $y=x^2-ax$와 x축의 교점의 x좌표는 $x^2-ax=0$에서

$x(x-a)=0$ ∴ $x=0$ 또는 $x=a$

오른쪽 그림에서 색칠한 도형의 넓이는

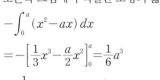

$-\int_0^a (x^2-ax)\,dx$

$=-\left[\dfrac{1}{3}x^3-\dfrac{a}{2}x^2\right]_0^a=\dfrac{1}{6}a^3$

즉, $\dfrac{1}{6}a^3=36$이므로 $a^3=216$

∴ $a=6$ ($\because$ a는 양수)

2 곡선 $y=x^3-1$과 직선 $y=3x-3$
의 교점의 x좌표는 $x^3-1=3x-3$
에서 $x^3-3x+2=0$

$(x+2)(x-1)^2=0$

∴ $x=-2$ 또는 $x=1$

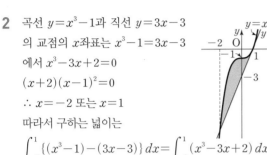

따라서 구하는 넓이는

$\int_{-2}^1 \{(x^3-1)-(3x-3)\}\,dx=\int_{-2}^1 (x^3-3x+2)\,dx$

$=\left[\dfrac{1}{4}x^4-\dfrac{3}{2}x^2+2x\right]_{-2}^1$

$=\dfrac{3}{4}-(-6)=\dfrac{27}{4}$

3 두 곡선 $y=x^2+1$,
$y=2x^2-x+1$의 교점의 x좌표는
$x^2+1=2x^2-x+1$에서
$x^2-x=0$, $x(x-1)=0$

∴ $x=0$ 또는 $x=1$

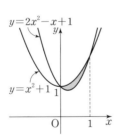

따라서 구하는 넓이는

$\int_0^1 \{(x^2+1)-(2x^2-x+1)\}\,dx$

$=\int_0^1 (-x^2+x)\,dx$

$=\left[-\dfrac{1}{3}x^3+\dfrac{1}{2}x^2\right]_0^1=\dfrac{1}{6}$

4 $A=B$이면 $\int_0^a (x^2-a)\,dx=0$이므로

$\left[\dfrac{1}{3}x^3-ax\right]_0^a=0$, $\dfrac{1}{3}a^3-a^2=0$

$a^3-3a^2=0$, $a^2(a-3)=0$

∴ $a=3$ ($\because$ $a>0$)

5 물체가 운동 방향을 바꿀 때의 속도는 0이므로

$v(t)=t^2-2t-3=0$에서 $(t+1)(t-3)=0$

∴ $t=3$ ($\because$ $t>0$)

즉, 점 P는 출발한 지 3초 후에 운동 방향이 바뀐다.

따라서 $t=3$에서 점 P의 위치는

$-1+\int_0^3 (t^2-2t-3)\,dt=-1+\left[\dfrac{1}{3}t^3-t^2-3t\right]_0^3$

$\qquad\qquad\qquad\qquad\qquad = -1-9=-10$

6 점 P가 원점을 출발한 후 a초 후에 원점으로 다시 돌아온다고
하면 $t=0$에서 $t=a$까지 점 P의 위치의 변화량은 0이므로

$\int_0^a (-t^2+4t)\,dt=0$, $\left[-\dfrac{1}{3}t^3+2t^2\right]_0^a=0$

$-\dfrac{1}{3}a^3+2a^2=0$, $a^3-6a^2=0$, $a^2(a-6)=0$

∴ $a=6$ ($\because$ $a>0$)

따라서 점 P가 원점으로 다시 돌아오는 것은 $t=6$일 때이다.

> **다른 풀이**
>
> 시각 t에서 점 P의 위치를 x라 하면
>
> $x=0+\int_0^t (-t^2+4t)\,dt$
>
> $\quad =\left[-\dfrac{1}{3}t^3+2t^2\right]_0^t=-\dfrac{1}{3}t^3+2t^2$
>
> 점 P가 원점을 지날 때 $x=0$이므로
>
> $-\dfrac{1}{3}t^3+2t^2=0$, $t^2(t-6)=0$
>
> ∴ $t=0$ 또는 $t=6$
>
> 따라서 $t=6$일 때 점 P는 다시 원점으로 돌아온다.

7 공이 최고 높이에 도달할 때의 속도는 0 m/s이므로

$v(t)=40-10t=0$에서 $t=4$

따라서 공이 최고 높이에 도달한 후
2초 동안 움직인 거리는

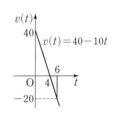

$\int_4^6 |40-10t|\,dt$

$=-\int_4^6 (40-10t)\,dt$

$=-\left[40t-5t^2\right]_4^6=20 \text{ (m)}$

8 $\int_0^7 |v(t)|\,dt=\dfrac{1}{2}\times 2\times 2+\dfrac{1}{2}\times 2\times 2+\dfrac{1}{2}\times(1+3)\times 2$

$\qquad\qquad\qquad = 2+2+4=8$

5일 교과서 기출 베스트 2회

54~55쪽

1 ③	**2** ①	**3** ③	**4** 2
5 2	**6** ⑤	**7** ④	**8** ①
9 ㄴ, ㄷ			

1 곡선 $y=x^3-6x^2+8x$와 x축의 교점
의 x좌표는
$x^3-6x^2+8x=0$에서
$x(x-2)(x-4)=0$
$\therefore x=0$ 또는 $x=2$ 또는 $x=4$
따라서 구하는 넓이는

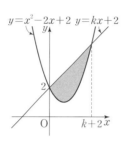

$$\int_0^2 (x^3-6x^2+8x)\,dx-\int_2^4 (x^3-6x^2+8x)\,dx$$
$$=\left[\frac{1}{4}x^4-2x^3+4x^2\right]_0^2-\left[\frac{1}{4}x^4-2x^3+4x^2\right]_2^4$$
$$=4-(-4)=8$$

2 곡선 $y=x^2-2x+2$와 직선
$y=kx+2$의 교점의 x좌표는
$x^2-2x+2=kx+2$에서
$x^2-(k+2)x=0$
$x\{x-(k+2)\}=0$
$\therefore x=0$ 또는 $x=k+2$
오른쪽 그림에서 색칠한 부분의

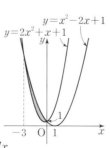

넓이가 $\dfrac{9}{2}$이므로

$$\int_0^{k+2} \{(kx+2)-(x^2-2x+2)\}\,dx$$
$$=\int_0^{k+2} \{-x^2+(k+2)x\}\,dx$$
$$=\left[-\frac{1}{3}x^3+\frac{k+2}{2}x^2\right]_0^{k+2}$$
$$=\frac{(k+2)^3}{6}=\frac{9}{2}$$

즉, $(k+2)^3=27$에서 $k+2=3\ (\because k>0)$
$\therefore k=1$

3 두 곡선 $y=2x^2+x+1$,
$y=x^2-2x+1$의 교점의 x좌표는
$2x^2+x+1=x^2-2x+1$에서
$x^2+3x=0,\ x(x+3)=0$
$\therefore x=-3$ 또는 $x=0$
따라서 구하는 넓이는

$$\int_{-3}^0 \{(x^2-2x+1)-(2x^2+x+1)\}\,dx$$
$$=\int_{-3}^0 (-x^2-3x)\,dx=\left[-\frac{1}{3}x^3-\frac{3}{2}x^2\right]_{-3}^0=\frac{9}{2}$$

4 곡선 $y=x(x-1)(x-k)$와 x축의 교점의 x좌표는
$x(x-1)(x-k)=0$에서 $x=0$ 또는 $x=1$ 또는 $x=k$

이때, $k>1$이므로 곡선
$y=x(x-1)(x-k)$는 오른쪽 그
림과 같고 색칠한 두 도형의 넓이가
같다.

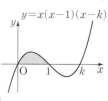

즉, $\displaystyle\int_0^k x(x-1)(x-k)\,dx=0$이므로

$$\int_0^k \{x^3-(k+1)x^2+kx\}\,dx=0$$
$$\left[\frac{1}{4}x^4-\frac{k+1}{3}x^3+\frac{k}{2}x^2\right]_0^k=0$$
$$\frac{k^4}{4}-\frac{k^4+k^3}{3}+\frac{k^3}{2}=0,\ 3k^4-4(k^4+k^3)+6k^3=0$$
$$k^4-2k^3=0,\ k^3(k-2)=0$$
$$\therefore k=2\ (\because k>1)$$

5 곡선 $y=x^2-x$와 직선 $y=ax$의
교점의 x좌표는
$x^2-x=ax$에서
$x^2-(a+1)x=0$
$x\{x-(a+1)\}=0$
$\therefore x=0$ 또는 $x=a+1$
따라서 곡선 $y=x^2-x$와 직선 $y=ax$로 둘러싸인 도형의 넓이는

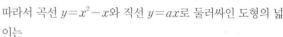

$$\int_0^{a+1} \{ax-(x^2-x)\}\,dx=\int_0^{a+1} \{-x^2+(a+1)x\}\,dx$$
$$=\left[-\frac{1}{3}x^3+\frac{a+1}{2}x^2\right]_0^{a+1}$$
$$=\frac{(a+1)^3}{6}$$

곡선 $y=x^2-x$와 x축으로 둘러싸인 도형의 넓이는

$$-\int_0^1 (x^2-x)\,dx=-\left[\frac{1}{3}x^3-\frac{1}{2}x^2\right]_0^1=\frac{1}{6}$$

즉, $\dfrac{(a+1)^3}{6}=2\times\dfrac{1}{6}$이므로 $(a+1)^3=2$

6 물체가 최고 높이에 도달할 때의 속도는 $0\,\text{m/s}$이므로
$v(t)=30-10t=0$에서 $t=3$
$t=0$일 때 지면으로부터의 높이는 $35\,\text{m}$이므로 $t=3$일 때의
높이는

$$35+\int_0^3 (30-10t)\,dt=35+\left[30t-5t^2\right]_0^3$$
$$=35+45=80\,(\text{m})$$

7 점 P가 출발한 지 a초 후에 출발한 지점을 다시 지난다고 하
면 $t=0$에서 $t=a$까지 점 P의 위치의 변화량은 0이므로

$$\int_0^a (t^2-6t)\,dt=0, \quad \left[\frac{1}{3}t^3-3t^2\right]_0^a=0$$

$$\frac{1}{3}a^3-3a^2=0, \quad a^3-9a^2=0, \quad a^2(a-9)=0$$

$$\therefore a=9 \ (\because a>0)$$

따라서 점 P가 출발한 지점을 다시 지나는 것은 출발한 지 9초 후이다.

8 물체가 운동 방향을 바꿀 때의 속도는 0이므로
$v(t)=3t^2-12t+9=0$에서 $3(t-1)(t-3)=0$
$\therefore t=1$ 또는 $t=3$

따라서 점 P는 출발한 후 $t=1$일 때 처음으로 운동 방향을 바꾸고 $t=3$일 때 두 번째로 운동 방향을 바꾸므로 $t=1$에서 $t=3$까지 움직인 거리는

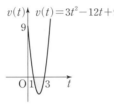

$$\int_1^3 |3t^2-12t+9|\,dt=-\int_1^3 (3t^2-12t+9)\,dt$$
$$=-\left[t^3-6t^2+9t\right]_1^3=4$$

9 ㄱ. $v(t)=0$일 때 점 P가 멈추므로 점 P는 1초 동안 멈춘 적이 없다.

ㄴ. $t=5$에서 점 P의 위치는
$$\int_0^5 v(t)\,dt=\frac{1}{2}\times(1+3)\times1-\frac{1}{2}\times2\times2=0$$
즉, $t=5$에서 점 P의 위치는 원점이다.

ㄷ. $t=0$에서 $t=7$까지 점 P가 움직인 거리는
$$\int_0^7 |v(t)|\,dt=\frac{1}{2}\times(1+3)\times1+\frac{1}{2}\times4\times2=6$$

따라서 옳은 것은 ㄴ, ㄷ이다.

6일 누구나 100점 테스트 **1**회   56~57쪽

1 시후	**2** 14	**3** 4	**4** ②
5 ③	**6** ③	**7** ③	**8** ②
9 ③	**10** ④		

1 $f(x)=x^3-ax^2+ax+2$에서
$f'(x)=3x^2-2ax+a$

함수 $f(x)$가 모든 실수 x에 대하여 증가하려면 $f'(x)\geq0$이어야 한다.

이때, 이차방정식 $f'(x)=0$의 판별식을 D라 하면
$$\frac{D}{4}=(-a)^2-3a\leq0, \quad a(a-3)\leq0$$
$$\therefore 0\leq a\leq3$$

따라서 정수 a는 0, 1, 2, 3이므로 카드를 잘못 고른 학생은 시후이다.

2 $f(x)=x^3+3x^2+5$에서
$f'(x)=3x^2+6x=3x(x+2)$
$f'(x)=0$에서 $x=-2$ 또는 $x=0$
함수 $f(x)$의 증가, 감소를 표로 나타내면 다음과 같다.

x	$\cdots$	-2	$\cdots$	0	$\cdots$
$f'(x)$	$+$	0	$-$	0	$+$
$f(x)$	↗	9	↘	5	↗

따라서 함수 $f(x)$는 $x=-2$에서 극대이고 극댓값은 $f(-2)=9$, $x=0$에서 극소이고 극솟값은 $f(0)=5$이므로 구하는 극댓값과 극솟값의 합은
$9+5=14$

3 $f(x)=x^3+kx^2+3x-1$에서
$f'(x)=3x^2+2kx+3$

함수 $f(x)$가 극값을 가지려면 이차방정식 $f'(x)=0$이 서로 다른 두 실근을 가져야 하므로 이차방정식 $f'(x)=0$의 판별식을 D라 하면
$$\frac{D}{4}=k^2-9>0, \quad (k+3)(k-3)>0$$
$$\therefore k<-3 \text{ 또는 } k>3$$

따라서 양의 정수 k의 최솟값은 4이다.

4 $y=f'(x)$의 그래프가 x축과 만나는 점의 x좌표가 -3, 0이므로 $f'(x)=0$에서 $x=-3$ 또는 $x=0$

함수 $f(x)$의 증가, 감소를 표로 나타내면 다음과 같다.

x	$\cdots$	-3	$\cdots$	0	$\cdots$
$f'(x)$	$+$	0	$-$	0	$-$
$f(x)$	↗	극대	↘		↘

함수 $f(x)$는 $x=-3$에서 극대이다.
또, $x=0$의 좌우에서 $f'(x)$의 부호가 바뀌지 않으므로 $f(x)$는 $x=0$에서 극값을 갖지 않는다.

따라서 함수 $y=f(x)$의 그래프의 개형이 될 수 있는 것은 ②이다.

5 $f(x)=x^3-3x+2$에서

$f'(x)=3x^2-3=3(x+1)(x-1)$

$f'(x)=0$에서 $x=-1$ ($\because -3\leq x\leq 0$)

닫힌구간 $[-3, 0]$에서 함수 $f(x)$의 증가, 감소를 표로 나타내면 다음과 같다.

x	-3	$\cdots$	-1	$\cdots$	0
$f'(x)$		$+$	0	$-$	
$f(x)$	-16	$\nearrow$	4	$\searrow$	2

따라서 함수 $f(x)$는 닫힌구간 $[-3, 0]$에서 $x=-1$일 때 최댓값 4를 가지므로

$\alpha=-1,\ \beta=4$

$\therefore \alpha+\beta=3$

6 $f(x)=2x^3-6x^2-18x+a$로 놓으면

$f'(x)=6x^2-12x-18=6(x+1)(x-3)$

$f'(x)=0$에서 $x=-1$ 또는 $x=3$

삼차방정식 $f(x)=0$이 서로 다른 두 실근, 즉 한 실근과 중근을 가지려면 $f(-1)f(3)=0$이어야 하므로

$(a+10)(a-54)=0$

$\therefore a=-10$ 또는 $a=54$

따라서 모든 실수 a의 값의 합은

$-10+54=44$

7 $f(x)=-\dfrac{1}{3}x^3+3x^2+a$로 놓으면

$f'(x)=-x^2+6x=-x(x-6)$

$f'(x)=0$에서 $x=0$ ($\because x\leq 3$)

$x\leq 3$에서 함수 $f(x)$의 증가, 감소를 표로 나타내면 다음과 같다.

x	$\cdots$	0	$\cdots$	3
$f'(x)$	$-$	0	$+$	
$f(x)$	$\searrow$	a	$\nearrow$	$a+18$

$x\leq 3$일 때, 함수 $f(x)$는 $x=0$에서 최소이므로 최솟값은

$f(0)=a$

$x\leq 3$일 때, $f(x)\geq 0$이려면 $f(0)\geq 0$이어야 하므로

$a\geq 0$

따라서 정수 a의 최솟값은 0이다.

8 $f(x)=x^4-4x^3+k$로 놓으면

$f'(x)=4x^3-12x^2=4x^2(x-3)$

$f'(x)=0$에서 $x=0$ 또는 $x=3$

함수 $f(x)$의 증가, 감소를 표로 나타내면 다음과 같다.

x	$\cdots$	0	$\cdots$	3	$\cdots$
$f'(x)$	$-$	0	$-$	0	$+$
$f(x)$	$\searrow$	k	$\searrow$	$k-27$	$\nearrow$

함수 $f(x)$는 $x=3$일 때 최소이므로 최솟값은

$f(3)=k-27$

모든 실수 x에 대하여 $f(x)\geq 0$이려면 $f(3)\geq 0$이어야 하므로

$k-27\geq 0$ $\therefore k\geq 27$

따라서 정수 k의 최솟값은 27이다.

9 시각 t에서의 점 P의 속도를 v라 하면

$v=\dfrac{dx}{dt}=3t^2-12t+9=3(t-1)(t-3)$

운동 방향을 바꾸는 순간의 속도는 0이므로 $v=0$에서

$t=1$ 또는 $t=3$

따라서 점 P가 두 번째로 운동 방향을 바꾸는 시각은 $t=3$일 때이다.

10 공이 지면에 떨어질 때의 높이는 $h=0$이므로

$40t-5t^2=0$에서 $5t(8-t)=0$ $\therefore t=8$ ($\because t>0$)

공의 t초 후의 속도를 v m/s라 하면

$v=\dfrac{dh}{dt}=40-10t$

$t=8$일 때, 공의 속도는

$v=40-10\times 8=-40$ (m/s)

따라서 공이 지면에 떨어지는 순간의 속력은

$|-40|=40$ (m/s)

6일 **누구나 100점 테스트 2회** **58~59쪽**

1 세은, 민호 **2** ② **3** ① **4** ③
5 -30 **6** 2 **7** 4 **8** ④
9 ① **10** 나래, 수현

1 유찬: $\displaystyle\int (x^2+x)\,dx=\dfrac{1}{3}x^3+\dfrac{1}{2}x^2+C$

세은: $\displaystyle\int (4x+5)\,dx=2x^2+5x+C$

수아: $\int(t-2)\,dt=\dfrac{1}{2}t^2-2t+C$

민호: $\int(1-2y)^2\,dy=\int(1-4y+4y^2)\,dy$
$\qquad\qquad\quad=\dfrac{4}{3}y^3-2y^2+y+C$

따라서 부정적분을 잘못 구한 사람은 세은, 민호이다.

2 $\int f(x)\,dx=x^3-x^2-6x+C$에서
$f(x)=(x^3-x^2-6x+C)'=3x^2-2x-6$
$\therefore f(1)=3-2-6=-5$

3 $F(x)=xf(x)-4x^3-2x^2$의 양변을 x에 대하여 미분하면
$f(x)=f(x)+xf'(x)-12x^2-4x$
$xf'(x)=12x^2+4x \qquad \therefore f'(x)=12x+4$
$\therefore f(x)=\int(12x+4)\,dx=6x^2+4x+C$
이때, $f(1)=5$이므로 $6+4+C=5 \qquad \therefore C=-5$
따라서 $f(x)=6x^2+4x-5$이므로
$f(-1)=6-4-5=-3$

4 $\displaystyle\int_1^2(x+1)^3\,dx-\int_1^2(x^3+3x)\,dx$
$=\displaystyle\int_1^2(x^3+3x^2+3x+1)\,dx-\int_1^2(x^3+3x)\,dx$
$=\displaystyle\int_1^2(3x^2+1)\,dx$
$=\Big[x^3+x\Big]_1^2=8$

5 $\displaystyle\int_{-3}^1(x-1)(x^2+2)\,dx+\int_1^3(x-1)(x^2+2)\,dx$
$=\displaystyle\int_{-3}^3(x-1)(x^2+2)\,dx=\int_{-3}^3(x^3-x^2+2x-2)\,dx$
$=2\displaystyle\int_0^3(-x^2-2)\,dx=2\Big[-\dfrac{1}{3}x^3-2x\Big]_0^3$
$=2\times(-15)=-30$

6 $\displaystyle\int_a^x f(t)\,dt=x^2-x-2$의 양변에 $x=a$를 대입하면
$\displaystyle\int_a^a f(t)\,dt=a^2-a-2,\ (a+1)(a-2)=0$
$\therefore a=2\ (\because a>0)$

7 $f(x)=\dfrac{d}{dx}\displaystyle\int_1^x(5t^3-t)\,dt=5x^3-x$이므로
$f(1)=5-1=4$

8 곡선 $y=3x^2-2x-1$과 x축의 교점의 x좌표는
$3x^2-2x-1=0$에서
$(3x+1)(x-1)=0$
$\therefore x=-\dfrac{1}{3}$ 또는 $x=1$

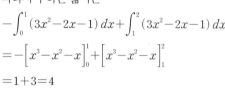

따라서 구하는 넓이는
$-\displaystyle\int_0^1(3x^2-2x-1)\,dx+\int_1^2(3x^2-2x-1)\,dx$
$=-\Big[x^3-x^2-x\Big]_0^1+\Big[x^3-x^2-x\Big]_1^2$
$=1+3=4$

9 두 곡선 $y=x^2+2x+5$, $y=-x^2-4x+1$의 교점의 x좌표는
$x^2+2x+5=-x^2-4x+1$에서
$x^2+3x+2=0$
$(x+2)(x+1)=0$
$\therefore x=-2$ 또는 $x=-1$

따라서 구하는 넓이는
$\displaystyle\int_{-2}^{-1}\{(-x^2-4x+1)-(x^2+2x+5)\}\,dx$
$=\displaystyle\int_{-2}^{-1}(-2x^2-6x-4)\,dx$
$=\Big[-\dfrac{2}{3}x^3-3x^2-4x\Big]_{-2}^{-1}=\dfrac{1}{3}$

10 나래: $t=1$에서 점 P의 위치는
$\displaystyle\int_0^1 v(t)\,dt=1\times1=1$

수현: $t=1$에서 $t=3$까지 위치의 변화량은
$\displaystyle\int_1^3 v(t)\,dt=\dfrac{1}{2}\times1\times1-\dfrac{1}{2}\times1\times1=0$

지아: $t=4$일 때 점 P가 다시 원점으로 돌아온다고 하면 $t=0$에서 $t=4$까지 점 P의 위치의 변화량이 0이어야 한다.
$\displaystyle\int_0^4 v(t)\,dt=\dfrac{1}{2}\times(1+2)\times1-\dfrac{1}{2}\times2\times1=\dfrac{1}{2}\ne0$

따라서 바르게 설명한 사람은 나래, 수현이다.

6일 서술형·사고력 테스트   60~61쪽

1 3	**2** $0<m<2$	**3** 8	**4** 3
5 $f(x)=3x^2-6x+2$		**6** $\dfrac{2}{3}$	

7 (1) 풀이 참조   (2) 425 m

1 $f(x)=\dfrac{1}{3}x^3+ax^2+(4a-3)x+2$에서

$f'(x)=x^2+2ax+4a-3$ $\cdots\cdots$ [2점]

함수 $f(x)$가 극값을 갖지 않으려면 이차방정식 $f'(x)=0$이 중근 또는 허근을 가져야 하므로 이차방정식 $f'(x)=0$의 판별식을 D라 하면

$\dfrac{D}{4}=a^2-(4a-3)\leq0,\ (a-1)(a-3)\leq0$

$\therefore 1\leq a\leq3$ $\cdots\cdots$ [4점]

따라서 정수 a는 1, 2, 3이므로 그 개수는 3이다. $\cdots\cdots$ [1점]

2 $f(x)=x^3-3mx^2+16m$으로 놓으면

$f'(x)=3x^2-6mx=3x(x-2m)$

$f'(x)=0$에서 $x=0$ 또는 $x=2m$ $\cdots\cdots$ [2점]

삼차방정식 $f(x)=0$이 한 실근과 두 허근을 가지려면

$f(0)f(2m)>0$이어야 하므로

$16m(-4m^3+16m)>0,\ -64m^2(m+2)(m-2)>0$

$m^2(m+2)(m-2)<0$

이때, $m^2(m+2)>0\,(\because m>0)$이므로

$m-2<0$, 즉 $m<2$ $\cdots\cdots$ [4점]

따라서 구하는 양수 m의 값의 범위는

$0<m<2$ $\cdots\cdots$ [2점]

3 $\dfrac{d}{dx}f(x)=2x$에서

$\displaystyle\int\left\{\dfrac{d}{dx}f(x)\right\}dx=\int2x\,dx$

$\therefore f(x)=x^2+C_1$

또, $\dfrac{d}{dx}g(x)=3x^2+2x-1$에서

$\displaystyle\int\left\{\dfrac{d}{dx}g(x)\right\}dx=\int(3x^2+2x-1)\,dx$

$\therefore g(x)=x^3+x^2-x+C_2$ $\cdots\cdots$ [4점]

이때, $f(0)=1,\ g(0)=2$이므로

$f(0)=C_1=1,\ g(0)=C_2=2$

$\therefore f(x)=x^2+1,\ g(x)=x^3+x^2-x+2$ $\cdots\cdots$ [2점]

$\therefore f(2)+g(1)=5+3=8$ $\cdots\cdots$ [2점]

4 $|3x(x-2)|=\begin{cases}3x(x-2)\ (x\leq0\ \text{또는}\ x\geq2)\\-3x(x-2)\ (0\leq x\leq2)\end{cases}$ $\cdots\cdots$ [2점]

이때, $a>2$이므로

$\displaystyle\int_0^a|3x(x-2)|\,dx$

$\displaystyle=\int_0^2\{-3x(x-2)\}\,dx+\int_2^a3x(x-2)\,dx$

$\displaystyle=\int_0^2(-3x^2+6x)\,dx+\int_2^a(3x^2-6x)\,dx$

$=\Big[-x^3+3x^2\Big]_0^2+\Big[x^3-3x^2\Big]_2^a$

$=4+(a^3-3a^2+4)$

$=a^3-3a^2+8$ $\cdots\cdots$ [4점]

즉, $a^3-3a^2+8=8$에서

$a^3-3a^2=0,\ a^2(a-3)=0$

$\therefore a=3\ (\because a>2)$ $\cdots\cdots$ [2점]

5 $\displaystyle\int_1^x f(t)\,dt=xf(x)-2x^3+3x^2$의 양변에 $x=1$을 대입하면

$\displaystyle\int_1^1 f(t)\,dt=f(1)-2+3=0$ $\therefore f(1)=-1$ $\cdots\cdots$ [2점]

$\displaystyle\int_1^x f(t)\,dt=xf(x)-2x^3+3x^2$의 양변을 x에 대하여 미분하면

$f(x)=f(x)+xf'(x)-6x^2+6x$

$xf'(x)=6x^2-6x$ $\therefore f'(x)=6x-6$ $\cdots\cdots$ [2점]

$\therefore f(x)=\displaystyle\int(6x-6)\,dx=3x^2-6x+C$ $\cdots\cdots$ [2점]

이때, $f(1)=-1$이므로 $3-6+C=-1$ $\therefore C=2$

$\therefore f(x)=3x^2-6x+2$ $\cdots\cdots$ [2점]

6 $A=B$이면 $\displaystyle\int_0^2\{(2x-x^2)-mx\}\,dx=0$이므로 $\cdots\cdots$ [3점]

$\displaystyle\int_0^2\{-x^2+(2-m)x\}\,dx=0$

$\left[-\dfrac{1}{3}x^3+\dfrac{2-m}{2}x^2\right]_0^2=0$

$-\dfrac{8}{3}+2(2-m)=0,\ \dfrac{4}{3}-2m=0$

$\therefore m=\dfrac{2}{3}$ $\cdots\cdots$ [4점]

7 (1)

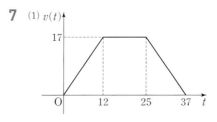

(2) 5층 매표소부터 89층 전망대까지의 높이는 $t=0$에서 $t=37$까지 엘리베이터의 위치의 변화량과 같으므로

$$\int_0^{37} v(t)\,dt = \frac{1}{2} \times (13+37) \times 17 = 425\ (\text{m})$$

6^일 참의·융합·코딩 62~63쪽

62~63쪽

1 $128\ \text{cm}^3$　**2** $-20\ \text{m/s}$　**3** 6　　　**4** $y=5$
5 (1) 4초　(2) 40 m

1 네 귀퉁이에서 잘라낸 정사각형의 한 변의 길이를 $x\ \text{cm}\ (0<x<6)$, 상자의 부피를 $V(x)\ \text{cm}^3$라 하면

$$V(x) = x(12-2x)^2 = 4x^3 - 48x^2 + 144x$$
$$V'(x) = 12x^2 - 96x + 144 = 12(x-2)(x-6)$$
$$V'(x) = 0 \text{에서 } x=2\ (\because\ 0<x<6)$$

$0<x<6$에서 함수 $V(x)$의 증가, 감소를 표로 나타내면 다음과 같다.

x	0	$\cdots$	2	$\cdots$	6
$V'(x)$		$+$	0	$-$	
$V(x)$		↗	극대	↘	

따라서 함수 $V(x)$는 $x=2$일 때 극대이면서 최대이므로 혜선이가 만들려고 하는 상자의 부피의 최댓값은

$$2 \times (12-2\times2)^2 = 128\ (\text{cm}^3)$$

2 물로켓을 쏘아 올린 지 t초 후의 속도를 v라 하면

$$v = \frac{dh}{dt} = -4t+20$$

물로켓이 지면에 떨어지는 순간의 높이는 0 m이므로

$$-2t^2+20t=0 \text{에서 } -2t(t-10)=0 \quad \therefore\ t=10$$

그때의 속도는

$$v = -4\times10+20 = -20\ (\text{m/s})$$

3 접선의 기울기가 $f'(x)=6x^2+2$이므로

$$f(x) = \int (6x^2+2)\,dx = 2x^3 + 2x + C$$

이때, 함수 $y=f(x)$의 그래프가 점 $(0, 2)$를 지나므로

$$f(0)=2 \quad \therefore\ C=2$$

따라서 $f(x) = 2x^3 + 2x + 2$이므로

$$f(1) = 2+2+2 = 6$$

4 울타리 아래쪽 밭의 넓이는 $y=f(x)$의 그래프와 x축 및 두 직선 $x=0$, $x=6$으로 둘러싸인 도형의 넓이와 같으므로

$$\int_0^6 \left(-\frac{1}{3}x^2+2x+3\right)dx = \left[-\frac{1}{9}x^3+x^2+3x\right]_0^6$$
$$= -24+36+18 = 30$$

이때, 전체 밭의 넓이가 $6\times10=60$이므로 아래쪽 밭의 넓이는 전체 밭의 넓이의 $\frac{1}{2}$이다.

즉, 직사각형 모양의 밭을 이등분하도록 울타리를 새로 설치하면 된다.

따라서 새로 설치할 울타리를 나타내는 직선의 방정식은

$$y=5$$

5 (1) 자동차가 정지할 때의 속도는 0 m/s이므로

$$v(t) = 20-5t=0 \text{에서 } t=4$$

따라서 브레이크를 밟은 후 자동차가 정지할 때까지 걸린 시간은 4초이다.

(2) 자동차는 브레이크를 밟고 나서 4초 후에 정지하므로 정지할 때까지 달린 거리는

$$\int_0^4 |20-5t|\,dt = \int_0^4 (20-5t)\,dt$$
$$= \left[20t-\frac{5}{2}t^2\right]_0^4 = 40\ (\text{m})$$

7^일 기말고사 기본 테스트 1회 64~67쪽

64~67쪽

1 ②	**2** ④	**3** ④	**4** ②
5 ①	**6** ④	**7** -4	**8** ②
9 ⑤	**10** 2	**11** ①	**12** 0
13 ④	**14** ③	**15** ①	**16** ④
17 ④	**18** ②	**19** ③	**20** ⑤

1 $x_1<x_2$인 임의의 두 실수 x_1, x_2에 대하여 항상 $f(x_1)>f(x_2)$가 성립하려면 함수 $f(x)$는 실수 전체의 집합에서 감소해야 한다.

즉, 모든 실수 x에 대하여 $f'(x) \le 0$이어야 한다.

$f(x) = -x^3+2ax^2-2ax+7$에서

$$f'(x) = -3x^2+4ax-2a$$

이차방정식 $f'(x)=0$의 판별식을 D라 하면

$$\frac{D}{4} = 4a^2-6a \le 0,\ 2a(2a-3) \le 0 \quad \therefore\ 0 \le a \le \frac{3}{2}$$

따라서 정수 a는 0, 1이므로 그 개수는 2이다.

2 $f(x) = x^3 - 12x - 16$에서

$f'(x) = 3x^2 - 12 = 3(x+2)(x-2)$

$f'(x) = 0$에서 $x = -2$ 또는 $x = 2$

함수 $f(x)$의 증가, 감소를 표로 나타내면 다음과 같다.

x	$\cdots$	-2	$\cdots$	2	$\cdots$
$f'(x)$	$+$	0	$-$	0	$+$
$f(x)$	$\nearrow$	0	$\searrow$	-32	$\nearrow$

따라서 함수 $f(x)$는

$x = -2$에서 극대이고 극댓값은 $M = f(-2) = 0$,

$x = 2$에서 극소이고 극솟값은 $m = f(2) = -32$

이므로 $M - m = 32$

3 ① 열린구간 $(-4, -2)$에서 $f'(x) < 0$이므로 이 구간에서 함수 $f(x)$는 감소한다.

② 열린구간 $(2, 3)$에서 $f'(x) > 0$이므로 이 구간에서 함수 $f(x)$는 증가한다.

③ $x = 3$의 좌우에서 $f'(x)$의 부호가 양$(+)$에서 음$(-)$으로 바뀌므로 함수 $f(x)$는 $x = 3$에서 극대이다.

④ $x = 4$의 좌우에서 $f'(x)$의 부호가 바뀌지 않으므로 함수 $f(x)$는 $x = 4$에서 극값을 갖지 않는다.

⑤ $x = 5$의 좌우에서 $f'(x)$의 부호가 음$(-)$에서 양$(+)$으로 바뀌므로 함수 $f(x)$는 $x = 5$에서 극소이다.

따라서 옳지 않은 것은 ④이다.

4 $f(x) = 3x^3 - x + 1$에서

$f'(x) = 9x^2 - 1 = (3x+1)(3x-1)$

$f'(x) = 0$에서 $x = -\dfrac{1}{3}$ $(\because -1 \leq x \leq 0)$

닫힌구간 $[-1, 0]$에서 함수 $f(x)$의 증가, 감소를 표로 나타내면 다음과 같다.

x	-1	$\cdots$	$-\dfrac{1}{3}$	$\cdots$	0
$f'(x)$		$+$	0	$-$	
$f(x)$	-1	$\nearrow$	$\dfrac{11}{9}$	$\searrow$	1

따라서 함수 $f(x)$는 닫힌구간 $[-1, 0]$에서 $x = -\dfrac{1}{3}$일 때 최댓값 $\dfrac{11}{9}$을 가지므로 $\alpha = -\dfrac{1}{3}$, $\beta = \dfrac{11}{9}$ $\quad \therefore \alpha + \beta = \dfrac{8}{9}$

5 $f(x) = 3x^4 - 6x^2 + 1$로 놓으면

$f'(x) = 12x^3 - 12x = 12x(x+1)(x-1)$

$f'(x) = 0$에서 $x = -1$ 또는 $x = 0$ 또는 $x = 1$

함수 $f(x)$의 증가, 감소를 표로 나타내면 다음과 같다.

x	$\cdots$	-1	$\cdots$	0	$\cdots$	1	$\cdots$
$f'(x)$	$-$	0	$+$	0	$-$	0	$+$
$f(x)$	$\searrow$	-2	$\nearrow$	1	$\searrow$	-2	$\nearrow$

따라서 함수 $y = f(x)$의 그래프는 오른쪽 그림과 같고, 주어진 방정식이 서로 다른 세 실근을 가지려면 함수 $y = f(x)$의 그래프와 직선 $y = k$가 서로 다른 세 점에서 만나야 하므로 $k = 1$

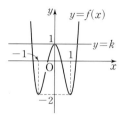

6 $f(x) = x^3 - 27x + k$로 놓으면

$f'(x) = 3x^2 - 27 = 3(x+3)(x-3)$

$f'(x) = 0$에서 $x = 3$ $(\because -1 \leq x \leq 5)$

닫힌구간 $[-1, 5]$에서 함수 $f(x)$의 증가, 감소를 표로 나타내면 다음과 같다.

x	-1	$\cdots$	3	$\cdots$	5
$f'(x)$		$-$	0	$+$	
$f(x)$	$26+k$	$\searrow$	$-54+k$	$\nearrow$	$-10+k$

닫힌구간 $[-1, 5]$에서 함수 $f(x)$는 $x = 3$일 때 최소이므로 최솟값은 $f(3) = -54 + k$

닫힌구간 $[-1, 5]$에서 $f(x) > 0$이려면 $f(3) > 0$이어야 하므로 $-54 + k > 0$ $\quad \therefore k > 54$

따라서 정수 k의 최솟값은 55이다.

7 시각 t에서의 자전거의 속도를 v라 하면

$v = \dfrac{dx}{dt} = 4t^2 - 12t + 12$ $\qquad \cdots\cdots$ [2점]

$4t^2 - 12t + 12 = 4$에서 $4t^2 - 12t + 8 = 0$

$4(t-1)(t-2) = 0$ $\quad \therefore t = 1$ 또는 $t = 2$ $\qquad \cdots\cdots$ [2점]

자전거의 속도가 처음으로 4가 되는 순간은 $t = 1$일 때이고, 시각 t에서의 자전거의 가속도를 a라 하면

$a = \dfrac{dv}{dt} = 8t - 12$ $\qquad \cdots\cdots$ [2점]

따라서 $t = 1$에서의 자전거의 가속도는

$a = 8 \times 1 - 12 = -4$ $\qquad \cdots\cdots$ [2점]

8 $\dfrac{dV}{dt} = t^2 + 2t - 8 = (t+4)(t-2)$

$\dfrac{dV}{dt} = 0$에서 $t = 2$ $(\because t > 0)$

따라서 구하는 물질 $1\,\text{kg}$의 부피는

$\dfrac{1}{3} \times 2^3 + 2^2 - 8 \times 2 + 10 = \dfrac{2}{3}\,(\text{cm}^3)$

9 $\int (x+1)f(x)\,dx = x^3 + x^2 - x + C$에서

$$(x+1)f(x) = (x^3 + x^2 - x + C)'$$
$$= 3x^2 + 2x - 1 = (x+1)(3x-1)$$

따라서 $f(x) = 3x - 1$이므로 $f(2) = 6 - 1 = 5$

10 $\dfrac{d}{dx}\{f(x)g(x)\} = 3x^2$에서

$$\int \left[\frac{d}{dx}\{f(x)g(x)\} \right] dx = \int 3x^2\,dx$$

$$\therefore f(x)g(x) = x^3 + C \qquad\qquad \cdots\cdots \text{[2점]}$$

이때, $f(1) = 3$, $g(1) = 0$이므로

$$f(1)g(1) = 1 + C = 0 \qquad \therefore C = -1 \qquad \cdots\cdots \text{[2점]}$$

즉, $f(x)g(x) = x^3 - 1 = (x-1)(x^2 + x + 1)$이므로

$$f(x) = x^2 + x + 1,\ g(x) = x - 1\ (\because f(1) = 3,\ g(1) = 0)$$
$$\cdots\cdots \text{[3점]}$$

$$\therefore g(3) = 2 \qquad\qquad\qquad\qquad\qquad \cdots\cdots \text{[1점]}$$

11 $f(x) = \int (3x^2 + ax - 2)\,dx$의 양변을 x에 대하여 미분하면

$$f'(x) = 3x^2 + ax - 2$$

함수 $f(x)$는 $x = -1$에서 극댓값 1을 가지므로

$$f'(-1) = 0,\ f(-1) = 1$$

$f'(-1) = 0$에서 $3 - a - 2 = 0$ $\therefore a = 1$

즉, $f(x) = \int (3x^2 + x - 2)\,dx = x^3 + \dfrac{1}{2}x^2 - 2x + C$

이때, $f(-1) = 1$에서

$$-1 + \frac{1}{2} + 2 + C = 1 \qquad \therefore C = -\frac{1}{2}$$

따라서 $f(x) = x^3 + \dfrac{1}{2}x^2 - 2x - \dfrac{1}{2}$이므로

$$f(0) = -\frac{1}{2}$$

12 $\displaystyle\int_0^2 \frac{x^2}{x+1}\,dx - \int_0^4 \frac{1}{y+1}\,dy - \int_4^2 \frac{1}{t+1}\,dt$

$$= \int_0^2 \frac{x^2}{x+1}\,dx - \int_0^4 \frac{1}{x+1}\,dx - \int_4^2 \frac{1}{x+1}\,dx$$

$$= \int_0^2 \frac{x^2}{x+1}\,dx - \left(\int_0^4 \frac{1}{x+1}\,dx + \int_4^2 \frac{1}{x+1}\,dx \right)$$

$$= \int_0^2 \frac{x^2}{x+1}\,dx - \int_0^2 \frac{1}{x+1}\,dx \qquad \cdots\cdots \text{[3점]}$$

$$= \int_0^2 \frac{x^2 - 1}{x+1}\,dx = \int_0^2 \frac{(x+1)(x-1)}{x+1}\,dx$$

$$= \int_0^2 (x-1)\,dx \qquad\qquad\qquad \cdots\cdots \text{[3점]}$$

$$= \left[\frac{1}{2}x^2 - x \right]_0^2 = 0 \qquad\qquad \cdots\cdots \text{[1점]}$$

13 $\displaystyle\int_{-a}^a (5x^4 - 4ax^3 + 3a^2x^2 - a^2x)\,dx = 2\int_0^a (5x^4 + 3a^2x^2)\,dx$

$$= 2\left[x^5 + a^2x^3 \right]_0^a$$

$$= 2(a^5 + a^5) = 4a^5$$

즉, $4a^5 = 128$이므로

$$a^5 = 32 \qquad \therefore a = 2\ (\because a\text{는 실수})$$

14 $\displaystyle\int_{-4}^1 f(x)\,dx = 5,\ \int_0^5 f(x)\,dx = 6,\ \int_1^5 f(x)\,dx = 8$이므로

$$\int_{-4}^0 f(x)\,dx = \int_{-4}^1 f(x)\,dx + \int_1^5 f(x)\,dx + \int_5^0 f(x)\,dx$$

$$= \int_{-4}^1 f(x)\,dx + \int_1^5 f(x)\,dx - \int_0^5 f(x)\,dx$$

$$= 5 + 8 - 6 = 7$$

15 $\displaystyle\int_0^1 f'(t)\,dt = k\ (k\text{는 상수}) \qquad\qquad \cdots\cdots \text{㉠}$

로 놓으면

$$f(x) = 4x^2 + 2kx,\ f'(x) = 8x + 2k$$

$f'(t) = 8t + 2k$를 ㉠에 대입하면

$$\int_0^1 (8t + 2k)\,dt = k,\ \left[4t^2 + 2kt \right]_0^1 = k$$

$$4 + 2k = k \qquad \therefore k = -4$$

따라서 $f(x) = 4x^2 - 8x$이므로

$$f(1) = -4$$

16 $\displaystyle\int_1^x f(t)\,dt = 2x^3 - ax^2 - 4x + 3 \qquad\qquad \cdots\cdots \text{㉠}$

㉠의 양변에 $x = 1$을 대입하면

$$0 = 2 - a - 4 + 3 \qquad \therefore a = 1$$

㉠의 양변을 x에 대하여 미분하면

$$f(x) = 6x^2 - 2ax - 4 = 6x^2 - 2x - 4$$

$$\therefore f(3) = 54 - 6 - 4 = 44$$

17 곡선 $y = |x^2 - 9|$와 x축의 교점의
x좌표는 $|x^2 - 9| = 0$에서
$x^2 - 9 = 0,\ (x+3)(x-3) = 0$
$\therefore x = -3$ 또는 $x = 3$
따라서 구하는 넓이는

$$\int_{-3}^3 |x^2 - 9|\,dx = -\int_{-3}^3 (x^2 - 9)\,dx$$

$$= -2\int_0^3 (x^2 - 9)\,dx$$

$$= -2\left[\frac{1}{3}x^3 - 9x \right]_0^3$$

$$= -2 \times (-18) = 36$$

18 곡선 $y=x^2+1$과 직선 $y=2x$의 교점의 x좌표는 $x^2+1=2x$에서
$(x-1)^2=0$ ∴ $x=1$
곡선 $y=x^2+1$과 직선 $y=-2x$의 교점의 x좌표는 $x^2+1=-2x$에서
$(x+1)^2=0$ ∴ $x=-1$
따라서 구하는 넓이는

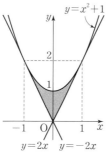

$$\int_{-1}^{0}\{(x^2+1)-(-2x)\}\,dx$$
$$+\int_{0}^{1}\{(x^2+1)-2x\}\,dx$$
$$=\int_{-1}^{0}(x^2+2x+1)\,dx+\int_{0}^{1}(x^2-2x+1)\,dx$$
$$=\left[\frac{1}{3}x^3+x^2+x\right]_{-1}^{0}+\left[\frac{1}{3}x^3-x^2+x\right]_{0}^{1}$$
$$=\frac{1}{3}+\frac{1}{3}=\frac{2}{3}$$

> **다른 풀이**
>
> 두 직선 $y=2x$, $y=-2x$는 y축에 대하여 서로 대칭이고 곡선 $y=x^2+1$도 y축에 대하여 대칭이므로 곡선 $y=x^2+1$과 두 직선 $y=2x$, $y=-2x$로 둘러싸인 도형도 y축에 대하여 대칭이다.
> 따라서 구하는 넓이는
> $$2\int_{0}^{1}\{(x^2+1)-2x\}\,dx=2\int_{0}^{1}(x^2-2x+1)\,dx$$
> $$=2\left[\frac{1}{3}x^3-x^2+x\right]_{0}^{1}$$
> $$=2\times\frac{1}{3}=\frac{2}{3}$$

19 두 부분 A, B의 넓이가 같으므로
$$\int_{0}^{4}(x^3-k)\,dx=0$$
$$\left[\frac{1}{4}x^4-kx\right]_{0}^{4}=0,\ 64-4k=0$$
∴ $k=16$

20 물체가 최고 높이에 도달할 때의 속도는 $0\,\text{m/s}$이므로
$v(t)=50-10t=0$에서 $t=5$
$t=0$일 때 지면으로부터의 높이는 $55\,\text{m}$이므로 $t=5$일 때의 높이는
$$55+\int_{0}^{5}(50-10t)\,dt=55+\left[50t-5t^2\right]_{0}^{5}$$
$$=55+125$$
$$=180\,(\text{m})$$

---

1 ⑤	**2** 27	**3** ③	**4** ①
5 ④	**6** ③	**7** 320 m	**8** ④
9 ①	**10** ③	**11** ⑤	**12** ①
13 ⑤	**14** ②	**15** -2	**16** ④
17 ①	**18** ⑤	**19** ③	**20** ②

1 $f(x)=-x^3+kx^2-\dfrac{4}{3}x+1$에서
$$f'(x)=-3x^2+2kx-\frac{4}{3}$$
함수 $f(x)$가 열린구간 $(-\infty,\ \infty)$에서 감소하려면 모든 실수 x에 대하여 $f'(x)\le0$이어야 하므로 이차방정식 $f'(x)=0$의 판별식을 D라 하면
$$\frac{D}{4}=k^2-4\le0,\ (k+2)(k-2)\le0$$
∴ $-2\le k\le2$
따라서 실수 k의 값이 될 수 없는 것은 ⑤ 3이다.

2 $f(x)=x^3+ax^2+bx+c$에서
　$f'(x)=3x^2+2ax+b$　……[1점]
함수 $f(x)$가 $x=-1$, $x=2$에서 극값을 가지므로
$f'(-1)=0$에서 $3-2a+b=0$
∴ $2a-b=3$　……㉠
$f'(2)=0$에서 $12+4a+b=0$
∴ $4a+b=-12$　……㉡
㉠, ㉡을 연립하여 풀면 $a=-\dfrac{3}{2}$, $b=-6$　……[4점]
$f(0)=3$이므로 $f(0)=c=3$　……[1점]
∴ $abc=\left(-\dfrac{3}{2}\right)\times(-6)\times3=27$　……[1점]

> **다른 풀이**
>
> $f'(x)=3x^2+2ax+b$에서 $f'(-1)=0$, $f'(2)=0$이므로
> $f'(x)=3(x+1)(x-2)=3x^2-3x-6$
> ∴ $a=-\dfrac{3}{2}$, $b=-6$
> $f(0)=3$이므로 $f(0)=c=3$
> ∴ $abc=\left(-\dfrac{3}{2}\right)\times(-6)\times3=27$

3 도함수 $y=f'(x)$의 그래프가 x축과 만나는 점의 x좌표가 1, 3이므로 $f'(x)=0$에서 $x=1$ 또는 $x=3$
함수 $f(x)$의 증가, 감소를 표로 나타내면 다음과 같다.

x	$\cdots$	1	$\cdots$	3	$\cdots$
$f'(x)$	$+$	0	$-$	0	$+$
$f(x)$	↗	극대	↘	극소	↗

최고차항의 계수가 1인 삼차함수 $f(x)$를

$f(x)=x^3+ax^2+bx+c$ (a, b, c는 상수)로 놓으면

$f'(x)=3x^2+2ax+b$

$f(0)=1$이므로 $f(0)=c=1$

또, $f'(1)=0$, $f'(3)=0$이므로

$f'(1)=3+2a+b=0$ $\quad\therefore 2a+b=-3$ $\quad\cdots\cdots$ ㉠

$f'(3)=27+6a+b=0$ $\quad\therefore 6a+b=-27$ $\quad\cdots\cdots$ ㉡

㉠, ㉡을 연립하여 풀면

$a=-6$, $b=9$

따라서 $f(x)=x^3-6x^2+9x+1$이므로 구하는 극댓값은

$f(1)=1-6+9+1=5$

4 $f(x)=x^3-12x+1$에서

$f'(x)=3x^2-12=3(x+2)(x-2)$

$f'(x)=0$에서 $x=2$ ($\because -1\leq x\leq 3$)

닫힌구간 $[-1,\ 3]$에서 함수 $f(x)$의 증가, 감소를 표로 나타내면 다음과 같다.

x	-1	$\cdots$	2	$\cdots$	3
$f'(x)$		$-$	0	$+$	
$f(x)$	12	$\searrow$	-15	$\nearrow$	-8

따라서 함수 $f(x)$는 닫힌구간 $[-1,\ 3]$에서 $x=-1$일 때 최댓값 12, $x=2$일 때 최솟값 -15를 가지므로 구하는 최댓값과 최솟값의 합은 -3이다.

5 $h(x)=f(x)-g(x)$로 놓으면

$h(x)=(3x^3+6x^2-8x-30)-(2x^3+7x+a)$

$\qquad=x^3+6x^2-15x-30-a$

$h'(x)=3x^2+12x-15=3(x+5)(x-1)$

$h'(x)=0$에서 $x=-5$ 또는 $x=1$

삼차방정식 $h(x)=0$이 중근과 다른 한 실근을 가지려면

$h(-5)h(1)=0$이어야 하므로

$(70-a)(-38-a)=0$ $\quad\therefore a=-38$ 또는 $a=70$

따라서 모든 실수 a의 값의 합은

$-38+70=32$

6 $f(x)=x^4-4x-k^2+4k$로 놓으면

$f'(x)=4x^3-4=4(x-1)(x^2+x+1)$

이때, $x^2+x+1=\left(x+\dfrac{1}{2}\right)^2+\dfrac{3}{4}>0$이므로

$f'(x)=0$에서 $x=1$

함수 $f(x)$의 증가, 감소를 표로 나타내면 다음과 같다.

x	$\cdots$	1	$\cdots$
$f'(x)$	$-$	0	$+$
$f(x)$	$\searrow$	$-k^2+4k-3$	$\nearrow$

함수 $f(x)$는 $x=1$일 때 최소이므로 최솟값은

$f(1)=-k^2+4k-3$

모든 실수 x에 대하여 $f(x)\geq 0$이려면 $f(1)\geq 0$이어야 하므로

$-k^2+4k-3\geq 0$, $k^2-4k+3\leq 0$

$(k-1)(k-3)\leq 0$ $\quad\therefore 1\leq k\leq 3$

따라서 정수 k는 1, 2, 3이므로 그 개수는 3이다.

7 t초 후 물체의 속도를 v m/s라 하면

$v=\dfrac{dh}{dt}=32-1.6t$ $\qquad\qquad\cdots\cdots$ [2점]

최고 높이에 도달했을 때의 속도는 $v=0$이므로

$32-1.6t=0$에서 $t=20$ $\qquad\cdots\cdots$ [2점]

따라서 20초 후 물체의 지면으로부터의 높이는

$h=32\times 20-0.8\times 20^2=320\ \text{(m)}$ $\qquad\cdots\cdots$ [2점]

8 t초 후 가장 바깥쪽 물결의 반지름의 길이는 $8t$ cm

t초 후 가장 바깥쪽 물결의 넓이를 S cm^{2}라 하면

$S=\pi(8t)^2=64\pi t^2$ $\qquad\therefore \dfrac{dS}{dt}=64\pi\times 2t=128\pi t$

따라서 $t=2$일 때, 가장 바깥쪽 물결의 넓이의 변화율은

$128\pi\times 2=256\pi\ \text{(cm}^2/\text{s)}$

9 $\displaystyle\int g(x)\,dx=x^4f(x)+a$의 양변을 x에 대하여 미분하면

$g(x)=4x^3f(x)+x^4f'(x)$

이 식에 $x=1$을 대입하면

$g(1)=4f(1)+f'(1)$

$\qquad=4\times(-2)+2=-6$

10 $f(x)=\displaystyle\int f'(x)\,dx=\int (3x^2+ax+5)\,dx$

$\qquad=x^3+\dfrac{1}{2}ax^2+5x+C$

이때, $f(0)=-3$이므로 $C=-3$

또, $f(1)=-1$이므로 $1+\dfrac{1}{2}a+5-3=-1$

$\dfrac{1}{2}a=-4$ $\qquad\therefore a=-8$

따라서 $f(x)=x^3-4x^2+5x-3$이므로

$f(2)=8-16+10-3=-1$

11 $f'(x)=\dfrac{d}{dx}\displaystyle\int(x^3+x^2+3)\,dx=x^3+x^2+3$

$\therefore \displaystyle\lim_{x\to 2}\dfrac{f(x)-f(2)}{x-2}=f'(2)=8+4+3=15$

12 $\displaystyle\int_{-3}^{-1}(x^2+x+1)\,dx+\int_{-1}^{3}(x^2+x+1)\,dx+\int_{3}^{-3}(x^2+x)\,dx$

$=\displaystyle\int_{-3}^{3}(x^2+x+1)\,dx+\int_{3}^{-3}(x^2+x)\,dx$

$=\displaystyle\int_{-3}^{3}(x^2+x+1)\,dx-\int_{-3}^{3}(x^2+x)\,dx$

$=\displaystyle\int_{-3}^{3}1\,dx=\Big[x\Big]_{-3}^{3}=6$

13 $f(x)=|x^2-1|+2x$

$=\begin{cases} x^2+2x-1 & (x\le -1 \text{ 또는 } x\ge 1) \\ -x^2+2x+1 & (-1\le x\le 1) \end{cases}$

$\therefore \displaystyle\int_{0}^{2}f(x)\,dx$

$=\displaystyle\int_{0}^{1}(-x^2+2x+1)\,dx+\int_{1}^{2}(x^2+2x-1)\,dx$

$=\Big[-\dfrac{1}{3}x^3+x^2+x\Big]_{0}^{1}+\Big[\dfrac{1}{3}x^3+x^2-x\Big]_{1}^{2}$

$=\dfrac{5}{3}+\dfrac{13}{3}=6$

14 $f(x)=6x^2-\displaystyle\int_{0}^{1}(2x+1)f(t)\,dt$

$=6x^2-2x\displaystyle\int_{0}^{1}f(t)\,dt-\int_{0}^{1}f(t)\,dt$

이때, $\displaystyle\int_{0}^{1}f(t)\,dt=k$ (k는 상수)   ...... ㉠

로 놓으면 $f(x)=6x^2-2kx-k$

$f(t)=6t^2-2kt-k$를 ㉠에 대입하면

$\displaystyle\int_{0}^{1}(6t^2-2kt-k)\,dt=k,\ \Big[2t^3-kt^2-kt\Big]_{0}^{1}=k$

$2-2k=k$ $\therefore k=\dfrac{2}{3}$

$\therefore \displaystyle\int_{0}^{1}f(t)\,dt=\dfrac{2}{3}$

15 $f(x)=\displaystyle\int_{2}^{x}(t^2-4t+3)\,dt$의 양변을 x에 대하여 미분하면

$f'(x)=x^2-4x+3=(x-1)(x-3)$

$f'(x)=0$에서 $x=1$ 또는 $x=3$

함수 $f(x)$의 증가, 감소를 표로 나타내면 다음과 같다.

x	$\cdots$	1	$\cdots$	3	$\cdots$
$f'(x)$	+	0	$-$	0	+
$f(x)$	↗	극대	↘	극소	↗

...... [4점]

즉, 함수 $f(x)$는 $x=3$에서 극소이므로 극솟값은

$f(3)=\displaystyle\int_{2}^{3}(t^2-4t+3)\,dt$

$=\Big[\dfrac{1}{3}t^3-2t^2+3t\Big]_{2}^{3}=0-\dfrac{2}{3}=-\dfrac{2}{3}$ ...... [2점]

따라서 $a=3,\ b=-\dfrac{2}{3}$이므로

$ab=-2$ ...... [2점]

16 $f(t)$의 한 부정적분을 $F(t)$라 하면

$\displaystyle\lim_{x\to 1}\dfrac{1}{x^2-1}\int_{1}^{x}f(t)\,dt=\lim_{x\to 1}\dfrac{F(x)-F(1)}{x^2-1}$

$=\displaystyle\lim_{x\to 1}\Big\{\dfrac{F(x)-F(1)}{x-1}\times\dfrac{1}{x+1}\Big\}$

$=\dfrac{1}{2}F'(1)=\dfrac{1}{2}f(1)$

$=\dfrac{1}{2}\times(1-4+2+5)=2$

17 두 곡선 $y=x^3-2x^2$, $y=-2x^2+x$의 교점의 x좌표는

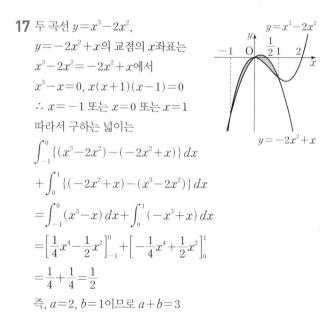

$x^3-2x^2=-2x^2+x$에서

$x^3-x=0,\ x(x+1)(x-1)=0$

$\therefore x=-1$ 또는 $x=0$ 또는 $x=1$

따라서 구하는 넓이는

$\displaystyle\int_{-1}^{0}\{(x^3-2x^2)-(-2x^2+x)\}\,dx$

$+\displaystyle\int_{0}^{1}\{(-2x^2+x)-(x^3-2x^2)\}\,dx$

$=\displaystyle\int_{-1}^{0}(x^3-x)\,dx+\int_{0}^{1}(-x^3+x)\,dx$

$=\Big[\dfrac{1}{4}x^4-\dfrac{1}{2}x^2\Big]_{-1}^{0}+\Big[-\dfrac{1}{4}x^4+\dfrac{1}{2}x^2\Big]_{0}^{1}$

$=\dfrac{1}{4}+\dfrac{1}{4}=\dfrac{1}{2}$

즉, $a=2,\ b=1$이므로 $a+b=3$

18 곡선

$y=x^2-6x+k$

$=(x-3)^2+k-9$

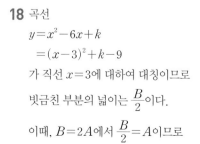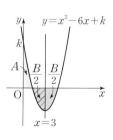

가 직선 $x=3$에 대하여 대칭이므로

빗금친 부분의 넓이는 $\dfrac{B}{2}$이다.

이때, $B=2A$에서 $\dfrac{B}{2}=A$이므로

$$\int_0^3 (x^2 - 6x + k)\,dx = 0$$

$$\left[\frac{1}{3}x^3 - 3x^2 + kx\right]_0^3 = 0$$

$$9 - 27 + 3k = 0 \qquad \therefore k = 6$$

19 두 점 P, Q의 속도가 같아지는 순간은 $v_P = v_Q$에서

$3t^2 - 4t + 3 = 2t + 12$, $3t^2 - 6t - 9 = 0$

$(t+1)(t-3) = 0 \qquad \therefore t = 3 \ (\because t > 0)$

$t = 3$일 때, 두 점 P, Q의 위치 x_P, x_Q는

$$x_P = 0 + \int_0^3 (3t^2 - 4t + 3)\,dt$$

$$= \left[t^3 - 2t^2 + 3t\right]_0^3 = 18$$

$$x_Q = 0 + \int_0^3 (2t + 12)\,dt$$

$$= \left[t^2 + 12t\right]_0^3 = 45$$

따라서 구하는 두 점 P, Q 사이의 거리는

$45 - 18 = 27$

20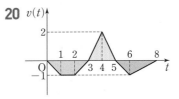

ㄱ. $t = 2$일 때 점 P의 위치는

$$1 + \int_0^2 v(t)\,dt = 1 - \frac{1}{2} \times (2+1) \times 1 = -\frac{1}{2}$$

ㄴ. 8초 동안 점 P가 실제로 움직인 거리는

$$\int_0^8 |v(t)|\,dt = \frac{1}{2} \times (3+1) \times 1 + \frac{1}{2} \times 2 \times 2 + \frac{1}{2} \times 3 \times 1$$

$$= 2 + 2 + \frac{3}{2} = \frac{11}{2}$$

ㄷ. $t = 0$에서 $t = 3$까지 점 P의 위치의 변화량은 -2

$t = 0$에서 $t = 5$까지 점 P의 위치의 변화량은 $-2 + 2 = 0$

$t = 0$에서 $t = 8$까지 점 P의 위치의 변화량은

$$-2 + 2 - \frac{3}{2} = -\frac{3}{2}$$

따라서 점 P가 출발점에서 가장 멀리 떨어져 있는 것은 위치의 변화량의 절댓값이 가장 큰 $t = 3$일 때이다.

따라서 옳은 것은 ㄴ이다.

Memo

무겁고 뻐근한 다리에 시원함을!
다리 스트레칭

의자에 오래 앉아 있다 보면 다리가 뻐근하고 붓는 느낌이 들 때가 많아요. 실제로 의자에 오래 앉아 있게 되면 우리 몸을 건강하게 지켜 주는 엉덩이, 허벅지 근육이 손실된다고 합니다. 의자에 앉아서도 쉽게 할 수 있는 다리 스트레칭을 통해 소중한 건강을 지켜 주세요.

❶ 의자에 한쪽 다리를 접어서 올리고 두 손으로 정강이 부분을 잡은 후
   고개를 자연스럽게 숙이며 가슴 쪽으로 당겨 주세요.

❷ 같은 자세에서 허리를 쭉 펴고 고개와 등을 뒤로 젖혀 줍니다.
   이때 넘어지지 않게 주의하세요.

❸ 다시 앞을 보고 의자에 바른 자세로 앉은 다음,
   한쪽 다리를 접어 반대쪽 다리 위에 올리고 발목을 돌려 주세요.

❹ 두 발을 앞으로 쭉 뻗어 발목을 몸 쪽으로 꺾어 줍니다.
   10초 정도 유지 후 반대쪽으로 발목을 펴 주면 다리 피로 안녕~!

book.chunjae.co.kr

교재 내용 문의	교재 홈페이지 ▶ 고등 ▶ 교재상담
교재 내용 외 문의	교재 홈페이지 ▶ 고객센터 ▶ 1:1문의
발간 후 발견되는 오류	교재 홈페이지 ▶ 고등 ▶ 학습지원 ▶ 학습자료실